문을 열었네 ?

銀

김 은 희 작가 드림
희망훈

악귀

1

일러두기

- 이 책의 편집은 김은희 작가의 집필 방식을 따랐습니다.
- 드라마 대사는 글말이 아닌 입말임을 감안하여, 한글맞춤법과 다른
  부분이라 해도 그 표현을 살렸습니다. 지문의 경우 한글맞춤법을 최대한
  따르되, 어감을 살리기 위해 고치지 않고 그대로 둔 경우도 있습니다.
- 대사와 지문에 등장하는 말줄임표와 쉼표, 느낌표와 마침표 등의
  문장부호 역시 작가의 집필 의도를 살리기 위해 그대로 실었습니다.
- 장면을 나타내는 'Scene'의 경우, 표준국어대사전에는 '신'으로 등록되어
  있지만 대본에서는 작가의 집필 방식과 현장에서 쓰이는 방식에 따라
  '씬'으로 표기했습니다.
- 이 책은 작가의 최종 대본으로, 방송된 부분과 다를 수 있습니다.

악귀

1

김은희 대본집

용어 정리

씬 장면(Scene)을 의미하며 같은 장소, 같은 시간 내에서 이루어지는
일련의 행동이나 대사가 한 신을 구성한다.

D 그 장면이 이루어지는 시간대를 표시. 낮.

N 그 장면이 이루어지는 시간대를 표시. 밤.

(소리) 인물은 나타나지 않고 소리만 등장하는 경우를 표시.

몽타주 따로따로 촬영한 화면을 붙여서 하나의 새로운 장면이나 내용으로
만드는 일.

인서트 화면의 특정 동작이나 상황을 강조하기 위해 삽입한 화면. 이 장면이
없어도 상황을 이해하는 데는 문제가 없으나 인서트를 삽입함으로써
상황이 더 명확해지고 스토리가 강조되는 효과가 있다.

오미트 대본 최종고에서 씬의 생략을 지시하는 용어.

오버랩 앞 화면에 뒷 화면이 겹쳐지며 장면이 바뀌는 기법. 또는 한 사람의
대사가 끝나기 전에 다른 사람의 대사가 맞물리는 것.

팬 삼각대에 카메라를 장착하고 렌즈를 좌우 수평으로 이동하면서
촬영하는 기법.

차례

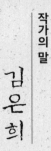

작가의 말

김은희

〈악귀〉 대본을 쓰는 시간 동안 입에 달고 살았던 말이 "누가 이거 하자고 했어!"였던 것 같습니다. 물론 제가 먼저 하자고 했죠. 공중파에서 오컬트라니… 어디서 이런 용기가 났을까요. 오랫동안 친했던 지인들마저 이번엔 못 보겠다고 선언했을 때 슬슬 겁이 나기 시작했습니다. 내 선택이 최선이었던 걸까….

이런 겁쟁이 작가를 처음부터 끝까지 한결같은 맘으로 응원해 주시고 함께 달려주신 이정림 감독님, 이옥규 CP님, 김재홍 감독님, 김은혜 PD님, 이수민, 김주영, 전영규 조감독님을 비롯한 모든 스태프분들 진심으로 감사드립니다.

씩씩하게 멋진 악귀가 되어준 김태리 배우, 코미디에서 감정 신까지 다 되는 오정세 배우. MZ 강수대 에이스 경위 홍경 배우, 힘든 스케줄에도 달려와 준 진선규 배우, 긴말하면 입 아픈 명품 연기자 박지영 선배님, 김원해 선배님, 예수정 선배님, 양혜지, 김신비, 박소이, 심달기 배우를 비롯해 악귀를 빛내주신 모든 배우분들께 감사드리고 마지막 방점을 찍어주신 김해숙 선배님, 존경합니다.

외로운 작업실에서 〈악귀〉의 초석을 다져준 백민정 작가에게 고맙고,
마지막을 지켜준 김민음 작가에게도 감사 인사를 전하고 싶습니다.

마지막으로 두 눈 가리고 아픈 심장을 매만지며 끝까지 〈악귀〉를
지켜주신 시청자분들께 진심을 담아 인사드리고 싶습니다. 응원해 주셔서
감사합니다. 마음에 깊이 담고 잊지 않겠습니다.

한때 악귀에 씌었었던 김은희 작가 올림

기획 의도

청춘

청춘은 인생에서 가장 아름다운 시절이다.

하지만 대한민국에서 사는 청춘들은 대다수가 힘든 삶을 살고 있다.

현실과 이상의 괴리감. 나보다 더 많은 것을 가진 자들에 대한 상대적 박탈감.

남들보다 뒤처지면 어쩌나 싶은 조바심. 더 위로 올라가고자 하는 나약한

마음을 유혹하는 나쁜 어른들.

그럼에도 불구하고 그들은 아름답다. 누구보다 힘든 삶을 살고 있지만

누구보다 더 열심히 살아가는 산영을 통해 여전히 청춘은 아름답다는 걸

보여주려 한다.

어른

다 자라서 자기 일에 책임을 질 수 있는 사람을 가리키는 말 어른.

어른이라면 누구나 사회적 나이와 지위에 어울리는 성숙한 삶을 살고있는 걸까.

어느덧 나도 모르게 어른이 되어버린 해상. 사회적 지위. 재산 등 겉모습은

성숙했지만, 과거의 기억에 붙들려 아직 여물지 못한 해상이 성장하며 진정한

어른이 되어가는 과정을 그려보려 한다.

우리 민족의 정체성, 민속학

우리의 전승 문화를 연구하는 학문, 민속학.

설화, 속담, 세시풍속, 민요, 무속신앙 등 생활상을 연구하는 민속학은 어찌
보면 시대의 생활상을 들여다볼 수 있는 거울이다.

문화재 연구보다 거창하지 않을 수도 있고 역사보다 작은 얘기일 수 있지만,
당시 민중들의 삶이 어땠는지 그래서 우리가 어떤 삶을 이어받았는지 알 수
있게 해준다. 그런 민속학을 통해 금줄, 장독, 된장, 집들이 풍속, 복날 등
주변에서 쉽게 접할 수 있는 것들에 대한 유래 혹은 시초에 접근해 보고자 한다.

돈

'자상한 부모보다 돈 많은 부모가 더 좋다.'

'돈이 있다고 행복한 건 아니지만, 행복하기 위해선 돈이 필요하다.'

학력, 취업, 외모, 건강. 돈이면 뭐든지 다 되는 황금만능주의 세상에 원하는
돈을 가질 수 있는 기회가 주어지고 대신 가장 중요한 것을 포기해야 한다면
어떤 선택을 할까. 인생의 중요한 갈림길에 선 두 주인공들의 선택을 통해 이
시대 돈의 의미에 대해서 고민해 보고자 한다.

등장인물

구산영 (무인년^{戊寅年}, 범띠, 25세, 여) | 김태리

'평범한 삶'이 꿈인 N년 차 공시생.

오직 9급 공무원 합격만이, 인생의 희망이자 목표. 공무원만 합격하면 남들 다 가는
맛집 한번 가보는 게 소원인, 스물다섯 구산영. 하지만 노량진엔 발도 못 들어본,
주경야독형 인간이다. 또래 직장인들이 오피스룩 입고 목에 사원증 걸고 있을 때,
헬멧 차림으로 카드리더기와 배달 음식을 들고 뛰어다닌다.

처음부터 알바와 공생했던 건 아니다. 일머리 없는 엄마를 대신해 자급자족해야 했던
날들이 지금까지 이어졌을 뿐. 하지만 어렸을 적 죽은 아빠를 대신해 혼자 외롭게
딸을 키운 엄마를 생각하면 찡한 마음이 든다. 그래서 산영은 365일 언제나 열심히 살
수밖에 없다.

주변에 흔히 볼 수 있는 비겁한 사람들, 게으른 사람들을 보면서 산영은 자부심을 가진다.
돈 없고 직장도 없지만 그래도 난 좋은 사람이라는 자부심. 언제나 최선을 다하며 살았고,
아무리 피곤해도 남들한테 예의를 갖췄다. 분수에 넘치는 물건을 탐한 적도 없고, 자신의
힘으로 떳떳하게 돈을 벌어왔고 누군가에게 언제나 필요한 사람이었다.

작지만 소박한, 평범한 삶을 꿈꾸는 좋은 사람, 산영에게 평범치 않은 일들이
발생한다. 아빠의 유품을 받은 뒤부터 사망 현장에서 산영의 지문이 자꾸만
발견되는 것. 귀신을 보는 한 남자는, 나의 욕구가 악귀를 품고 있다는 황당한 소릴
한다. 귀신 따위 믿지 않았지만, 점점 변해가는 자신의 모습에 당황한다.

거짓, 탐욕, 시기, 질투.. 자신 안에 감춰졌던 또 다른 자신의 모습이 믿기지 않는
산영. 그뿐만이 아니다. 서서히 죽음들이 가까워진다. 내가 사랑하는 사람들. 가족,
친구의 목숨도 위험하다.. 산영은 점점 자기 자신이 두려워지기 시작한다.

염해상 (계해년^{癸亥年}, 돼지띠, 40세, 남) | 오정세

항상 어딘가 허공을 응시하고 있는 시선과 365일 어두운 옷만 걸치는 미스터리한 남자.
명품 수트와 시계, 고급 외제차, 그리고 고급 주택까지. 부유한 집안의 외아들로
태어나 교수 월급으로는 불가능한 재력을 지니고 있다.

어렸을 때부터 귀(鬼)와 신(神)을 볼 수 있었다. 누군가의 얼굴에서 번져가는 붉은
얼룩. 유리창에 나타났다 사라지는 손자국, 학교 운동장 위를 서성이는 발자국.
주인과 다르게 생긴 그림자. 해상의 눈으로 보는 세상엔 우리와 다른 존재들이
너무나도 많았다. 처음엔 그들이 무서워 보이지 않는 척, 모르는 척했지만 반드시
찾아야 하는 존재를 찾기 위해 그들에게 집착하게 됐다.
교회, 성당, 절. 종교란 종교는 다 기웃거려보고 도서관의 관련 도서들을 섭렵하다가
민속학이란 학문에서 어렴풋이 그 해답을 찾게 되면서 빠져들게 됐다.

그 누구도 가지 않는, 다 죽어가는 마을까지 가 지역조사를 일삼는 건 일쑤, 전국의
폐가, 집터, 발굴 현장, 궁과 능, 골동품가게 등을 찾아 전국 곳곳을 찾아다녔다.
그렇게 알게 된 대다수의 귀신들은 선량한 선신, 조상신이거나 갈 길을 잃은 불쌍한
존재들. 혹은 사람에게 장난만 치고 도망가는 잡신들이었다.

그러던 어느 날, 그놈이 드디어 해상의 눈앞에 나타났다.
구산영이라는 여자애에 올라탄 채.. 몇십 년 전 해상의 엄마를 죽였던 바로 그 악귀다.
어렸을 때 해상의 눈앞에서 붉은 댕기를 손에 쥐고 죽은 엄마. 그때 처음 그 악귀를
마주했었다. 머리를 풀어헤친 검은 그림자. 사람들을 죽이면서 점점 커져가는
악귀를 산영과 뒤쫓던 중 충격적인 사실을 알게 되고 망연자실한다.

이홍새 (병자년丙子年, 쥐띠, 27세, 남) | 홍경

서울청 강력범죄수사대 경위이자 본인 입으로 '경찰대 수석'이라는 얘기를 입에 달고 살 정도로 나 잘난 맛에 사는 자기애의 끝판왕.

홍새가 이렇게 아득바득 잘난 척하는 첫 번째 이유는, 원래가 이쁜 말을 못 하는 성격이라서, 두 번째는 홍새가 지면 부모님이 지는 거니까. 한 번도 잘살아본 적 없지만 열심히 사셨던 부모님. 하루 종일 힘든 일을 하고 돌아오면 공부하는 홍새 뒷모습 보는 게 낙이시다. 언제나 가장 좋은 음식은 '큰일 할 사람'이 먹어야 하고 좋은 옷도 '어디서 나왔는지 모를 제일 멋진 아들'에게 입히시는 부모님을 마음 깊이 사랑하지만, 그 기대가 언제부턴지 홍새의 뒷덜미에 보이지 않는 짐처럼 쌓여갔다. 그 기대를 저버릴 순 없다.

그냥 그런 사건들 말고 정말 그럴싸한 사건들 해결해서 특진하고 탄탄대로 최연소 경찰청장이 되리라는 청운의 꿈을 안고 서울청 강력범죄수사대에 들어오는 홍새. 그의 앞길을 막는 건 파트너 문춘이다.
강력계 선무당이란 별명답게 귀신이 곡할 노릇인 사건들만 골라가며 수사하는 문춘. 어떡하든 문춘이라는 장애물을 피해 승진을 위해 노력하지만 산영, 해상과 얽히게 되면서 보고도 믿기지 않을 사건들에 휘말리게 된다. 다른 형사들이 홍새를 강력계 선무당 주니어라고 부르기 시작했다. 언제나 자신감에 찼던 홍새의 청춘은 점점 꼬여만 간다.

나병희 (정축년^{丁丑年}, 소띠, 86세, 여) | 김해숙

해상의 친할머니이자 중현캐피탈 대표.
호화로운 저택에서 외부로부터 완전히 단절된 채 살아가고 있다.
목적을 위해 수단과 방법을 가리지 않는 냉혈한. 손자이자 유일한 핏줄인 해상에게도
가차 없다.

윤경문 (무신년^{戊申年}, 원숭이띠, 55세, 여) | 박지영

어렸을 적 정겨운 시골 마을에서 나고 자랐다.
계곡에서 물고기 잡기, 논밭 매기, 송아지 출산 도와주기, 할머니들 얘기 들어주기는
정말 자신 있지만 학교 공부는 도무지 맘대로 되지 않았다. 미친 듯이 대입 시험에
매달려서 4수까지 도전해봤지만 말도 안 되는 성적으로 떨어졌다. 낙심해서 고향
마을로 내려왔을 때 지역조사를 하러 온 민속학과 교수 강모를 만나 첫눈에 반해
졸졸 쫓아다니다가 결혼까지 골인했다.
처음엔 모든 게 좋았다. 무뚝뚝하지만 다른 데 한눈 팔지 않고 연구에만 전념하는
강모가 멋있었고, 차갑지만 세련돼 보이는 강모의 엄마, 석란을 닮고 싶었지만,
산영이 다섯 살이 되던 해 쫓기듯 그 집을 뛰쳐나온다.

서문춘 (기유년^{己酉年}, 닭띠, 54세, 남) | 김원해

은퇴를 앞둔 베테랑 강수대 형사.
실력을 인정받아 강수대로 발령받은 건 아니다. 남들이 맡기 꺼리는 미제사건을
맡길 사람이 필요했을 뿐이다. 한 번도 능력을 인정받아 본 적이 없다. 그렇다고
실력이 없는 건 아니다. 매사가 느리고 진중하다. 아무리 작은 것도 허투루 보고

넘어가지 않는다. 그래서 남들이 찾지 못하는 단서를 찾아내기도 하지만 인정을
받는 데 관심이 없다 보니 매번 공을 뺏기기 일쑤다.

젊었을 때 아내와 사별한 뒤 쭉 혼자였다. 그런 그에게 가족 같은 존재는 해상. 그가
맡았던 첫 번째 살인 사건의 유가족이다. 아직까지 미제로 남은 그 사건이 언제나
마음에 혹처럼 남아있다. 그래서 그의 책상 서랍 안에는 기괴한 사건들이 가득하다.
이런 사건들의 뒤를 쫓다 보면 그 사건의 진상을 밝힐 수 있지 않을까..

백세미 (무인년戊寅年, 범띠, 25세, 여) | 양혜지

산영의 고등학교 동창.

베프 중의 베프이자 자칭 영혼의 동반자. 어려운 집안 사정도 꿈도 진로도 똑같아
산영과 함께 공무원 준비 중이지만 매번 떨어지는 것도 똑같다. 산영에게 이해하기
힘든 일이 생기고 난 뒤 자신을 멀리하는 산영에게 서운한 감정을 느끼던 중
기적적으로 공무원 시험에 합격하게 된다.

어떤 일이 있든 늘 산영의 곁을 지켜주는 든든한 친구다.

김치원 (기해년己亥年, 돼지띠, 64세, 남) | 이규회

병희의 최측근이자 중현캐피탈 부사장.

30년 전만 해도 해상의 집안의 굳은일을 도맡아 하던 운전기사였다. 어떤 일이든
주어진 일이라면 묵묵히 해내는 성실함과 충직함을 인정받아 지금의 자리에까지
올랐다. 병희를 대신해 실질적인 회사 경영을 맡고 있으며 여전히 병희의 손과 발이
되어주고 있다.

구강모 (을사년^{乙巳年}, 뱀띠, 58세, 남) | 진선규

산영의 아버지이자 전(前) 민속학과 교수.
무속신앙 중 특히 귀신(鬼神) 연구에 몰두했던 강모는 학문의 영역을 벗어났다는 비난을
받으며 학계에서 인정받지 못했으나 포기하지 않고 연구를 이어갔다. 그러다 지역조사에서
만난 경문과 결혼하고 아이를 낳게 되면서 강모는 서툴어도 다정한 남편이자 아빠가 되기
위해 노력했다.
그러던 어느 날, 삶을 송두리째 바꿔버릴 만한 시련과 맞닥뜨리게 되고 강모는 돌이킬 수
없는 선택을 하고 만다.

김석란 (70대 후반, 여) | 예수정

구강모의 모친. 산영의 할머니.

김우진 (10대 후반, 남) | 김신비

해상의 친구이자 동거인.

1부

문 안과 밖은 다른 세상이에요.

그걸 연결시켜주는 통로가 문이죠.

씬/1   N, 화원재 건물 밖

비바람이 몰아치고 있는 하늘. 인적이 드문 야산 기슭에 세워진 기품 있는
한옥 건물. '화원재(化源齋)'라고 적힌 현판. 그 앞으로 천천히 와서 멈추는
택시에서 내려서는 불안한 얼굴의 강모(50대 후반, 남). 반백의 머리에
두꺼운 안경. 손에는 검은 가방이 들려있는데..

씬/2   N, 화원재 마당

대문을 지나쳐서 불 켜진 안채를 지나 어두운 별채 건물로 빠르게
다가가는 강모. 정원에 드리운 어둠에 보일 듯 말 듯 흐릿한 강모의
그림자가 그 뒤를 따르는데..

씬/3   N, 화원재 본채 거실

돋보기를 끼고 책을 읽고 있던 완고한 표정의 석란(70대 후반, 여).
밖에서 들려오는 인기척에 고개를 들고 창밖을 향해

석란   강모야. 너니?

별채가 보이는 창문 쪽으로 다가가려는데 창밖에서 휙 스치듯 지나가는
머리를 풀어헤친 검은 그림자.
잘못 봤나? 불안한 시선으로 천천히 창가로 다가가보면 조금 떨어진
별채가 보인다.

씬/4   N, 학원재 별채 서재

민속학 관련 책들로 가득한 서재 안으로 쫓기듯 들어서는 강모.
문을 닫자마자 문 옆에 걸어놓은 왼쪽으로 꼰 금줄을 문을 가로질러 매어
거는데 손이 가늘게 떨리고 있다. 때마침 번쩍이는 천둥 불빛에 창문 밖에
선 머리를 풀어헤친 악귀의 그림자가 보였다 사라진다.
더욱 초조해지는 눈빛으로 책상으로 다급히 다가와 가방 안의 물건을
바라보는 강모. 사이사이 작은 칼이 꽂힌 금줄로 묶인 여기저기 흙이 묻은
목각상자. 상자를 바라보다가 책상 한 켠에 놓인 겉면에 '댕기'라고
적혀있는 노트를 펼쳐 마지막 장을 확인하는 강모.

'붉은 댕기, 옥비녀, 흑고무줄, 푸른 융기 조각, 초자병. 악귀노 태자귀'

뚫어져라 초조하고 불안한 눈빛으로 노트를 바라보던 강모.

강모   뭐가.. 뭐가 잘못된 거지.. 설마..

순간, '쾅쾅쾅' 누군가 문을 두드리기 시작한다.
긴장한 눈빛으로 문 쪽을 바라보는 강모.

석란(소리)   강모야. 나다. 문 좀 열어봐봐.

강모, 멈칫 방문 너머를 바라본다.

석란(소리)   밖에 그게 있어. 자꾸 날 쫓아와. 무서워 죽겠다. 문 좀 빨리
          열어봐.

1부   25

연신 들려오는 불안한 석란의 목소리에 강모, 혼란스러운 눈빛으로 문을
바라보는데..

석란(소리) 강모야. 거기 있니?

강모, 계속 주저하다가 천천히 금줄을 늘어뜨리고 천천히 방문을 여는데
어두운 복도에 고개를 숙이고 서 있는 강모의 모습을 한 악귀.
서서히 고개를 드는데 싸늘한 미소를 짓고 있다. 천천히 입을 여는 문밖의
강모.

악귀 문을 열었네.

문 안의 진짜 강모의 눈빛, 공포로 삽시간에 질리는데..

씬/5 N, 화원재 정원/별채 건물 복도

석란, 겉옷을 걸치고 별채 건물을 향해 다가가는데 별채 쪽에서 들려오는
'쿵' 소리. 의아한 눈빛으로 다가가며

석란 강모야. 무슨 일 있니?

긴 복도를 따라 서재로 다가가는데 열린 서재 문 너머로 목을 맨 듯
허공에 축 처져 있는 강모의 다리. 양쪽 손목에 든 붉은 피멍.
'헉' 놀라서 주저앉아 버리는 석란의 모습에서 서서히 암전.

씬/5-1 몽타주

— 낮, 화면 서서히 밝아지면 도심의 소음. 점심시간인 듯 어디론가
　이동하고 있는 직장인들. 목에 걸린 사원증, 깔끔한 오피스룩. 깔끔한
　정장 구두들, 색색깔의 하이힐 사이 반대 방향으로 바쁘게 걸어가고 있는
　산영의 운동화.

— 낮, 대형건물 로비. '삐''삐''삐' 사원증을 찍으며 보안 게이트를 오가고
　있는 사람들. 그런 게이트 인근에 멈춰 서 있는 산영의 운동화. 비닐
　봉투에 담긴 배달 음식을 들고 있는 손.

— 밤, 퇴근길. 건널목 인근에 모여있는 직장인들. 파란 신호등이 켜지면
　일제히 건널목을 건너기 시작하는 사람들. 인파들이 빠져나가고 난 뒤
　혼자 남아 서 있는 산영. 핸드폰을 바라보며 대리운전 콜을 기다리고 있는
　뒷모습. 몇 번의 신호가 변하면서 사람들은 떠나지만 그 자리를 가만히
　지키고 있던 산영의 뒷모습.
　문득 고개 들어 바라보면 저 앞쪽 빌딩 전광판에 떠 있는 '300억대에
　달하는 최악의 보이스 피싱 사건 발생' 뉴스. 가만히 그 뉴스를 바라보고
　있는데 다시 파란 불이 켜진다. 천천히 한 발 두 발 움직이기 시작하는
　산영. 저 앞으로 보이는 한강 다리를 향해 멀어진다.

씬/6   N, 한강 다리 위

한강 다리로 천천히 걸어들어오는 산영(20대 중반, 여). 다리 중간쯤
이르자 멈춰 서서 흘러가는 강물을 내려다본다. 천천히 난간 밑단을
밟고 올라서서 위태롭게 난간에 기대어 선 채 스산한 눈빛으로 강물을

바라보는 산영의 모습 위로 담담하게 들려오는 해상의 목소리.

해상(소리) 자살 사건에는 보이지 않는 손이 있어.

씬/7   D, 한강 둔치

둔치, 벤치에 앉아 맥주 캔을 꿀꺽꿀꺽 마시고 내려놓는 해상(40대 초반, 남). 옆에는 맥주 캔들이 나뒹굴고 있지만 그 어디에도 취한 기색이 없는 눈빛으로 강 위로 보이는 다리를 바라보며 얘기를 이어 나간다.

해상 조선 초기, 법제서인 대명률직해 322조에 위핍인치사란 규정이 있어.

해상 옆에 앉아서 같은 다리를 바라보고 있는, 선한 인상에 고등학교 교복을 입은 우진(10대 후반, 남).

우진 그놈의 옛날 얘기. 지겨워 죽겠네. 민속학 교수 티 내?
해상 비싼 강의니까 잘 들어. 위핍인치사란 말 그대로 위협과 핍박을 받다가 그 억울함을 이기지 못하고 스스로 목숨을 끊은 사람들을 위한 법률이야. 누가 그 사람을 죽게 만들었는지 대신 복수를 해주는 거지. 자살 사건에 보이지 않는 손.. 진짜 범인이 있다고 생각한 거야.
우진 그러니까 지금이나 예전이나 억울한 일로 자살한 사람들이 많았다는 거잖아. 그건 알겠는데.. 이제 여기 좀 그만 오면 안 돼?

해상, 그저 말없이 맥주를 다시 들이켜는데..

우진   미친놈처럼 여기서 맨날 죽치고 앉아있어도 변하는 건 없어.
알잖아..

순간, 교량 아래 흘러가던 강물에서 물에 젖은 검은 손자국들이 교각을
타고 올라가기 시작한다. 불안한 눈빛으로 일어서는 해상.

해상   ..또 시작됐어.

해상, 굳은 눈빛으로 기둥을 타고 올라가는 손자국들을 바라보다가
교량을 향해 뛰기 시작한다.

씬/8   D, 한강 다리 위

여전히 다리 위 난간에 기대어 서 있는 산영의 아래를 비추면 난간 아래
교량을 타고 산영을 향해 빠르게 올라오는 손자국들. 더욱 위태롭게 난간
아래쪽으로 상체를 숙여 강물을 바라보는 산영. 검게 흘러가는 강물을
바라보던 찰나 산영의 시선, 암흑으로 변했다가 다시 돌아온다.
이게 뭐지? 정신이 든 듯 고개를 드는데 그때 울리는 문자 착신음. 그
소리에 문득 정신이 든 듯 주머니에서 핸드폰을 꺼내 보면 '산영아 우리
돈 떼간 보이스 피싱범들. 잡았대!'

둔치 쪽에서 다리로 연결되는 도로를 타고 빠르게 올라오는 해상.
다리 위, 난간까지 올라온 손자국들, 인도까지 침범하고 있다.
인도 위를 걸어가는 커플, 자전거를 끌고 오는 사람들, 퇴근하는 직장인
등 오가는 행인들. 손자국이 보이지 않는 듯 아무렇지 않게 걸어가지만
해상의 눈에는 점점 아치까지 번져가는 불길한 손자국들이 보인다.
긴장한 눈빛으로 인도 위를 오가는 사람들을 살피면서 중앙 쪽으로
다가오던 해상. 차량들 너머 반대편 인도, 난간 너머를 바라보고 있는
전 씬의 산영과 비슷해보이는 여자의 뒷모습. 미동도 없이 강물을
내려다보고 있는 여자를 발견한 해상, 여자 주변으로 손자국들이
올라오고 있다.
망설임 없이 차도로 뛰어들어 반대편 인도 쪽으로 뛰어간다. '빵빵!!'
클랙슨을 울리며 끼익 멈춰 서는 차량들. '미쳤어!', '당신 뭐야!' 놀란
운전자들 외치는데 거침없이 반대편 인도 쪽으로 넘어가 난간 너머를
바라보고 있는 여자의 어깨를 잡아채는 해상.
놀라서 돌아보는 여자. 산영이 아닌 다른 얼굴.

여자   (해상 보며) 뭐예요?

해상, 여자의 기색을 훑는데 무선 이어폰으로 누군가와 통화 중이었던
듯한 여자. '응.. 아니, 이상한 남자가 있어서..' 그런 여자의 뒤쪽을 보던
해상의 눈빛, 흔들린다. 손자국들이 반대편 인도 쪽을 향해 사라지고 있다.
손자국들이 향하는 방향을 향해 뒤돌아보는데 반대편 차선에 '끼이익'
급정거하는 자동차에서 문을 '쾅' 닫고 내려서는 어두운 얼굴의 30대
남자. 뚜벅뚜벅 난간 쪽을 향해 걸어가는데 그쪽을 향해 삽시간에 빠르게
몰려드는 손자국들.

30대 남, 잠시 주저하는 듯 떨리는 눈빛으로 흐르는 강물을 바라보는데
남자의 등, 어깨까지 올라타는 손자국들. 마치 그 손자국에 밀리듯,
강물로 몸을 던지는 30대 남. '악!!' 비명을 지르는 행인1. 주변을 지나던
다른 행인들도 놀라서 다리 아래를 바라보며 패닉에 빠지고 다리 위는
삽시간에 혼란에 빠지는데..
30대 남이 사라진 난간 쪽, 서서히 사라지고 있는 손자국들을 망연자실
바라보던 해상, 천천히 고개 돌려 30대 남이 타고 왔던 차를 바라본다.
열린 문 너머로 보이는 차 안, 룸미러에 달려있는 30대 남과 부인,
갓난아기가 함께 찍힌 사진. 그런 가족사진을 바라보는 해상의 눈빛에
안타까운 무력감과 슬픔이 번져간다. 그 위로 들려오는 앰뷸런스의
사이렌 소리.

씬/10   N, 해상의 집 거실

지친 기색으로 들어서는 해상. 창밖으로 서울 도심이 한눈에 내려다보이는
넓고 고급스러운 내부. 벽면에는 다른 그림 없이 가족사진 하나만이
덩그러니 걸려있다.
자상하게 웃고 있는 해상 부와 엄해 보이는 친할머니, 어두워 보이는 인상의
해상 모와 어린 해상. 함께 찍은 사진으로 다가가 해상 모의 사진을 어두운
눈빛으로 가만히 바라보던 해상, 돌아서서 거실 한 켠의 홈 바로 다가가
주르르 진열된 양주병 중 하나를 꺼내 잔에 따라 벌컥벌컥 들이켠다.
잔 하나를 비운 뒤 다시 양주를 따르다가 홈 바 위에 가지런히 놓여있는
우편물들이 눈에 들어온다. 놓인 한 편지를 보고 멈칫. 보낸 사람 이름
'구강모'다. 봉투를 뜯어서 내용물을 확인하는데 한 장의 편지. 펼쳐보면
한 자 한 자 붉은 볼펜으로 꾹꾹 눌러쓴 강모의 필체.

내가 죽으면 내 딸을 도와주세요.
이름은 구산영. 연락처 010-0239-1029
서울시 영등포구 용주로 22길 35
구강모 보냄

혼란스러운 눈빛으로 가만히 편지를 바라보는 해상의 모습에서..

씬/11   N, 경찰서 건물 외경

씬/12   N, 경찰서 건물 앞 일각

정문으로 헉헉대면서 뛰어 들어오는 산영. 건물 앞쪽에 모여있는 사람들.
누군가는 울음을 터뜨리고 있고, 누군가는 넋을 놓고 바닥에 주저앉아
있다. 그사이에서 어찌할 바를 모르고 섰던 경문(50대, 여)은 산영을
발견하고 울상이 돼 '산영아!! 여기' 다급히 손을 흔든다.
산영, 사람들 사이를 파고들어 경문에게 다가서며

산영   왜 그래? 범인들 잡혔다며.
경문   못 돌려받는대..
산영   그게 무슨 소리야?
경문   우리 돈. 그새 벌써 다 싹 날려버렸대.

산영, 그 소리에 하늘이 무너지는 듯 낯빛 변하는데..
건물 입구 쪽에서 대기 중이던 카메라맨들과 기자들의 '온다' 웅성대는
소리. 보면 정문을 통해 들어서서 건물 입구로 다가와 멈춰 서는 승합차.

흥분한 피해자들 차량을 향해 몰려들고, 그런 사람들을 제지하는 경찰들.
차 문이 열리고 한 명 두 명 포박된 보이스 피싱범들이 내려서자 '나쁜
놈들아! 내 돈 내놔!', '그게 어떤 돈인데!' 더욱 오열하는 피해자들.
한 명 한 명 형사들의 호위를 받으며 건물로 들어가는데 그런 범인들 중
팔에 눈에 띄는 문신을 한 문신 남에게 질문을 던지는 기자1.

기자1　　피해자들에게 하고 싶은 얘기 없나요?

순간, 보일 듯 말 듯 피식 웃는 문신 남. 산영, 피가 거꾸로 치솟는다.
'야!!!!' 눈앞에 보이는 게 없는 듯 사람들을 뚫고 문신 남에게 다가가려는
산영. 그 앞을 가로막는 경찰들. '웃어! 지금 웃음이 나와? 너 일루
와!!' 건물로 향하던 문신 남, 그 소리에 또다시 피식 웃는다. 그 모습에
광분해서 '으아아악' 억울한 비명을 지르는 산영.

씬/13　　N, 산영의 집 인근 골목

허름한 다세대 주택들이 밀집한 오르막길을 터덜터덜 오르고 있는
산영과 경문.
산영, 생각하면 생각할수록 울화통이 터지는 듯 울컥해서 경문을 보며

산영　　그게 어떻게 모은 돈인데 확인도 안 하고 덥석 보내. 보증금
　　　　　올려주기로 한 건 어쩔 거야.
경문　　(속상하고 답답한) 니가 납치됐다는데 어떻게 안 보내. 나한텐
　　　　　너밖에 없는데. 그러니까 왜 전화를 계속 안 받아가지구..
산영　　알바 중이었다구!

경문, 깜짝 놀라서 가슴 문지르며

경문　　소리 좀 지르지 마. 아우.. 가슴 벌렁거려.

산영, 여전히 답답한 눈빛이지만 맘이 약해진다.

산영　　약은.. 챙겨 먹었어?

씬/14　N, 산영의 집

허름하지만 깔끔하게 정리돼 있는 다세대 주택의 좁은 거실.
벽면에 붙여진 다섯 살 정도의 어린 산영과 당시의 경문의 사진부터 점점
성장하는 산영과 경문의 행복한 모습들이 찍힌 사진들에서 주방 비추면
풀 죽은 모습으로 앉아있는 경문 앞에 찌개를 내려놓는 산영.

산영　　먹어.
경문　　..뭘 잘했다구 밥을 먹어.
산영　　먹으라고. 뭐라도 먹어야 약을 먹지.

경문, 숟가락 들어서 밥을 먹기 시작하고, 산영도 꾸역꾸역 밥을 먹기
시작하는데.. 경문, 그런 산영의 눈치 보다가

경문　　나도 다시 알바 시작할까?

산영, 참자.. 최대한 감정을 추스린 뒤에 좋은 말투로

산영	일한다구 괜히 스트레스 받지 말구 그냥 집에서 쉬어. 돈은 내가 어떡하든 해볼게.
경문	너 나 일머리 없다구 무시하는 거지..
산영	누가 무시한다 그래.
경문	눈빛으로 무시하구 있잖아.
산영	무시하는 게 아니라.. 엄마 편의점 알바하다가 냉장고 고장내서 몇십만 원 물어준 거 기억 안 나?
경문	그거 한 번 실수한 거지.
산영	한 번이 아니지. 재작년에 고깃집 알바하다가 손님 천만 원짜리 명품 백에 김치찌개 엎었잖아.
경문	(다시 풀 죽어 기어 들어가는 소리로) 된장찌개였어..

풀 죽은 경문을 맘 약해져서 보는 산영. 밝은 목소리로

산영	엄마, 우리 간당간당하긴 했지만 잘살아왔고, 잘살고 있어. 앞으로도 잘살자. 내가 열심히 할 테니까 엄만 그냥 내 옆에만 있어 줘. 아무것도 하지 말고.
경문	그래도 니가 그렇게 고생하는데 어떻게 엄마가 돼서 가만히 있어.
산영	하지 마! 사랑해! 제발 건강 챙겨. 난 엄마가 건강한 게 제일 좋아.

그때 갑자기 울리는 경문의 핸드폰. 산영과 경문 자기도 모르게 화들짝 놀라 전화기를 보는..

산영	집주인 아줌마야?

발신인이 뜬 액정화면을 확인한 경문의 낯빛 서서히 굳어지다가
궁금해하는 산영에게 조용하라는 듯 손짓하고는 일어서서 멀어지며
전화를 받는다.

경문   예.. 말씀하세요.

경문, 처음엔 놀라서 멈칫하다가.. 점차 어두워지는 눈빛으로 수화기 너머
얘기를 듣다가

경문   예.. 알겠습니다.

천천히 전화를 끊는 경문을 의아하게 보는 산영.

산영   누군데 그래?

어두운 눈빛으로 잠시 생각하던 경문

경문   ..나랑 오늘 어디 좀 다녀와야겠다.
산영   지금? 나 대리운전 가야지.
경문   꼭 가야 하는 데야.

어두운 경문의 표정을 의아한 눈빛으로 바라보는 산영.

씬/15   N, 광역 버스 안

서울 인근 국도를 달리는 한적한 버스 안. 검은 정장을 입은 산영과 경문,

나란히 앉아있다.

오랜만에 입은 정장도 어색하고 말없이 창밖만 바라보는 경문도 어색한 산영.

산영　　근데 진짜 어디 가는지 얘기 안 해줄 거야?

경문, 어두운 창밖을 바라보다가

경문　　..너 아빠 기억나니?

산영　　(의아한 듯 경문 보다가) 아빠?..

─ 인서트

밤, 화원재, 경문의 방.

스탠드 불빛 아래 다섯 살 산영에게 〈장화홍련전〉을 읽어주고 있는

고지식한 학자 분위기의 30대 후반의 강모. 진중한 목소리로

강모　　계모와 그 아들은 자신들이 저지른 죗값을 받았고 장화와 홍련,

　　　　두 자매 귀신은 원통함을 풀고 하늘나라로 떠났습니다.

산영　　(초롱초롱) 더 없어? 그게 끝이야?

강모　　(산영을 보다가) 재밌는 얘기해줄까?

산영　　응.

강모　　장화홍련전은 진짜 있었던 일이야. 조선 효종대에 전동흘이란

　　　　사람이 철산 부사로 재직할 때 겪은 일을 소설로 쓴 거거든. 다시

　　　　말하자면.. (진지한 얼굴로) 귀신은 진짜로 있다는 거야.

─ 다시 현재 버스 안으로 돌아오면

과거를 회상한 듯 창밖을 보며 생각에 잠기던 산영.

산영	뭐 잘 기억 안 나. 너무 어렸을 때 돌아가셨잖아. (의아하게 경문 바라보며) 그런데 갑자기 아빠는 왜? 아빠 얘기하는 거 싫어했잖아.

경문, 망설이다가 산영을 바라보며

경문	너네 아빠 죽지 않았어.
산영	뭐?
경문	죽은 게 아냐. 너 다섯 살 때 이혼한 거야.

산영, 이게 무슨 소리지? 어이가 없는 얼굴로 경문을 바라보는데..
저 앞쪽으로 보이는 버스정류장.

경문	다 왔다.

먼저 일어서서 입구 쪽으로 다가가는 경문.
산영, 얼이 빠져서 그런 경문을 보다가 후다닥 그 뒤를 따른다.

씬/16 N, 버스정류장 인근 오솔길 일각

버스에서 내려서서 오솔길을 향해 걸어가는 경문.
뒤늦게 버스에서 내린 산영, 그런 경문을 쫓아오면서

산영	엄마 괜찮아? 지금 어디 안 좋은 거 아냐? 보이스 피싱 때문에 그래?
경문	(말없이 걸어가는)

산영	얘기 좀 해봐. 아빠, 새벽에 출근하다 교통사고 뺑소니로 돌아가셨다며.
경문	니가 자꾸 물어보니까 둘러댄 거야.
산영	(점점 더 어이가 없다) 그럼 지금까지 꼬박꼬박 지낸 제사는 뭔데?
경문	니가 하도 지내자고 하니까 아무 날이나 됐지.
산영	그 아빠 뼛가루 뿌렸다는 바다는? 거기 간장게장 맛있던 데. 그것도 거짓말이야?
경문	응.

산영, 황당한 얼굴로 멈춰 서서 멀어지는 경문을 바라보다가
다시 쫓아가서 앞을 가로막으며

산영	그럼. 지금까지 멀쩡히 살아있는 아빠를 죽었다고 한 거야? 대체 왜? 왜 그딴 거짓말한 건데?!
경문	다신 볼 생각이 없었으니까.

산영, 어이가 없는 눈빛으로 경문을 보다가

산영	그럼.. 오늘 이 얘기는 왜 해주는 거야?
경문	..정말 죽었대. 너네 아빠.

산영, 놀라서 바라본다.

경문	그래도 딸이니까. 마지막으로 절은 올려야 하지 않겠니?

산영, 놀라서 어찌할 바를 모르고 경문을 바라보는데.. 경문, 산영의

어깨너머를 바라본다. 그런 경문의 시선을 쫓아 산영, 돌아보면 오솔길 끝에 위치한 고풍스러운 화원재가 시야에 들어온다.

대문 앞에 걸려있는 상등. 조문이 끝난 듯 걸어 나오는 백발의 노부인. 한 손에 작은 칼이 박힌 금줄이 감겨 있다. 그 너머 열린 대문 안으로 보이는 넓은 마당, 한 켠에 마련된 식사 장소에 드문드문 앉아있는 70대 노부부를 비롯한 몇몇 조문객들. 조용하고 한산해 보이는 화원재를 가만히 바라보는 산영과 경문.

씬/17   N, 화원재 안채

거실 한 켠에 차려진 빈소. 영정사진 속 강모의 얼굴을 낯설게 바라보고 있는 산영. 그 앞쪽에서 향을 피우고 있는 경문. 옆쪽에 서 있는 석란, 가만히 산영을 바라보고 있다.

향을 피우고 산영의 곁에 서는 경문, 함께 절을 올린 뒤 석란 앞에 선다.

경문   인사드려. 친할머니셔.
산영   (어색하게 보다가 꾸벅) 안녕하세요.

석란, 말없이 그런 산영을 바라본다.

경문   이제 저흰 그만 가볼게요.
석란   산영이한테 할 말이 있다.

경문, 멈칫해서 바라보는..

경문   무슨 얘긴데요?

석란	(산영을 보며) 잠시 단둘이 얘기 좀 하자.
경문	아뇨. 우린 더 들을 얘기 없습니다.
석란	강모 유언이다.
경문	그래도 안 돼요.
석란	친딸 얼굴 한번 못 보고 스스로 목숨을 끊은 애야. 그런 애한테 마지막까지 이러고 싶니?

강모가 자살했다는 말에 눈빛 흔들리는 산영.
경문, 역시 말문이 막혀서 석란을 바라보는데..

씬/18 N, 학원재 별채 서재

깔끔하게 정리된 서재, 찻잔을 앞에 두고 서로 마주 앉아있는 산영과 석란.
산영, 물어보고 싶은 건 많지만 뭐부터 물어볼지 모르겠다. 그저 서재의
풍경을 둘러본다. 석란은 그런 산영을 가만히 바라보고.. 책장에 가득한
민속학과 관련된 책들과 고급스러워 보이는 집기 등을 낯설게 바라보다가
책장 한 켠에 놓인 액자를 보고 멈칫한다. 14씬, 산영의 집에 있는 것과
똑같은 다섯 살 어린 산영과 젊었던 경문의 사진 액자다.
눈빛 흔들리며 사진을 바라보는 산영을 말없이 바라보던 석란.

석란	잘 지내니? 건강은.. 괜찮고?
산영	..예..
석란	그래.. 다행이다.
산영	아빠는 뭘 하시던 분이셨어요?
석란	..니 엄마가 그것도 얘기 안 해주디?
산영	..회사원이라고 말씀해 주시긴 했는데..

석란   (기분 안 좋은 듯 보다가) 교수.. 민속학 교수였어.

산영, 그런 분이었구나.. 다시 시선 들어 사진을 바라보다가..

산영   그런데.. 아빠는 어쩌다 그렇게 되신 거예요?..

어두운 눈빛의 석란, 대답을 회피하는 듯 일어서서 강모의 책상 위에 놓여
있던 목각상자를 가지고 와서 산영의 앞에 내려놓는다.
4씬에서 묶여있던 금줄은 사라져 있고, 흙도 깨끗이 닦여져 있다.
산영, 잠시 주저하다가

산영   이게.. 뭐예요?
석란   강모 유품이다. 너한테 꼭 전해달라는 유언이 있었어.

산영, 바닥에 놓인 목각상자를 낯선 듯 바라본다.

석란   받아. 어서..

산영, 보다가.. 천천히 손을
내밀어 상자를 받아서 석란의
눈치를 한번 보다가 상자를 열고
안의 물건을 바라본다. 한쪽에
검은 그을림과 함께 탄 흔적이
남아있는 빛바랜 붉은색
배씨댕기다.
천천히 손을 넣어서 댕기를 잡는 순간, 산영의
뇌리를 순식간에 스치고 지나가는 화면.

— 인서트

— 낮, 허름한 집 안. 흐릿한 거울 앞에 앉은 어린 여자아이의 머리 위에
씌워지는 붉은 배씨댕기.

— 다시 화원재 서재로 돌아오면

산영, 정신이 돌아온 듯 눈을 깜박거린다. 내가 뭘 본 거지? 주변을
둘러보지만 아무런 이상이 없다. 갸웃하다가 손에 들린 배씨댕기를
가만히 내려다본다.

씬/19 N, 화원재 별채 건물 앞

불안한 얼굴로 건물 밖에서 산영을 기다리고 있는 경문.
별채 쪽에서 산영 걸어 나오자 다가가는데 손에 들린 목각상자를 보고
낯빛이 변한다.

경문 그게 뭐야?

산영 그게.. 아빠가 나한테 물려주라고 했대.

경문, 그 소리에 눈빛 흔들리다가 바로 상자를 빼앗듯 들어 바닥에
던져버리는데 상자가 열리며 댕기가 떨어진다.

산영 왜 이래?

경문 (차갑게 잘라 말하는) 이 집안 물건에 손도 댈 생각하지 마.

산영 아빠 유품이라니까.

경문 니가 언제부터 아빠가 있었다구 아빠 타령이야?

산영 엄마, 진짜 왜 이래? 지금까지 말도 안 되는 거짓말로 날 속인

것도 어이가 없는데 얼굴 한번 못 보고 죽은 아빠 유품도 받지
말라구?

경문   ..구산영. 그만해.

산영   뭘 그만해. 엄마는 아빠 까맣게 잊고 지냈는지 모르겠지만, 아빤
우리를 기억하고 있었어. 날 기억하고 있었다구.

경문   니가 뭘 알아!!

격한 감정으로 무섭게 산영을 바라보는 경문의 기세에 산영, 놀라서
말문이 막힌다.

경문   정말 소름끼치게 싫어서 얘기하지 않은 거야. 니 아빠도 이
집도.. 떠올리는 것도 싫었다구!

산영, 처음 보는 엄마의 말투에 놀라서 바라본다.

경문   내가 잘못했어.. 그냥 나 혼자 왔어야 했는데.. 괜히 내가 너한테
이런 얘기를 한 거야.. 이럴까 봐 얘기 안 했는데..

산영, 갈피를 잡지 못하고 거의 패닉 상태에 빠진 경문을 보다가

산영   알았어. 그만해.. 안 가져가면 되잖아.

경문, 천천히 감정을 가라앉히다가.. 산영 바라보며

경문   그만 가자..

경문, 먼저 성큼성큼 멀어진다. 그런 경문의 뒷모습 바라보던 산영, 미련이

남는 듯 바닥에 떨어진 붉은 댕기를 바라본다. 하지만 어쩔 수 없다.

바라보다가 다시 멀어지는데..

두 사람이 사라지고 난 뒤 천천히 별채에서 나오는 석란. 땅바닥에 버려진 댕기를 바라보다가 주워든다.

씬/20 N, 화원재 대문 밖

화원재에서 나와 멀어지는 경문. 저 앞에서 걸어오던 검은 슈트 차림의 해상, 경문과 스치듯이 다가와 화원재 열린 문 앞에 서서 건물을 올려다본다.

다시 시선을 돌려 건물 안으로 들어가려는데 문을 나서던 산영의 그림자를 보고 순간 놀라서 고개 들어 산영을 본다. 충격에 휩싸여 산영을 바라보는 해상.

걸어 나오던 산영, 처음 보는 해상이 자신을 뚫어지게 바라보자 뭐지?

이상한 듯 보며 갸웃, 지나치려는데 산영의 앞을 가로막는 해상.

해상 잠깐만요.

산영 예? 저요? 저 아세요?

해상, 충격에 머릿속이 하얗다. 어디서부터 말을 꺼내야 할지 모르겠는 듯 믿기지 않는 눈빛으로 산영을 바라만 보고 있는데..

그때 저 멀리 버스정류장을 향해 걸어가던 경문.

경문 구산영! 막차 곧 도착한대!

구산영이란 경문의 소리에 더욱 놀라 산영을 바라본다.

해상	이름이 구산영이에요?
산영	네?
해상	그쪽이 구강모 교수님 따님이냐구요.

산영, 영문도 모르겠고, 쉽게 아빠의 딸이란 얘기도 못하겠는 듯 순간
말문 막혀서 해상을 보다가

산영	..그게.. 그렇긴 한데.. 그건 왜요?

해상, 혼란스러움에 믿기지 않는 듯 산영을 바라보는데..
또다시 들려오는 경문의 외침. '버스 놓친다구!!' 외치자

산영	누구신지 모르겠지만 저 가봐야 돼서요.

버스를 놓칠세라 더 빠르게 뛰어가는 산영을 충격에 휩싸여서 바라보는 해상.
뛰어가는 산영은 머리를 묶고 있는데 산영의 그림자는 머리를 풀어헤치고
있다. 흔들리는 눈빛으로 멀어지는 산영을 보던 해상, 믿기지 않는 듯
떨리는 눈빛으로 천천히 뒤돌아 화원재를 바라본다.

씬/21 N, 화원재 안채

강모의 빈소에 절을 한 뒤 석란에게 인사하는 해상.

석란	와주셔서 감사합니다.

해상, 여전히 혼란스러운 눈빛으로 석란을 보다가

해상	처음 인사드리겠습니다. 교수님과 같은 민속학을 연구하는 염해상이라고 합니다. 실례지만 몇 가지 여쭤봐도 될까요?
석란	(의아한 눈빛으로 바라보면)
해상	구강모 교수님, 15년 전에 갑자기 은퇴하셨는데요. 그동안 어떻게 지내신 거죠? 무슨 일이 있으셨던 겁니까?
석란	...(말없이 보는)
해상	그것 말고도 여쭤볼 게 많습니다. 교수님, 왜 어쩌다가 돌아가신 거죠?
석란	..강모랑 어떤 사이였어요?

해상, 순간 말문이 막혀서 바라본다.

석란	여긴 왜 오신 거죠?
해상	...
석란	제가 보기엔 강모의 죽음을 애도하러 오신 것 같진 않네요. 그만 돌아가 주세요.

차갑게 바라보는 석란, 해상 더 이상 입을 열지 못하고 눈빛, 가라앉는다.

씬/22   N, 해상의 집 거실

지친 기색의 해상, 뚜벅뚜벅 걸어들어와 서재로 향한다.

어두운 서재로 들어서는 해상. 달칵 스위치를 켜면 그제야 보여지는 내부.
사방 벽면 가득, 오래된 사진과 자료들, 논문들이 낱장으로 빼곡하게
붙어있다.
'한국의 무속신앙', '어린 망령들의 안식처, 애장터', '구비문학에 나타난
귀신들' 등 수많은 논문들의 저자는 모두 '동운대 구강모 교수'.
학교 홈페이지, 구글 등 인터넷 곳곳에서 수집한 듯한 강모의 프로필과
30~40대 사진들. 학생들과 지역조사를 하는 모습들. 동료 교수들과 함께
찍은 사진. 민속학 학회에서 논문을 발표하는 사진, '대학교수의 논문
수준, 이대로 괜찮은가'라는 카피의 칼럼. 강모의 사진이 걸려있는데..
기사 내용 중 붉은 줄이 그어진 부분

'동운대 민속학과 구강모 교수의 논문 수준은 더욱 가관이다. 그의
논문에는 출처도 불분명한 귀신 타령뿐이다. 민속학이 무속신앙을
연구하는 것은 당연한 일이지만, 무속신앙의 연원 혹은 당시 민중의 삶에
어떤 영향을 끼쳤는가와 같은 학문적인 연구가 아닌 찌라시 수준의 귀신
얘기일 뿐이다. 이는 대중의 호기심을 자극해 유명세를 타보려는 지극히
유치한 발상이다.'

책상에 앉는 해상. 가만히 벽면에 걸려있는 자료들을 보다가 책상 위에
놓인 강모의 편지를 다시 한번 바라본다. 해상의 시선 따라 편지에 적힌
붉은 '구산영'이란 이름으로 다가가는 화면.

집을 향해 걸어 올라가고 있는 경문, 그 뒤를 따르고 있는 산영.
산영, 말없이 올라가는 경문의 눈치를 살피다가

산영 엄마.. 그런데 이혼은 왜 한 거야? 엄마하고 아빠한테 무슨 일이
있었던 건지 그것만이라도 얘기해 주면 안 돼?

앞서가던 경문, 히스테릭한 눈빛으로

경문 그게 뭐가 중요해. 지금까지 없었던 사람이야. 앞으로도 없는
사람이라고 생각해.

산영, 뭐라고 더 물어보려고 하는데 앞서 걷던 경문. 놀라서 전봇대 뒤로
몸을 숨긴다. 보면 산영의 집 현관문을 두드리고 있는 집주인 아줌마다.
산영, 놀라서 역시 몸을 숨기는데..
'산영이 엄마, 나야', '산영이 엄마' 연신 대문을 두드리던 집주인, 핸드폰
꺼내서 어디론가 전화를 거는데.. 산영, 눈치채고 경문의 핸드폰 뺏어 들고
무음 모드로 돌려놓는다. 곧바로 전화가 걸려오는 액정 화면 '집주인'이다.
집주인 아줌마, 전화를 받지 않자 짜증 나는 눈빛으로 두리번거리다가
사라지고..
경문, 휴.. 한숨을 내쉬면서 빨리 들어오라는 손짓하면서 먼저 종종
사라지고.. 그런 경문의 뒷모습을 바라보는 산영, 눈빛 가라앉는데..

씬/25 D, 산영의 방

책상 위 가득 쌓여있는 9급 공무원 관련 참고서들. 벽면에는 깨알같이
적혀있는 메모장들. 자명종 시계는 아침 7시. 책상 위에는 인강이
재생되고 있는 노트북 앞에서 엎드려 잠들어 있는 산영. 그 옆에 놓인
핸드폰. 문자 도착음과 함께 뜨는 화면. '제영대 염해상 교수라고 합니다.
연락 부탁드립니다.'
또 다른 벽면에 걸린 거울을 비추는 화면. 잠든 산영의 모습이 비춰지고
있는데.. 거울 안의 산영, 조금씩 조금씩 몸을 일으키기 시작하더니 천천히
고개를 들어 무표정한 눈빛으로 어딘가를 바라본다. 아무것도 모르고
잠들어 있는 실제 산영이다. 다시 천천히 거울 속 무표정한 산영을 비추는
화면에서..

— 인서트
— 아침, 잠자고 있는 산영에게서 멀어지면서 빠르게 집을 빠져나가는
   악귀의 시선.
— 아침, 서서히 출근길 기지개를 켜고 있는 활기찬 도심을 빠르게 지나
   어디론가 향하는 시선.
— 아침, 인적이 드문 도심 외곽, 허름한 건물 입구로 주변을 경계하면서
   들어가는 12씬의 문신 남.

산영(소리) 어, 그 그지발싸개 같은 놈이다..

씬/26 D, 건물 안 사무실

보이스 피싱범들이 아지트로 쓴 듯한 허름한 사무실. 철제 책상들 몇 개와

벽면을 따라서 캐비닛들이 주르륵 세워져 있다. 그중 한 캐비닛 문을 열고 안에 있는 차명 계좌 통장과 서류들을 검은 가방 안에 넣으며 누군가와 통화를 하고 있는 문신 남.

문신 남 형, 저 오늘 나왔어요. (사이) 그럼요. 증거불충분이건 뭐건 돈이면 다 되잖아요.

남(소리) 짭새들 붙은 건 아니지?

문신 남 다 확인하고 움직였습니다.

남(소리) 알았어. 남은 돈 수금해서 내 오피스텔에서 보자. 이따가.. (순간 치치칙 노이즈가 끼는 통화음)

문신 남 예? 형, 잘 안 들려요?

남(소리) (치칙 노이즈 끼다가) 문 좀..

문신 남 예?

남(소리) (목소리는 같은데 말투가 바뀐) ..문 좀 열어줘.

문신 남 (의아한 눈빛으로 핸드폰 보며) 여기 오셨어요? 아까 오피스텔이라구..

남(소리) 문 좀 열어줘.

문신 남 ..비번 아시잖아요.

남(소리) (남자의 목소리에서 서서히 악귀의 목소리로 바뀌는) 문 좀 열어줘.

문신 남 (놀라서 눈빛 굳는) 누구야.. 형, 맞아요?

악귀(소리) ..문 열라구!!

문신 남, 놀라서 섬뜩한 마음에 핸드폰을 끊어버린다. 해킹인가? 불안한 눈빛으로 핸드폰 보다가 캐비닛 안의 자료들을 쓸어 담듯이 가방 안에 넣고 서둘러 문으로 다가가 '쾅' 문을 여는데 순간 얼어붙는다. 문 너머에서 들어와 문신 남의 손목을 잡는 여자의 손.

악귀(소리) 문을 열었네..

놀라서 얼어붙는 문신 남.

씬/26-1 D, 산영의 방

책상 위에 엎드려 잠이 들었던 산영. 천천히 눈을 뜨다가.. '헉' 정신을
차리고 핸드폰 시계를 확인한다. 벌써 8시 30분을 넘어가고 있다.
'미쳤다. 미쳤어' 다급히 일어나려다가 코앞에 펼쳐져 있는 노트북 화면을
보고 멈칫. 노트북 화면에 떠 있는 기사. 속보로 뜬 한 줄짜리 '300억
보이스 피싱범, 구속영장 실질심사 기각, 범죄자, 다시 사회의 품으로'.
산영, 이게 뭐지? 바라보는데 울리는 핸드폰 알람음. 정신 차리고 다급히
이것저것 챙겨서 방을 나가버리는 산영.
다시 노트북 화면을 비추면 '보이스피', '보이스피', '보이스피', '보이스피'
열댓 개의 보이스 피싱 기사 페이지들이 인터넷 브라우저 상단 바에 가득
떠있다.

씬/27 D, 거리 일각

서울 변두리인 듯 화원들과 갈비집, 아웃도어 아울렛 매장들이 줄지어 선
거리를 퀵보드를 타고 이동 중인 산영. 도시락 배달 알바 중인 듯 등에는
커다란 백팩 바스켓을 메고 있다.

산영　　1대 고왕 천통, 2대 무왕 인안, 3대 문왕 대흥, 10대 선왕 건흥..

이동 중에도 중얼거리면서 한국사 문제를 암기 중인 산영.
건널목 앞에서 멈춰 서는데 '띵' 울리는 핸드폰 착신음. 보면 모르는
번호로 온 문자다. '제영대 염해상 교수라고 합니다. 연락 부탁드립니다.'
액정 보면 몇 번이나 똑같은 문자가 와있다.

산영   뭐야. 왜 자꾸 이런 게 오지.. 신종 보이스 피싱인가?

으.. 진저리치면서 핸드폰을 다시 주머니에 넣어버리는 산영.
초록불로 바뀌는 신호. 다시 퀵보드를 출발시킨다.

씬/28   D, 서울 변두리 별장 공사 현장

몇십 평 정도의 단독 주택 공사 현장. 터파기 작업이 한창인 듯 커다란
구덩이가 파여있다. 잠시 공사가 중단된 듯 멈춰있는 포클레인과
덤프트럭. 인부들 다섯 명 정도가 한 켠에서 휴식을 취하고 있고..
구덩이 옆에는 심각한 얼굴로 대화를 나누고 있는 건물주와 군청
문화재과 공무원.

건물주   (어이없는) 아니 뭐 돌 몇 개밖에 없구만. 저게 뭔 문화재예요.
저게 진짜 조선시대 게 맞긴 맞아요?
군청공무원 이 근방에 다른 유물이 나온 적이 없어서 아닐 가능성이 크긴
한데, 곧 전문가 선생님이 오실 거니까 조금만 기다려 주세요.

그때, 현장 입구 쪽에서 들려오는 인기척에

군청공무원 아, 오셨나 봐요.

사람들 시선, 입구 쪽으로 향하는데 퀵보드를 탄 산영이다.

산영   배달 왔습니다!

힘차게 인사하는 산영을 힘 빠진 얼굴로 보다가 다시 자기들끼리 대화를
이어나가는 공무원과 건물주.
산영, 뭐지? 이상한 듯 보다가 옆쪽에서 쉬고 있던 인부들. '이쪽이에요'
외치자, '아 예' 인사한 뒤 퀵보드에서 내려서서 돌아서려는데 천천히
다가오는 고급승용차. 산영의 갈 길을 막은 채 멈춰 선다. 뭐지? 의아하게
바라보는데 차에서 내려서는 해상. 굳은 눈빛으로 산영을 바라보는데..
산영 역시 또다시 마주친 해상을 알아보고 '어..' 바라보는데..
저 멀리에서 공무원 손짓하며 '교수님!' 부르는데 해상, 잠시만 기다리라는
손짓하고는 산영에게 다가오는데..

산영   어제 그분 맞죠?
해상   왜 연락 안 합니까?
산영   예?
해상   문자를 몇 번이나 남겼는데 왜 연락을 안 하냐구요.

산영, 이해가 안 간다는 듯 보다가 감이 온 듯

산영   제영대 염해상 교수님이 그쪽이세요? 제 번호 어떻게 알았어요?

그때, 저쪽에 있던 공무원 다시 '교수님! 여기예요!' 외친다.

해상   이렇게라도 만난 거 보니까 인연이 있긴 한가 보네요. 악연 같긴
           하지만..

산영	그게 아니구 제 번호 어떻게 아셨냐구요.
해상	(산영 얘기 듣는 둥 마는 둥 차 안에서 사진기와 도구들이 담긴 가방을 꺼내 들며) 잠시만 기다려 주세요. 꼭 할 얘기가 있으니까.

산영의 대답도 듣지 않고 구덩이 쪽으로 멀어지는 해상.

산영	(어이없이 보는) 아니 사람 묻는 말엔 대답도 안 하고 자기 할 말만 하고 가..

그때 인부들 '도시락 안 줘요?' 외치자 산영, '예 갑니다' 도시락을 들고
인부들에게 건네주며 해상을 수상한 듯 바라보는데..
다가오는 해상을 건물주에게 소개하는 군청공무원.

군청공무원	문화재 전문위원이신 제영대 민속학과 염해상 교수님이십니다.

인부들에게 도시락을 건네주고 돌아서려던 산영, 민속학과라는 말에 눈빛
멈칫하며 해상 쪽을 바라본다.

건물주	잘 왔습니다. (구덩이 가리키며) 저것 좀 봐봐요. 저딴 돌이 무슨 문화재라고..
해상	(구덩이 안의 돌을 사진기로 찍기 시작하며) 저딴 돌이 아니라 초석입니다.

호기심이 동한 듯 구덩이 쪽으로 다가오는 인부들. 산영 역시 천천히
다가가 해상을 바라보는데..

해상	궁이나 고급 한옥과는 크기가 달라요. 산에서 가져온 산돌을

초석으로 쓴 걸 보면 하층민이 살았던 초가집이에요.

군청공무원 조선시대 겁니까?

해상 맞아요. 이 근방은 가마터였어요. 가마 굽는 일과 관련된
공인집단들이 살았던 터로 보이네요.

건물주 그래서요? 그거 때문에 공사를 중단하라구요?

해상 아뇨. 사진만 남기고 밀어버려도 됩니다. 초석이 조잡하고
기단도 성의 없게 쌓아서 문화재로서 가치가 없습니다.

건물주, 휴 안도하는데

해상 하지만 그 전에 고사를 지내는 게 좋습니다.

건물주 (뜨악한) 고사요?

군청공무원 (답답한 혼잣말) 또 시작이네.. (해상에게) 교수님, 얘기
끝나셨으면 이제 돌아가시는 게..

해상, 아궁이 터에서 멀리 떨어진 구덩이 쪽의 검은 흙을 가리키며

해상 악취가 나는 검은 흙. 저건 측간 터예요. 측신은 매우
신경질적이고 사나운 귀신입니다.

건물주 설마, 그것 때문에 고사를 지내란 겁니까?

해상 고사를 지내기 싫으면 경건한 마음이라도 가지세요. 몇백 년
전부터 여길 지켜온 존재들이니까요.

건물주, 공무원, 인부들 모두 어이가 없다는 듯 해상을 보는데
해상, 많이 당해온 일이라는 듯 전혀 신경 쓰지 않고 얘기 끝났다는 듯
산영에게 다가와

해상   나랑 얘기 좀 합시다.

얘기만 건네고 바로 앞서가는 해상. 산영, 좀 어이없긴 하지만
·

산영   예, 그럽시다.

산영, 해상과 함께 멀어지는데 뒤쪽에서 얘기하고 있는 건물주와 공무원
'뭔 소리예요 저게. 고사 안 지내면 건물 못 올려요?' '아니, 그게 그냥
저분이 워낙 독특하신 분이라..'

씬/29   D, 공사 현장 입구

주차된 차로 다가가는 해상. 그 뒤를 따르는 산영.

산영   민속학과 교수님이셨어요?
해상   예.
산영   민속학과 교수님은 다들 이런 일들을 하시는 거예요?
해상   이런 일도 하고 강의도 하고 조사도 하고 그렇습니다.
산영   ..아버지랑 아는 사이셨어요?
해상   (보다가) ..아뇨.

산영의 눈빛에 잠시 실망감이 스치고 지나가다가..

산영   그럼 어제 장례식엔 왜 오신 거예요?

해상, 그런 산영을 보다가 말없이 그림자를 내려다본다.

해상의 시선으로 보여지는 화면. 20씬에 비해 더 커진 머리를 풀어헤친 산영의 그림자.

해상	..더 커졌네요..
산영	(이게 뭔 소리지? 주변 둘러보다가) 커져요? 뭐가요?
해상	그동안 무슨 일 없었습니까? 주변에 싫어하거나 없어졌으면 하는 사람 중에 죽은 사람 없어요?
산영	뭐라구요?
해상	악귀는 구산영 씨의 욕망을 들어주면서 커진다고 했습니다.
산영	무슨 말씀하시는지 1도 모르겠어요.

해상, 산영을 바라보다가

해상	그쪽한테 악귀가 붙었어요.

산영, 눈 깜박거리면서 해상 보다가

산영	악.. 귀요? 귀신 말하는 거예요?
해상	예.

산영, 가만히 해상 보다가

산영	이거 뭐지.. 신종 사긴가?
해상	농담 아닙니다.
산영	됐습니다. 난 굿할 돈도 없는 사람이니까. 딴 데 가서 알아보세요. 그리고 내 번호 어떻게 알았는지 모르겠지만 이런 얘기할 거면 앞으로 연락하지 마세요. 대리운전이 필요하면 모를까.

돌아서서 퀵보드를 향해 다가가는 산영.

해상   대리운전이면 됩니까?

산영, 멈칫해서 돌아보는데.. 산영에게 차 키를 건넨다.

해상   아무 데나 갑시다. 좀 거리가 있는 데가 좋겠죠?
산영   (어이없는 듯 보는) 대체 왜 이러시는 거예요?
해상   파주? 양평? 어디가 좋아요?

산영, 본능적으로 머릿속으로 금액을 계산하다가

산영   파주 콜. 가시죠.

씬/30   D, 차 안

주차된 해상의 차, 운전석으로 올라타는 산영과 조수석으로 올라타는 해상.

산영   (안전벨트 매며) 출발하겠습니다.

산영, 시동을 거는데 차 오디오를 통해 흘러나오는 귀신 나올 듯한
풍물굿 소리.
허걱 놀라는 산영. 해상, 뭐가 이상한지 모르겠는 얼굴로

해상   동해별신굿에 쓰이는 드렁갱이 장단입니다.
산영   드렁.. 뭐요?

해상	이 장단 외에도 덩더궁이, 동살풀이, 고삼, 자삼 등이 있는데 이 장단이 주로 기악 합주로 연주되죠.
산영	혹시 기분 멀쩡하실 때 듣는 음악은 없나요?

해상, 산영을 힐긋 보더니 다른 음악으로 바꾸는데 또 다른 풍물굿 소리다.

해상	진도 씻김굿에 쓰이는 음악입니다. 일명 넋건지기굿이라고 하죠.

산영, 해상 보다가 포기하는 듯 기어 넣고 액셀 밟으며

산영	출발하겠습니다.

씬/31   D, 거리 일각

여전히 풍물패 장단이 흐르고 있는 해상의 차를 운전 중인 산영과
조수석의 해상.
산영, 옆자리에 가만히 앉아있는 해상에게

산영	그런데 정말 왜 이러세요? 돈이 많아서 막 거리에 뿌리고 싶으신 거예요?

해상, 창밖을 바라보다가..

해상	..보여요.
산영	뭐가요?

창밖, 해상의 시선으로 보여지는 세상.

한 건물의 회전문, 사람도 없는데 서서히 돌아가고 있는데 회전문 유리에 손자국들이 찍히고 있다. 도심. 가로수 나뭇잎 사이로 보일 듯 말 듯 걸쳐져 있는 창백한 손. 학교를 끝내고 돌아가고 있는 고등학생 무리. 그중 몇 명의 다리, 팔 등이 검은색으로 물들었다가 사라지는데.. 다리가 검은색으로 물든 고등학생, 걷다가 다리를 삐끗한다.

해상, 천천히 산영을 보며

해상   귀신이요.

헐, 해상을 미친놈 보듯이 보는 산영.

산영   와.. 진짜 아무리 파주라도 이건 아니다.

산영, 깜빡이 넣고 길 한 켠에 차를 주차시키고 내려서는데
그런 산영을 따라 다급히 차에서 내려서며 얘기를 이어가는 해상.

해상   물론 다 나쁜 귀신들은 아니에요. 우리를 지켜주는 조상신도 있고 그저 길을 잃은 가엾은 귀신들도 있습니다. 못다 한 그들의 얘기를 하기 위해서 나타나는 거죠. 그런데 그쪽한테 붙은 건 달라요. 너무 위험한 귀신이에요.

산영, 더 이상 듣고 싶지 않은 듯

산영   여기까지 2킬로미터는 왔는데 서비스라고 생각하세요.
해상   (멀어지려는 산영을 막아서며) 왜 언제 씌었는지 알아야 해요. 최근에 뭐 안 좋은 물건 만진 적 없어요? 오래된 물건일 거예요.

산영　　귀신 얘기 믿기지도 않고, 믿을 시간도 없습니다.

　　　　　　산영, 해상을 피해 멀어진다. 그런 산영을 답답한 듯 바라보는 해상.

해상　　거울을 옆에 두고 잘 봐요. 평소와 다른 게 보일 거예요.

　　　　　　산영, 더 듣고 싶지 않은 듯 더욱 빠르게 멀어지는데..

씬/32　N, 산영의 집 현관 밖

　　　　　　피곤한 얼굴로 계단을 올라오던 산영. 현관 밖에서 문을 노크하려고
　　　　　　서 있는 문춘(50대 후반, 남)과 말끔한 복장에 신입 티가 물씬 나는
　　　　　　홍새(20대 후반, 남)를 발견하고 의아한 눈빛으로 다가서며

산영　　누구세요?

　　　　　　그 소리에 돌아보는 문춘과 홍새.
　　　　　　산영, 홍새를 보고 갸웃하며

산영　　우리 어디서 만난 적 있죠? 어디서 뵌 것 같긴 한데..

　　　　　　홍새, 그런 산영을 잠시 보다가 명함 꺼내 산영에게 건네며

홍새　　서울청 강력범죄수사대에서 나왔습니다.

　　　　　　산영, 경찰이란 말에 놀라서 바라보는데..

씬/33 N, 산영의 집 거실

주방 쪽에서 음료수를 준비 중인 산영과 그 옆에서 문춘과 홍새의 명함을
보고 있는 경문.
'서울청 강력범죄수사대 이홍새 경위', '강력범죄수사대 서문춘 경감'.

경문   (산영에게 낮은 소리로) 경찰들이 왜 우릴 찾아온 거야?
산영   (역시 낮은 목소리로) 나도 모르지.

— 시간 경과되면
거실에 앉아있는 홍새, 문춘과 마주 앉아있는 산영과 경문.
홍새, 사진 한 장 꺼내서 두 사람에게 보여준다.

홍새   이분 알아보겠어요?

산영, 사진 보는데 보이스 피싱범들 중 문신 남이다.

산영   어! 이 사람. (경문에게) 엄마. 이 사람 그 보이스 피싱범이잖아.
경문   (역시 사진보다가) 맞네. 그 재수 없는 새끼. 이 사람은 왜요? 또
           사기쳤어요?
문춘   (두 사람의 반응보다가) 죽었습니다.

놀라서 문춘을 바라보는 산영과 경문.

산영   죽었다구요?

전혀 모르고 있던 듯한 산영을 가만히 바라보던 문춘.

문춘	구산영 씨. 11월 7일 아침 7시에서 8시 사이에 어디 계셨죠?
산영	(여전히 정신이 없다) 예? 그게 그날 뭘 했는지.. 기억이..
경문	(역시 정신없지만 생각하다가) 그날이잖아. 아빠 장례식 갔다온 다음 날 아침. (문춘과 홍새에게) 얘, 그날 밤새고 아침까지 공부하다가 집에서 자고 있었어요.
산영	(생각하다) 네, 맞아요. 그날 아침엔 집에 있었는데.. (불안한) 왜.. 그러시는 건데요?

문춘, 말없이 산영을 바라보고..
홍새, 그런 문춘 보다가 산영에게

홍새	아닙니다. 협조해 주셔서 감사합니다.

씬/34   N, 산영의 방

불안한 눈빛으로 책상에 앉아있는 산영.

― 인서트
29씬, 공사 현장 입구에서 산영에게 얘기하던 해상.

해상	주변에 싫어하거나 없어졌으면 하는 사람 중에 죽은 사람 없어요? 악귀는 구산영 씨의 욕망을 들어주면서 커진다고 했습니다.

― 다시 산영의 방으로 돌아오면
천천히 고개 돌려 거울을 바라보는 산영.

해상(소리)   거울을 꼭 옆에 두고 잘 봐요. 평소와 다른 게 보일 거예요.

거울로 천천히 다가가는 산영. 거울에 비친 자신의 얼굴을 가만히
바라보다가..

산영   ..아 진짜 내가 뭐 하는 거야 지금. 다크서클만 늘었네.

다시 각 잡고 앉아 책꽂이에서 공무원시험 참고서 펼치는데 여전히
낯빛엔 불안감을 떨치기 힘들다.

씬/35   N, 서울청 건물 외경

씬/36   N, 강수대 4계 사무실

컴퓨터와 수사자료들이 쌓인 책상들로 가득한 4계 사무실.
몇몇 야근을 하고 있는 형사들 외에는 한적한 실내. 가장 안쪽 책상에
앉아서 은행 ATM기기 씨씨티브이 화면을 돌려보고 있는 문춘.
문 열리면서 들어서는 홍새, 문춘 옆자리에 앉으며

홍새   구산영이 사는 건물 씨씨티브이 확인하고 왔는데, 진술과
일치합니다. 집에서 아홉 시에 나가는 장면이 찍혀 있었어요.

문춘, 홍새의 말을 듣고는 다시 시선, 씨씨티브이 화면을 바라본다.

홍새   그 봐요. 이거 그냥 단순 자살입니다. 말이 안 되잖아요. 여자

혼자서 30대 건장한 남자를 어떻게 자살로 가장해서 죽입니까.
(문춘 보고 있는 컴퓨터 화면 가리키며) 씨씨티브이에도
나오잖아요. 계속 혼자 다닌 거.

홍새가 가리키는 화면, ATM기에서 돈을 뽑고 있는 문신 남이다.

― 인서트
― 아침, 전 씬 화면에서 실제 화면으로 오버랩되면
　　공포에 질린 눈빛으로 돈을 인출하고 있는 문신 남. 기계에서 나오는 오만
　　원권 지폐들을 바들바들 떨리는 손으로 가방 안에 쓸어 담는다. 손목에는
　　검붉은 피멍. 이미 가방 안은 지폐들로 가득하다. 정신없이 쓸어 담느라
　　오만 원권 몇 장이 바닥으로 떨어지지만 신경 쓸 겨를도 없이 곧바로 다시
　　카드를 넣고 돈을 뽑는데 '잔액이 부족합니다.' 한도가 초과된 카드를
　　뽑아 바닥에 집어던지고 지갑 안에서 다른 카드를 꺼내 다시 돈을 뽑는데
　　표정이 점점 더 패닉이 되어간다.
― 아침, 출근길을 서두르고 있는 행인들, 코앞으로 팔랑거리면서 떨어지는
　　오만 원권 지폐를 보고 멈칫한다. 뭐지? 하늘 위를 바라보면 빌딩 난간에서
　　가방 안에 든 돈을 뿌리고 있는 문신 남. 그저 놀라서 올려다보는 사람들.
― 옥상 위, 돈을 다 뿌리고 난 문신 남. 가방 안에서 사온 듯한 밧줄을
　　꺼낸다. 공포로 울음을 터뜨리는 문신 남의 손목에 붉은 멍이 들기
　　시작하고.. 옥상 한 켠의 구조물에 목을 매려는 듯 밧줄을 매는 모습에서..

― 다시 강수대 사무실로 돌아오면
　　여전히 찜찜한 얼굴로 화면을 보는 문춘.

문춘　　돈에 환장한 보이스 피싱범이 자기가 갖고 있던 은행 잔고도
　　　　　모자라서 현금서비스까지 탈탈 털은 몇천만 원을 옥상에서

뿌리고 자살했어. 이상하지 않아?

홍새 이상한 걸로 수사합니까. 물증 가지고 수사하지.

문춘 지문은? 변사자의 신용카드, 가방, 자살한 옥상 난간에서 그 여자, 구산영의 지문이 무더기로 발견됐어. 그리고..

문춘, 문신 남 수사자료 중 시신의 손목을 찍은 사진을 보여주며

문춘 양쪽 손목에 난 이 피멍은 왜 난 거지. 꼭 누군가 강하게 손목을 잡고 있던 것 같잖아.

홍새, 답답한 얼굴로 문춘 보다가

홍새 그런데 선배님은 왜 이런 사건에만 관심이 많으신 거예요? 선배 서랍 속에 미스테리 미제 파일들이 이만큼 쌓여있다면서요.

문춘, 잠시 생각하다가

문춘 내 첫 사건이 뭔지 모르지?

홍새 그게 뭔데요?

문춘, 자리에서 일어나며

문춘 조금만 더 이 사건 파보자. 아무래도 맘에 걸려.

홍새 어깨 툭툭 치고는, 문 쪽으로 멀어지는 문춘.

홍새 (긴 한숨) 아 왜 하필 저 선배님이랑 파트너가 된 거야. 인사고과

아주 엉망이 되겠네.

씬/37   N, 도심 거리 일각

오래되고 허름한 대폿집들이 줄지어 있는 뒷골목에 걸어들어오고 있는 문춘.
그중 한 대폿집 문을 열려다가 유리문 너머로 테이블에 앉아있는
흐트러짐 없는 자세의 해상을 보고 살짝 미소 짓다가 안주도 없이 소주를
마시고 내려놓는 해상의 모습에 걱정스럽게 한숨을 내쉰다.

씬/38   N, 대폿집

서로 마주 앉은 해상과 문춘. 대폿집 주인, 그 앞에 안주들을 내려놓고 간다.

문춘   술하구 웬수졌나. 취하지도 않을 술을 왜 자꾸 마신대.

해상, 문춘의 때가 탄 윗옷을 바라보며

해상   바쁘신 분이 왜 만나자고 하셨어요. 시간 나실 때 집에
잠깐이라도 가서 쉬시지.

문춘, 해상 보다가 피식 웃으며

문춘   이럴 줄 알았어. 올해도 또 까먹었네.

문춘, 주머니에서 서툴게 포장된 작은 꾸러미를 해상에게 건네며

문춘   자기 생일 정도는 기억하고 다녀.

해상, 생각지도 못한 듯 보다가..

해상   또 양말이에요?

문춘   발이 편해야 인생이 편한 거야. 그리고 딴 건 많잖아.

소주 한 잔을 마시고 내려놓는 문춘을 바라보던 해상의 눈빛, 서서히
가라앉으며

해상   제가 구강모 교수에 대해서 한 말 기억하시죠?

문춘   그 사람 얘기 좀 그만해. 귀에 딱지 앉겠어.

해상   그분 딸을 만났어요. 그런데.. 그 여자한테서 똑같은 악귀를
봤어요.

문춘   (보는)

해상   제 어머니를 죽인 그 악귀요. 몇십 년 동안 찾아다닌 그 귀신을
찾았다구요.

문춘   염 교수.

해상   (보면)

문춘   그냥 못 본 척해. 안 보이는 척 평범하게 살아. 돈 많잖아. 그 돈
펑펑 쓰면서 사랑하는 여자 만나서 살라구.

해상   ..아직도 안 믿으시죠. 제 얘기.

문춘   ..믿어.

해상   (보는)

문춘   현재 과학수사기법은 엄청나게 발전했어. 씨씨티브이나
블랙박스도 지천에 깔려있어서 범인 검거율은 거의 100프로에
가깝지. 하지만.. 아직도 과학적인 증거만으로는 풀기 힘든

사건들이 존재해.

해상 ...

문춘 도저히 입증하기 불가능한 밀실 살인, 고속도로 한복판에서
사라진 동승자. 행복하던 일가족의 갑작스런 실종사건.. 그런
사건들을 보다 보면 염 교수 말이 믿겨져. 정말 귀신이 있나
싶지. 그런데 내가 잡아야 할 건 귀신이 아냐. 사람이지.

문춘, 가라앉은 눈빛으로 해상 보다가

문춘 염 교수 어머님 사건도 마찬가지야.. 누가 왜 어머님을 죽였는지
내가 죽기 전에 밝혀낼게. 내 손으로 할 테니까.. 염 교수는 그냥
평범하게 살아.

자책과 책임감이 엿보이는 문춘의 눈빛에 더 이상 반박하지 못하고
말없이 바라보는 해상의 모습에서..

씬/39   N, 달동네 재개발 지구, 현우네 집 외경

불야성을 이룬 서울 도심이 내려다보이는 을씨년스런 재개발 지구.
그중 흐릿하게 불이 켜진 허름한 단독 주택을 비추는 화면.

씬/40   N, 현우네 집

검게 변한 장판. 때가 탄 벽지. 어두운 형광등. 허름하고 낡은 현우네 집을
둘러보고 있는 세미(20대 중반, 여)와 중개인.

한쪽에 서서 중학생으로 보이는 현우와 함께 지켜보고 있는 현우 부모.
사람 좋아 보이는 현우 부의 뺨에는 얼핏 붉은 화상 자국이 보이고..
현우는 왠지 겁먹은 눈빛으로 엄마의 뒤쪽에 숨어있다.

중개인   밤늦게 죄송합니다. (세미 보며) 집 구하는 아가씨가 낮에는
               알바 때문에 너무 바쁘셔서요.

현우 부   (친절한 미소로) 괜찮아요. (세미 보며) 젊은 아가씨가 참
               열심히도 사나 보네.

세미, 어색한 미소로 현우 부 보며 '아.. 예' 인사하고 집 둘러보는데
눈빛이 그닥 마뜩치는 않다. 그런 세미의 뒤에서 '이 집이 오래되긴
했어도 엄청 튼튼해요. 평수도 넓고, 밖에 잡동사니 넣어둘 창고도 있구요'
설명하는 중개인.

씬/41   N, 현우네 집 밖

'잘 봤습니다' 인사하며 나오는 세미와 중개인.

중개인   어때요?

세미   (별로 맘에 들지 않는 눈치) 월세가 얼마라구요?

중개인   보증금 사백에 월세가 삼십오만 원. 어디 가봐. 서울에서 이렇게
               싼 집 못 구해요.

세미   ..삼십 안 될까요? 많이 낡았던데..

중개인   (보다가) 알았어요. 젊은 아가씨 고생하는 거 같으니까 내가 잘
               얘기해 볼게요.

순간 어디선가 희미하게 들려오는 여자아이의 울음소리.

세미 어? 방금 무슨 소리 안 들렸어요?

중개인 (찔리는 듯) 무슨 소리? 아무 소리 안 들렸는데? (시계 확인하며) 가게 문 닫아야 될 시간이네. 빨리 내려가요.

잘못 들었나? 갸웃 주변을 보다가 보채는 중개인 때문에 어쩔 수 없이 멀어지는 세미.
사라지는 두 사람의 뒷모습에서 골목길 한 켠에 난 어두운 창문. 방범창 너머 조금 열린 창문 틈으로 보였다가 사라지는 작은 하얀 손.

씬/42   D, 동장소

골목 안으로 두리번거리며 두루마리 휴지 들고 걸어들어오는 산영.
핸드폰으로 통화 중이다.

산영 어, 두 번째 골목에서 꺾었어. 저긴가?

그때, 핸드폰 통화하며 집에서 튀어나오는 세미.
산영 발견하자, 핸드폰 끄고 '빽세야!!' 반갑게 얼싸안는다.

세미 꾸! 이사한 지가 언젠데 지금 오냐.

산영 언니도 사는 게 좀 복잡했다. 근데 그게 무슨 소리야?
귀신이라니?

현우네 짐은 빠지고 세미의 아기자기한 가구들이 배치된 세미네 집.
상을 펼치고 밥을 먹으면서 얘기를 나누고 있는 산영과 세미.

산영   여자애 귀신?

세미   응. 저 아래 슈퍼아줌마가 괜찮냐구 물어보는 거야. 이 집에서
         그렇게 밤만 되면 여자애 우는 소리가 들렸대.

산영   여자애가 살았나 보지.

세미   전에 살던 집에 중학생 아들 하나밖에 없었어.

산영   .. 요즘 귀신 철인가. 어딜 가나 귀신 타령이네.

세미   장난 아냐. 진짜라니까. 자꾸 밤마다 두런거리는 소리두 들리구,
         발자국 소리도 들리는 것 같구. 아 진짜 돈 없는 것도 서러운데
         귀신 나오는 집에서까지 살아야 되냐..

그때, 밖에서 들려오는 '쾅' 대문 닫는 소리. 동시에 현관에 달린 형광등이
깜박깜박 점멸한다.

세미   봐봐. 밖에서 대문만 닫히면 저 불이 저래.

산영   고장 난 거네. 전구 사서 갈어 빨리.

세미   (답답한 듯 울상되다가) 너 위치공유 앱 계속 시간 날 때마다
         확인해. 내가 계속 집에서 안 움직이면 귀신한테 잡혀간 거니까
         구하러 오라고.

산영   걱정 마!

자려고 누운 듯 불 끄고 나란히 누워있는 산영과 세미.

세미　대박이다. 죽은 줄 알았던 아빠가 살아났다가 다시 돌아가셨다구?

산영　(복잡한 감정이다) 응.

세미　야, 그 유품 다시 가서 찾아와. 그 안에 뭐가 들었을지 어떻게
　　　　알아. 집도 되게 좋았다면서? (생각하다) 그럼 나중에 너네
　　　　친할머니 돌아가시면 그 집 니가 물려받는 거 아냐?

산영　(어이없는) 말 같지도 않은 소리 하지 마.

세미　아 근데 진짜 궁금하네. 너네 엄마 왜 이혼을 했을까? 부잣집에
　　　　대학교수에 뭐가 문제였던 거지?

산영, 자기가 더 답답하다. 옅은 한숨 내쉬다가

산영　피곤하다. 그만 자자.

돌아서 눕는 산영의 가라앉은 눈빛,

── 시간 경과되면

잠들어 있는 산영과 세미. 천장을 보고 자고 있는 산영, 눈을 감은 채
잠들어 있는데.. 순간 밖에서 들려오는 '쾅' 대문 닫는 소리에 깜박 켜지는
현관 형광등 불빛에 보이는 산영. 눈을 부릅 뜨고 깜박이지도 않은 채
가만히 허공을 바라보고 있다. 다시 꺼졌다 켜지는 형광등 불빛.
다시 잠든 듯 눈을 감고 있는 산영. 다시 불이 꺼지면서 어두워지는 방 안.
정적이 감도는데.. 창문 너머로 서서히 어른거리면서 다가오는 그림자들.
천천히 열리기 시작하는 창문.

산영, 그 기척에 잠이 깨는 듯 돌아누우면서 눈을 뜨는데 창문을 비추고 있는 거울을 보고 소스라치게 놀란다. 조금 열린 창문 안으로 하나둘씩 들어오기 시작하는 핸드폰을 든 세 개의 손들. 가장 위쪽의 깡마른 손은 핸드폰이 없는데 쫙 편 손바닥에 볼펜으로 쓴 듯 '4237'이라는 숫자. 자기도 모르게 '으아아아아악' 비명을 지르는 산영. 그 비명에 놀라 빠지는 핸드폰들. 세미도 놀라서 잠을 깨고 산영, 놀라서 어찌할 바를 모르고 이쪽저쪽으로 뛰다가 세미에게

산영　　경찰! 112! 전화!! 전화!!

세미, 허둥지둥 그 말에 전화기 찾는데 퍼뜩 정신이 나는 듯 뛰쳐나가려는 산영. 그런 산영을 잡는 세미.

세미　　어디 가?
산영　　저것들 잡아야지!
세미　　야! 미쳤어?

세미의 소리가 들리지 않는 듯 산영, 현관 옆에 놓인 긴 빗자루를 집어 들고 뛰쳐나간다.

씬/45　N, 재개발 구역 골목 일각

'쾅' 세미네 집 현관이 열리고 튀어나오는 산영. 멀어지고 있는 발자국 소리를 듣고 그쪽을 바라보면 가로등 불빛 아래 도망가고 있는 세 명의 중학생의 뒷모습.
그중 앞에 뛰고 있는 스포츠머리를 한 성현이와 눈에 띄는 형광색

운동화의 희태의 뒷모습. 가장 마지막에 뛰고 있는 파란 모자를 쓴 진욱,
뒤돌아보다가 산영과 시선 마주친다. '야!! 거기 안 서!!' 이를 악물고
쫓아가기 시작한다. 좁고 구불구불한 골목. 도망치는 중학생들과 뒤를
쫓는 산영의 추격전이 벌어지는데..

산영, 코너를 도는데 중학생들이 온데간데없이 사라졌다. 헉헉 거친 숨을
내쉬며 주변을 둘러보지만 아무도 보이지 않는다. 아 씨 열받은 표정의 산영.

씬/46   N, 또 다른 골목 일각

헉헉, 거친 숨을 내쉬면서 마주 보고 있는 진욱, 성현, 희태.
성현, 골목 바깥쪽을 힐긋 보다가

성현	이제 안 쫓아와.
진욱	(성현 보며) 어떻게 된 거야. 다른 집이잖아.
성현	분명히 저 집이라고 했어.
희태	아 씨.. 이사 오기 전에 살았던 집인가 봐. 전학 오기 전에 다닌 학교 애들한테 물어봤다며.
진욱	(짜증) 이러다 몰카범까지 뒤집어쓰게 생겼네.
성현	(울상) 진짜.. 저 집이라고 했는데..
진욱	(잠시 생각하다가) 일단 다들 돌아가. 오늘 일은 절대 얘기하면 안 돼.

고개 끄덕인 뒤 흩어지는 아이들.
진욱, 멀어지는 성현과 희태 보다가 역시 뒤돌아서서 골목을 따라
내려가기 시작하는데..
울리는 핸드폰. 발신인 '정현우'다. 흠칫 놀라서 바라보다가 애써 두려움을

누르고 전화를 받는다.

진욱   여보세요. 너 누구야. 누군데 자꾸 장난질이야!

그때 핸드폰 너머에서 서서히 들려오기 시작하는 여자아이의 울음소리. 파르르 떨면서 핸드폰 꺼버리는 진욱. 다시 빠르게 걸어가는데 저 앞에 선 뭔가를 보고 멈춰 서는데..

씬/47   N, 파출소

경찰들과 마주 앉아 열변을 토하고 있는 산영. 그 옆에 겁먹은 얼굴의 세미.

산영   정말이에요. 막 창문으로 손이 막 네 개가 들어온 거예요.
경찰1   인상착의는요? 얼굴은 보셨어요?
산영   중학생들처럼 보였는데.. 아! 파란 모자. 파란 모자를 썼었어요.
경찰1   그거 말고 다른 특징은 없나요?
산영   (계속 생각해 보려고 하지만 생각나지 않는) 아뇨.. 그게 다인데..

골치 아픈 얼굴의 경찰들.

씬/48   N, 골목 일각

지친 얼굴로 걸어오고 있는 산영과 세미.

산영   귀신은 무슨.. 귀신보다 몰카범들 땜에 이사 가야겠다.

세미   진짜.. 미치겠네. 돈이 있어야 이사를 가지..

세미, 답답한 긴 한숨 내쉬다가 뭔가를 발견한 듯 눈빛 굳는다.

세미   산영아.. 저거..

산영, 세미가 가리키는 곳을 바라본다. 가파른 계단 아래 가로등 불빛 아래 누군가가 쓰러져 있는데 파란 모자를 쓰고 있다. 놀라서 바라보다가 뛰어가는 산영과 세미.

산영   괜찮아요?

엎드린 채 쓰러져 있는 누군가를 바로 돌리는데 눈을 반쯤 뜬 채 숨져 있는 진욱이다.
'헉' 놀라서 뒤로 물러서는 세미.

세미   뭐야.. 죽은 거야? (자기도 모르게 새어 나오는 비명) 아아아악! 정말 죽었나 봐..

산영, 역시 놀라서 믿기지 않는 듯 진욱이의 얼굴을 바라본다.

— 인서트
— 45씬. 가로등 불빛 아래 도망가고 있는 세 명의 남학생 중 뒤돌아보던 파란 모자를 쓴 진욱.

겁에 질려있는 산영. 산영의 흔들리는 시선으로 현장감식 중인 과학수사팀.
세미에게 경위를 물어보고 있는 경찰들. 출동한 구급대원들이 진욱이의
시신을 흰 천으로 덮은 채 들것에 이동시키는 모습들이 보여진다.
겁에 질린 떨리는 눈빛의 산영의 모습에서.. 교차로 보여지는 화면들.

— 인서트
— 29씬. 산영에게 얘기하던 해상.

해상   그쪽한테 악귀가 붙었어요. / 주변에 싫어하거나 없어졌으면
하는 사람 중에 죽은 사람 없어요? / 악귀는 구산영 씨의 욕망을
들어주면서 커진다고 했습니다.

— 인서트
— 33씬. 산영의 집 거실에서 보이스 피싱범의 사진을 바라보는 산영에게
얘기하는 문춘.

문춘   죽었습니다.

— 30씬, 거리에서 산영에게 얘기하는 해상.

해상   그쪽한테 붙은 건 달라요. 너무 위험한 귀신이에요.

— 15씬. 산영에게 얘기해 주던 진지한 강모의 모습.

강모   귀신은 진짜로 있다는 거야.

씬/50 D, 제영대학교 외경

씬/51 D, 강의실

강의 중인 깔끔한 검은 색 옷차림의 해상,

해상   역사학이 궁궐의 역사, 지배계층을 주로 다룬다면 민속학은
        궁궐 밖 진짜 우리 조상, 민중들의 삶과 문화를 연구하는
        학문입니다. 우리가 어떤 음식을 먹었고, 어떤 유희를 즐겼으며,
        어떤 존재를 믿고 두려워했는지를 연구하는 것이죠.

        강의를 듣는 학생들, 해상을 보면서 귓속말하고 있는 여학생 무리, 학점만
        따려고 듣는 듯 졸고 있는 학생들 등 산만한 분위기인데..
        그때, 조용히 문 열리면서 들어서는 누군가.. 불안한 얼굴의 산영이다.
        제일 뒷자리에 조용히 앉는 산영을 멈칫하고 바라보다가 말을 이어가는 해상.

해상   누군가는 할머니가 해주는 고릿적 얘기라고 무시하기도 하고
        이미 죽은 학문이라고 하기도 합니다. 그런데 몇백 년 후 또다시
        누군가가 우리 시대를 연구할 겁니다. 민속학은 아직도 진행
        중인 학문입니다.

        그때, 귓속말을 하며 키득거리던 여학생1 손을 든다.
        옆에 있는 학생들, '미쳤어, 하지 마' 작게 속삭이는데.. 여학생1,
        아랑곳하지 않고

여학생1 질문 있습니다! 교수님. 정말 귀신이 보이세요?

장난스럽게 해상을 바라보는 여학생들, 딴짓하다가 그제야 호기심이 드는 듯한 학생들의 시선 해상에게 쏠리는데.. 여학생1을 가만히 바라보던 해상.

해상 귀신 없어요. 다 거짓말입니다.

여학생1, 산영을 비롯한 학생들, 뭐지? 바라보는데..

해상 그런 말이 듣고 싶죠? 그런데 있어요. 귀신.. 여기 강의실 안에도 있죠..

학생들, 정말? 놀라서 주변을 두리번거리지만 귀신은 보이지 않는다.
그런 학생들을 훑어보던 해상, 천천히 손을 들어 어딘가를 가리킨다.

해상 저기.

해상이 가리키는 곳으로 일제히 쏠리는 학생들의 시선. 산영이다.
'누구야?', '처음 보는데..', '정말 귀신이야?' 산영, 자신한테 시선이 쏠리자,
당황해서 어찌할 바를 모르는데..

씬/52 D, 대학교 건물 복도/엘리베이터 안

엘리베이터를 기다리고 있는 해상과 산영.
뒤쪽에서 해상을 보고 숙덕거리며 지나가는 학생들.
산영, 그런 학생들 보며 해상에게

산영 저만 교수님이 미쳤다고 생각하는 게 아닌가 봐요..

해상, 그런 산영 얘기 듣다가.. 지나치던 학생들에게

해상   거기.

학생들   (돌아보면)

해상   (학생들에게) 나 안 미쳤어.

학생들, 어찌할 바를 모르고 놀라 보다가, '아..예' 인사하고 멀어지면서
'진짜 미쳤나 봐' 하며 수군댄다.
해상, 멀어지는 학생들 바라보며

해상   그쪽이나 저쪽이나 내 말을 안 믿는 건 똑같네요.

'땡' 도착하는 엘리베이터. 문이 열리자 텅 빈 엘리베이터 안으로 올라타는
산영과 해상. 엘리베이터 문이 다시 스르르 닫히는데 갑자기 열림 버튼을
누르는 해상. 하지만 엘리베이터에 타는 사람은 아무도 없다. 뭐지? 산영
바라보는데 해상, 잠시 있다가 문을 닫는다.

씬/53   D, 엘리베이러 안/밖

움직이기 시작하는 엘리베이터. 산영, 왠지 불길한 느낌에..

산영   뭐예요? 아까 그거?

해상   ...

산영   설마.. 여기 누가 탔어요?

해상   모르는 게 낫습니다.

산영, 설마 하는 눈빛으로 엘리베이터 안을 두리번거리는데..
엘리베이터 양옆에 붙어있는 거울들. 반대편 거울들에 비춰져서 무한
반사되어 보여지는 엘리베이터 내부. 두리번거리는 산영과 가만히 서
있는 해상의 모습도 보여지는데.. 반사된 모습들 중 하나에서 두 사람
사이에 서 있는 창백한 머리 긴 여자가 산영과 해상 사이에 서 있다.
산영, 다른 곳을 보느라 그 모습을 보지 못하고..
왠지 섬뜩한 산영, 되려 센 척하는 혼잣말로

산영   제 발로 찾아왔다고 너무 분위기 잡으시네.

순간, '땡' 소리와 함께 도착하는 엘리베이터. 산영, 말은 그렇게 하면서도
빨리 내리고 싶은 듯 문 쪽으로 사사삭 다가가는데 서서히 열리는 문 너머
코앞에 서 있는 여학생의 모습에 자기도 모르게 '으아아악' 비명을 지르는
산영. 해상, 아무렇지 않은 얼굴로 나가며..

해상   이분은 사람이에요.

뭐야? 놀라서 보는 여학생. 산영, 무안한 얼굴로 해상의 뒤를 따른다.

씬/54   D, 해상의 교수실

민속학 책들로 가득 찬 교수실로 들어서는 해상. 해상, 책상 의자에
앉으며 맞은편 의자를 가리키며

해상   앉아요.

산영, 둘러보다가 앉으면

해상 왜 온 거예요? 무슨 일 있었어요?

산영 ..(머뭇거리다가) 그때 했던 얘기요.. 나 때문에 사람들이 죽을 수도 있다고 했잖아요. 그 얘기 좀 더 들을 수 있을까요.

해상 귀신같은 건 안 믿는다면서요?

산영 안 믿죠. 안 믿는데..

말문이 막히면서 여기서 뭘 하고 있나 싶은 산영, 일어나며

산영 됐습니다.

산영, 돌아서서 나가려는데

해상 무슨 일이 있었던 거죠?

산영, 불안한 눈빛으로 멈춰 선다.

해상 얘기해 봐요. 무슨 일이 있었는지..

산영, 천천히 돌아서서 해상을 바라보다가..

산영 내 주변에 두 명이 죽었어요. 우리 집 전 재산 가져간 보이스 피싱범. 그리고 어린애 한 명.

해상, 긴장해서 산영의 그림자를 바라본다. 여전히 머리를 풀어헤친 악귀의 그림자. 크기가 공사 현장에서 봤던 때랑 흡사하다.

해상	..크기가 그 전과 똑같아요.
산영	..예?

해상, 가만히 생각에 잠기다가

해상	두 명이 죽었다고 했죠. 그 사람들 사진 볼 수 있을까요?
산영	..사진은 왜요?

씬/55   D, 장례식장 건물

건물로 걸어들어오며 대화를 나누는 산영과 해상.

산영	김진욱이라구 근처 학교 다니는 중학생이었대요.

저 앞쪽으로 교복 입은 아이들이 걸어 나오는 분향소를 발견하는 산영.

산영	저기예요.

씬/56   D, 빈소/빈소 밖 복도

빈소 안으로 걸어들어오는 산영과 해상. 저 앞쪽 분향소에서 고개를 숙여 묵념하고 있는 교복 입은 남학생들의 모습 너머 영정사진을 바라본다.

산영	쟤예요.

해상, 진욱의 영정사진을 바라보는데 눈빛이 심상치 않다.
산영의 시선으로 보여지는 영정사진은 그저 미소 짓고 있는 진욱의 사진.
하지만 해상의 시선으로 보여지는 진욱의 영정사진 속 진욱의 뺨에는
특이한 모양의 붉은 얼룩이 묻어있다.

해상　..계단에서 굴러떨어졌다고 했죠? 단순 실족사가 아닙니다..
　　　　귀신이에요.

산영　그럼 그게 정말 나 때문이라는 거예요?

해상　아뇨. 또 다른 귀신이에요.

산영　예? 이런 귀신이 또 있어요?

해상　이 세상에 우리와 다른 존재들은 수도 없이 많습니다. 각자
　　　　사람들이 가지는 믿음, 두려움만큼 많은 숫자가 존재하죠.

산영, 믿기지 않는 듯 흔들리는 눈빛으로 영정사진을 보다가 빈소 입구 쪽
인기척에 힐긋 보는데 들어서던 희태, 성현이와 시선 마주친다.
성현의 스포츠머리. 그리고 희태가 신고 있는 형광색 운동화를 보고
멈칫한다.

― 인서트
― 45씬. 가로등 불빛 아래 도망가고 있는 스포츠머리를 한 성현이와 눈에
　띄는 형광색 운동화의 희태의 뒷모습.

― 다시 빈소로 돌아오면
　희태와 성현이 역시 산영을 알아보고는 멈칫. 벗던 신발을 다시 고쳐 신고
　뒤돌아 빈소를 빠져나간다.

산영　쟤네들..

산영, 재빨리 두 사람의 뒤를 쫓기 시작하고..

해상, 의아한 눈빛으로 그런 산영의 뒤를 쫓아 빈소 밖 복도로 나오다가
멀어지는 희태, 성현이의 얼굴을 보고 낯빛 굳는다.

씬/57   D, 장례식장 건물 밖

겁먹은 얼굴로 건물을 빠져나오는 희태와 성현이. 뒤늦게 건물을
빠져나와 두리번거리다가 멀어지는 희태와 성현이를 발견한 산영, '야!!'
뒤쫓아 오다가 도망치는 두 사람의 백팩 끈을 가로채며 앞을 가로막고
선다. 해상, 천천히 다가오며 희태와 성현을 관찰하고..

희태   왜 이러세요!!
산영   너네지. 몰카범들!

죄책감이 엿보이는 성현은 움찔하는데 희태는 애써 센 말투로

희태   뭔 얘기하는 거예요.

산영, 교복에 있는 희태와 성현이 이름 확인하고

산영   복선중 정희태. 길성현. 자꾸 거짓말하면 경찰에 신고해 버린다.

경찰이란 말에 눈빛 주눅 드는 희태와 성현.

산영   너네 쟤 죽을 때 그날 밤에 같이 있었잖아.
희태   (억울한) 아니에요!

산영	뭐가 아냐! 내가 내 눈으로 똑똑히 봤구만.
희태	그때 누나가 쫓아왔을 때 바로 헤어졌어요. 진욱이가 왜 죽었는지 진짜 우린 몰라요.
산영	맞긴 맞다는 거잖아! 딴 애 하나는? 걘 어딨어?
희태	딴 애요? 누구 말하는 거예요?
산영	그 뭐였지.. (생각하다가) 4237. 걘 어딨냐구?

'4237'이란 말에 소스라치게 놀라는 희태와 성현이. 성현, 겁에 질려 부들부들 떨면서

| 성현 | ..4237.. 그걸 누나가 어떻게 알아요? |
| 산영 | (왜 이러지?) 봤으니까 알지. 너네가 그 핸드폰으로 몰카찍을 때 같이 있었잖아. |

해상, 가만히 겁에 질린 아이들을 바라보는데..

| 희태 | 우린 몰라요. 진짜 몰라요. |

희태 먼저 뛰어서 도망가기 시작하고.. 성현도 덩달아 겁에 질린 얼굴로 허겁지겁 그 뒤를 따른다. 산영, '야!!' 그 뒤를 따르려는데.. 마침 지나가던 오토바이 산영과 부딪칠 뻔하고.. 그런 산영을 뒤로 잡아끄는 해상. 산영, 놀라서 멀어지는 오토바이를 보다가 정신 차리고 보면 멀어지고 있는 희태와 성현이다.

| 산영 | 쟤네들 잡아야 해요! |

그런 산영을 붙잡는 해상.

해상	쟤네들한테도 귀신이 붙었어요.

멀어지는 희태, 성현이를 바라보는 해상의 시선. 겁먹은 얼굴로 뛰어가는 성현의 팔, 희태의 등에도 진욱의 얼굴에 묻은 것과 똑같은 붉은 얼룩이다.

산영	(놀라서 보는) 그럼.. 쟤네들도 죽을 수 있다는 거예요?

불안한 눈빛으로 멀어지는 아이들을 바라보는 해상.

씬/58   D, 장례식장 주차장

주차장에 주차된 차를 향해 걸어가고 있는 해상, 그 뒤를 쫓아가며 질문을 던지고 있는 산영.

산영	그냥 돌아가라구요? 쟤네들도 죽을 수 있다면서요.
해상	이제부터는 내가 알아서 할 테니까, 집에 돌아가 있어요.
산영	뭘 어떻게 알아서 하실 건데요?
해상	나도 어떻게 없애야 할지 아직은 몰라요. 귀신마다 다 다르니까. 일단 어떤 귀신인지 알아내고 생각해 봐야죠.

차를 향해 걸어가는 해상 잠시 바라보던 산영.

산영	정말이죠?
해상	(돌아보면)
산영	저 아이가 죽은 건 정말 나랑은 상관없는 거죠..

해상	맞아요.
산영	(보다가) 알았어요.

산영, 돌아서서 걸어가고.. 해상 역시 차를 향해 다가가는데.. 산영,
걸어가다가 장례식장에서 나오는 교복을 입은 아이들을 보고 멈칫한다.
아직은 앳된 진욱, 성현, 희태와 동년배인 아이들을 가만히 바라보다가..
뭔가 결심한 듯 돌아서서 차 문을 열고 있는 해상에게

산영	저기요!
해상	(본다)
산영	귀신.. 이라고 했잖아요. 만약에 진짜 정말 귀신이 맞으면 어떡해야 해요? ..그 뭐 소금, 팥 그런 거 뿌리면 돼요?
해상	이름이 뭔지, 왜 여기에 남은 건지 알아내야 해요.
산영	(어이없는) 보이지도 않는데 얘기까지 들으라구요?
해상	그리고 문을 조심해요.
산영	문이요?
해상	문 안과 밖은 다른 세상이에요. 그걸 연결시켜 주는 통로가 문이죠. 누가 문을 두드리면 밖에 있는 사람이 누군지 꼭 확인하고 열어줘야 해요.

해상, 차에 올라탄 뒤 멀어지고.. 산영, 뒤돌아서 교복 입은 학생들을
부르며 다가간다.

산영	애들아. 뭣 좀 물어보자. 정희태, 길성현 알지?

벤치에 앉아 누군가를 기다리고 있는 해상.

그때 저 멀리에서 다가오는 문춘. 한 손에는 서류봉투가 들려있다.

해상, 일어나서 인사하는데 옆으로 다가와 앉는 문춘.

해상 찾아보셨어요?

문춘, 들고 온 서류봉투를 해상에게 넘긴다.

문춘 계단에서 숨졌다는 김진욱 학생 관련 서류들이야.

해상, 말없이 서류봉투에서 서류 꺼내 확인하는데.. 가장 앞장에 있는 숨진 진욱의 사건 현장 사진들. 진욱의 사망 사건 보고서다. 말없이 서류들을 확인하는 해상을 바라보던 문춘.

문춘 또 저번처럼 경찰서 가서 미친놈 소리 듣지 말고 이런 거 찾아 볼려면 차라리 나한테 얘기해.

해상, 대답 없이 서류들을 확인하다가

해상 죽은 애가 학폭 가해자였어요?
문춘 전학 온 친구를 옥상으로 끌고 가서 괴롭혔나 봐. 결국 피해 학생은 옥상 난간에서 떨어져 죽었대.

— 인서트
— 낮, 과거, 건물 옥상.

난간을 아슬아슬하게 걷고 있는 교복을 입은 현우. 40씬에서는 말짱했던
얼굴, 누군가한테 얻어맞은 듯 피멍이 들어있고.. 낯빛도 더욱 어두워져
있다. 균형을 잡으려는 듯 양쪽으로 펼친 한쪽 손바닥에는 '4237'
글씨. 어두운 눈빛으로 걸어가던 현우, 천천히 뒤돌아보는데 옥상 한
켠에서 킥킥거리며 서서 담배를 나누고 있는 진욱과 희태, 성현. 담배를
나눠주다가 웃으며 이쪽을 바라보는 성현.

— 낮, 건물 아래로 떨어진 채 피투성이가 되어 숨져있는 현우.

— 다시 공원으로 돌아오면
서류 중 숨진 현우의 변사사건 보고서를 확인하는 해상. 바로 일어서서

해상   (문춘에게) 감사합니다.

문춘   어딜 가?

해상   학폭으로 숨진 정현우. 그 아이 유가족을 만나봐야겠어요. 그
아이가 원귀가 됐을 거예요.

해상, 바로 멀어지는데 문춘, 그런 해상의 등 뒤에 대고

문춘   거기 가선 제발 귀신 얘기하지 마.

씬/60   D, 성현의 방

햇볕도 잘 들어오지 않는 낡은 허름한 방 안 구석에 숨듯이 앉아있는 성현.
핸드폰 전화가 울리자 흠칫 놀라서 바라보는데.. 발신인 '정현우'다.
공포에 질린 눈빛으로 보다가 거절 버튼을 누르는데 다시 울리기 시작하는
현우로부터 걸려오는 전화. '으아아악' 비명을 지르며 뛰어나가는 성현.

성현의 전화번호와 주소가 적힌 핸드폰 메모장을 보면서 성현의 집을
찾아가고 있는 산영.
헥헥 오르막길을 오르면서 성현에게 전화를 걸어보지만 전화를 받지 않는다.

산영   애, 왜 전화를 안 받아.

전화를 끊고 오르막길을 올려다보는 산영.

산영   진짜 내가 몰카범들 살리겠다구 쌩쇼를 하는구나..

잠시 숨을 고르던 산영.

산영   근데 정말 귀신이 있긴 있는 건가.. 염해상인지 염소새낀지 완전
사기꾼 아냐?

하다가 또다시 몰려오는 불안감. 다시 핸드폰에 적힌 주소를 확인하면서
오르막길을 오르기 시작하는데..
순간, 자신의 집에서 뛰쳐나오는 성현과 '쾅' 부딪친다. 그 탓에 바닥으로
넘어지는 성현. 놀라서 바라보는 산영과 시선 마주치는 성현. 공포에
질려서 제정신이 아닌 상태로 무릎을 꿇고 산영에게 빌기 시작한다.

성현   살려주세요. 잘못했습니다. 제가 다 잘못했어요.
산영   너 뭐 하는 거야?
성현   (눈물을 터뜨리며) 누나들 방 찍은 거 정말 잘못했어요.
경찰한테도 다 얘기할게요. 정말 잘못했습니다. 그러니까 제발

저 좀 살려주세요.

산영, 어이가 없기도 하고 얄밉기도 하지만 바들바들 떨고 있는 성현의
모습에 마음이 약해지는 듯 바라보는데

산영   무슨 소리 하는 거야. 누가 너 죽인대?

성현   누나도 봤다고 했잖아요. 죽은 현우요. 손에 '4237'이라고
         써있었다면서요.

산영   ..(믿기지 않는) 죽었다구? 걔가?

씬/62   D, 현우의 집 앞

낡은 다세대 주택 건물.
해상, 현우의 집 주소를 확인한 뒤 현관 옆 초인종을 눌러보지만 아무도
나오지 않는다. '똑똑똑' 두드리며 '계십니까?' 불러보지만 여전히
인기척이 없다. 답답한 눈빛으로 한숨을 내쉬고는 누가 올 때까지 기다릴
생각인 듯 벽에 기대어 선다.

씬/63   D, 성현의 집 일각

산영, 문을 열고 성현의 방으로 들어선다. 그 뒤를 따라 들어서는 겁먹은
얼굴의 성현.

산영   핸드폰이 어디 있다는 거야?

성현, 방구석에 떨어져 있는 핸드폰을 가리킨다.

성현　　저기요.

산영, 핸드폰을 들어올리는데..

성현　　자꾸 전화가 와요. 죽은 현우한테서요.
산영　　정말.. 죽은 거 맞아? 현우라는 애?
성현　　그렇다니까요.
산영　　..전화를 해서 뭐라고 하는데?
성현　　아무 말도 없이 울어요.. 어린 여자애가요..

씬/64　D, 현우의 집 앞

여전히 집 앞에서 유가족을 기다리고 있는 해상. 그때 계단 아래에서
들려오는 발자국 소리. 누구지? 현우의 가족인가? 하는 얼굴로 바라보는데
아래에서 올라오는 주민, 해상을 이상한 듯 보고는 계단 위 집으로
올라가서 '띠띠띠띠' 비밀번호를 누르고 문을 열고 들어간다.
해상 순간 멈칫, 그쪽을 바라보다가 천천히 현우의 집 현관문을 바라본다.
비밀번호를 누르는 터치패드다.

해상　　4237..

혼란스러운 눈빛으로 성현을 바라보던 산영, 왠지 섬뜩한 느낌이 드는 듯
고개 들다가 멈칫..

산영   ..문..

산영의 시선 쫓아가면 성현의 열린 방문, 그 너머 보이는 열린 현관문. 그
너머에 보면 대문 역시 열려있다.
그 모습 위로 들려오는 해상의 목소리.

해상(소리) 문 안과 밖은 다른 세상이에요. 그걸 연결시켜 주는 통로가
문이죠.

산영, 다급히 문을 닫기 위해서 다가가다가 얼핏 뭔가를 보고 놀란다.
한쪽 벽에 걸린 거울에 비친 문가에 선 성현의 모습. 실제 성현의 모습과
달리 거울에는 성현의 팔에 붉은 얼룩이 보인다. 그리고 열린 방문
너머에서 들어서는 그림자를 보고 공포와 충격에 휩싸인다. 검붉은 피가
묻은 교복, 피투성이가 된 얼굴. 옥상에서 떨어졌을 때의 모습 그대로의
현우다.
너무 놀라서 비명도 지르지 못하고 그런 현우를 바라보는 산영.

비밀번호를 누르는 터치패드에 '띠띠띠띠' 숫자를 누르기 시작하는 해상.
'4237' 숫자를 누르자. '띠리리' 도어락 풀리는 소리.

천천히 현관문을 여는 해상.

문 안, 한 치 앞도 보이지 않는 칠흑 같은 어둠을 바라보는데 해상의

귓가에 들려오기 시작하는 소리. 여자아이의 흐느끼는 울음소리다.

그런 해상과 거울 너머 현우 귀신을 바라보는 산영의 모습 교차되며...

1부 끝.

2부

귀신보다 더 무서운 건 사람이에요.

악귀 같은 인간들 때문에 죽은 거예요. 귀신은 없어요.

씬/1   D, 현우의 집 안/밖

열린 현관문 너머 어둠에 휩싸인 현우의 집 안. 희미하게 들려오는
여자애의 울음소리에 긴장한 눈빛으로 집 안을 바라보는 해상. 순간
뒤쪽에서 다가와 '쾅' 해상의 어깨를 잡아채는 손. 놀라서 쳐다 보면
차갑게 해상을 노려보고 있는 현우 모다.

현우 모   당신 누구예요? 남의 집 앞에서 뭐 하는 거냐구요?

해상, 현우 모를 보다가 그 뒤에서 굳은 얼굴로 서 있는 현우 부를
보다가 멈칫.
현우 부의 뺨에 눈에 띄는 붉은 화상 자국.

— 인서트
— 1부, 56씬. 영정사진 속 진욱의 붉은 얼룩.
— 1부, 57씬. 도망치던 성현과 희태의 몸에 난 붉은 얼룩.

— 다시 현우의 집 앞으로 돌아오면
현우 부의 뺨에 난 화상 자국 모양이 아이들에게서 봤던 얼룩 모양과
일치한다. 손에는 노끈, 비닐봉지, 커다란 삽을 들고 있다.

해상   ..현우 부모님 되세요?

현우 부를 바라보는 해상의 태도에 현우 모 더욱 화가 난 듯

현우 모   현우 찾아온 거예요? 현우 죽은 거 몰라요?

그때, 집 안 어디선가 또다시 들려오는 희미한 여자아이의 울음소리.
그 소리에 현우 모의 낯빛 눈에 띄게 굳는다. 해상을 거칠게 밀치는 현우 모.

현우 모   가세요. 우린 할 말 없으니까.
해상   잠시만요.
현우 모   자꾸 이러면 경찰에 신고해 버릴 거예요. (현우 부에게) 뭐해요.
빨리 안 들어가고.

현우 모의 채근에 먼저 집 안으로 들어가는 현우 부, 현우 모 그 뒤를 따라
들어가며 '쾅' 문을 닫아버린다. 해상, 왠지 모를 불길함에 휩싸인다.

씬/2   D, 성현의 집

거울 너머에 비치는 피투성이가 된 현우의 귀신을 놀라서 바라보는 산영.
천천히 한 발 두 발 산영과 성현을 향해 다가오고 있는 현우를 숨도 못
쉬고 바라보던 산영, 성현을 잡아끌고 밖으로 도망치기 시작한다.

씬/3   D, 성현의 집 밖 골목 일각

집에서 성현이를 막무가내로 끌고 나오는 산영. 멀리 떨어진 전봇대 뒤로
끌고 가 몸을 숨기고 성현의 집 쪽을 바라보는데 아무것도 보이지 않는다.
불안하고 겁먹은 눈빛의 성현, 울상이 되어

성현   왜 이래요..

산영, 성현의 소리가 들리지 않는 듯 집 쪽을 바라보다가 문득 생각난 듯
성현의 팔을 보는데 붉은 얼룩이 보이지 않는다.

산영   ..거울..
성현   예?

산영, 불안감이 몰려오는 듯 주변을 다급히 두리번거리며

산영   거울 없어?
성현   무슨 얘기예요?
산영   여기 어디 거울 있는 데 없냐구?!
성현   저..저기 아래로 내려가면 있어요.

성현이 가리키는 쪽을 향해 성현을 끌고 내려가는 산영.
골목 사거리에 설치된 교통반사경이 보인다. 다급히 반사경으로 다가가서
비춰보지만 현우의 귀신은 보이지 않는다. 그러나 성현의 팔에 여전히
남아있는 붉은 얼룩.
산영, 어떡해야 할지 겁나고 당황스러운 낯빛으로 반사경을 바라보는데..
문득 떠오르는 해상의 소리.

해상(소리)   이름이 뭔지, 왜 여기에 남은 건지 알아내야 해요.

산영, 겁먹은 성현을 향해

산영   걔, 왜 죽은 거니?
성현   예?
산영   그 현우란 애 왜 죽은 거냐구? 너네가 죽인 거야?

성현   (억울한) 우리가 죽인 거 아니에요! 진짜 우리 억울해요. 우린 걔 때린 적도 없어요! 어디 딴 데서 맞고 온 거예요!

씬/4   D, 과거, 옥상/성현의 회상

1부 59씬의 옥상 문을 열고 들어서서 그늘진 곳에 자리 잡는 진욱, 희태, 성현. 그때 뭔가를 본 듯 인상 찌푸리는 진욱.

진욱   저 모지리는 왜 또 쫓아온 거냐.

아이들, 돌아보면 조금 떨어진 곳에 서서 이쪽을 어두운 얼굴로 바라보고 있는 현우다.

희태   저거 다른 애들한테 맞는 거 한 번 구해주니까 우릴 친구라고 생각하나 왜 자꾸 쫓아다녀.

성현   자꾸 우리 뒤만 쫓아다니니까 우리가 쟤 때린다고 소문났잖아.

현우   ..도와줘..

진욱   (귀찮은 듯 보다가) 야, 그냥 무시해.

돌아서서 담배를 찾아 꺼내서 나눠주기 시작하는 진욱. '야, 이것도 꼰대 거 훔친 거냐?' '좀 비싼 담배로 좀 바꾸라 그래' 지들끼리 농담하며 킥킥거리는 세 사람. 그때, 킥킥거리며 문득 고개 들어 현우 쪽을 보는 성현. 얼굴에서 서서히 웃음기 가시며

성현   저거 왜 저래?

희태. 진욱, 성현의 시선 쫓아보면 현우, 옥상 난간을 걷다가 천천히
아이들 쪽을 바라본다.

현우   우리 집에 꼭 와줘..
진욱   뭔 소리야?
현우   내가 죽으면 우리 집에서 무슨 일이 벌어지는지 꼭 알려줘.
희태   저거 뭐라는 거야.

아이들을 슬픈 눈으로 바라보던 현우, 순간, 옥상 난간 아래로 스스로
몸을 던진다. 놀라서 바라보는 아이들.

씬/5   D, 성현의 집 인근 골목 일각

반사경 아래에서 성현의 얘기를 듣고 있는 산영.

산영   ..자살한 거라구..?
성현   그렇다니까요. 그런데 죽은 현우한테 계속 전화가 오니까 겁이
나서 누나네 집을 찍은 거예요. 거기가 현우 집인 줄 알고..

산영, 혼란스럽게 생각하다가..

산영   그게 다야?
성현   ..(머뭇거리는) 그게..

씬/6   D, 현우의 집 인근 골목 일각

현우의 집 건물에서 걸어 나오며 문춘에게 전화를 걸고 있는 해상.

문춘(소리) 정현우 인적사항은 왜?

해상 그 애한테 혹시 형제나 자매가 있습니까?

문춘(소리) 아니 없어. 걔 혼자야.

해상 확실해요?

문춘(소리) 확실해. 주민등록등본, 가족관계증명서 모두 확인해봤어. 근데 그건 왜?

해상 ..아닙니다. 다시 연락드릴게요.

해상, 전화를 끊고 맘에 걸리는 듯 걸어가려는데.. 울리는 전화. 산영이다.

해상 여보세요.

산영(소리) 죽은 애가 동생 얘기를 했었대요.

낯빛이 굳는 해상.

씬/7   D, 성현의 집 인근 골목 일각

통화를 하고 있는 산영.

산영 동생이 불쌍하다고 그랬대요. 얘들한테..

씬/8   D, 현우네 집 인근 골목 일각

돌아서서 현우네 집 건물을 올려다보는 해상.

해상   알았어요. 다시 연락할게요.

전화를 끊고 현우네 집 건물 쪽으로 뛰어가는 해상.
현우네 집 건물로 다가가 한 창문에 귀를 기울이는 해상. 아무 소리도
들리지 않자, 다른 창문 쪽으로 다가간다.

씬/9   D, 성현의 집 인근 골목 일각/대로변 일각

옆에서 겁먹은 얼굴로 전화를 끊는 산영을 보는 성현.

성현   거짓말이었다니까요. 걔 전에 다니던 학교 애들한테도
물어봤는데 동생 같은 거 없었대요. 현우 걔가 미쳤던 거 같아요.

성현을 향해 반사경 쪽으로 돌아서던 산영, 순간 눈빛이 굳는다.
반사경에 비추는 광경. 성현의 바로 뒤에 서 있는 현우. 무표정한 얼굴로
한쪽 손을 들어 어딘가를 가리키고 있다. '악!' 비명을 지르면서 성현을
잡아끌고 도망치기 시작하는 산영.
골목을 돌아 뛰어가는데 저 앞에 주차된 차 창문에 또다시 비치는 현우.
역시 한쪽 손을 들어 어딘가 가리키고 있다. 그런 현우를 피해 계속해서
성현을 끌고 도망치는 산영. 코너를 돌아 대로변으로 내려서다가 멈칫.
대로를 지나다니는 차 창문들, 가게 유리문들 등 눈앞에 보이는 모든
유리창에 어딘가를 가리키고 있는 현우의 모습이 비추고 있다. 더 이상

도망갈 곳이 없다. 가만히 유리에 비친 현우를 바라보던 산영.

산영 (성현에게) 넌 집에 돌아가 있어.

성현 왜 그러는데요?

산영, 대답 없이 현우가 가리키는 방향을 향해 걸어가기 시작한다.
'누나 어디 가요!' 겁에 질려 부르는 성현. 어찌할까 하다가 산영 뒤를
따르기 시작하고..

씬/10   D, 현우네 집 건물 뒤편/현우네 집 화장실

계속해서 현우네 집 근처를 조사하던 해상, 건물 뒤쪽으로 돌아가는데 뒤편
건물과 사이로 난 좁은 공간을 발견한다. 여기저기 벽돌들, 짐들이 쌓여
있는 좁은 공간 사이로 들어서는데 또다시 들려오기 시작하는 울음소리.
귀 기울여 보면 현우네 집 화장실 창문인 듯, 땅 위에 위치한 조그만
창문에서 울음소리가 들려오고 있다. 해상, 무릎을 꿇고 방범창 사이로
손을 넣어서 창문을 열어본다. 조금씩 열리는 창문 너머로 보이는 빛도
거의 들지 않는 허름한 화장실. 굳게 닫힌 문. 한쪽에 놓인 세탁기, 더러운
변기, 흐릿한 거울. 창문을 열자 울음소리는 더욱 또렷하게 들리지만
어디에도 여자애는 보이지 않는다.
창문 아래쪽인가? 내려다보려고 하지만 방범창 때문에 각도가 나오지
않는다. 해상, 핸드폰을 꺼내서 카메라 기능을 켜고 창문 아래쪽을
비춰보는데 창문 아래, 변기 옆쪽 어둠 속에서 웅크리고 있는 여자아이가
보인다. 얇고 가냘픈 몸, 헝클어진 머리. 어렸을 때 현우가 입던 옷인 듯
낡아빠진 남자애 옷을 걸친 몸 여기저기에는 피멍들.
해상, 충격에 휩싸여 핸드폰 카메라 너머 여자아이를 보다가

해상   괜찮니?

해상의 소리에 더욱 겁이 나는 듯 변기 뒤쪽으로 웅크리는 여자아이.

해상   왜 울고 있어? 어디 많이 아프니?

순간, 울음을 참고 겁에 질려 문 쪽을 바라보는 아이.
해상, 뭐지? 고개 들어 보면 굳게 닫혀있던 화장실 문이 열려있고,
그사이로 현우 모가 해상을 가만히 노려보고 있다.
해상, 놀라서 바라보는데.. 그런 해상의 뒤쪽으로 다가오는 누군가의 발.
돌아보면 들고 온 삽으로 해상의 뒤통수를 가격하는 현우 부.

씬/11   N, 파출소

경찰들, 자리에서 일을 보고 있는데 문 열고 들어서는 경찰1.

경찰1   며칠 전에 계단에서 떨어져 죽은 애 있잖아.
경찰2   걘 왜요?
경찰1   근처에 주차된 차주가 블랙박스에 이상한 게 찍혔다고
              제보했더라고.

      — 시간 경과되면
      컴퓨터로 재생되는 블랙박스 화면을 바라보고 있는 경찰들.

경찰1   저쪽 골목이 그 학생이 죽은 데잖아. 그런데..

진욱이 죽은 계단 쪽에서 당황한 얼굴로 연신 뒤돌아보며 빠르게 뛰어서
지나치고 있는 사람. 정지 화면을 눌러 얼굴을 확인해 보는데,
한쪽 뺨에 눈에 띄는 붉은 화상 자국이 있는 현우 부다.

씬/12   N, 현우의 집 화장실

캄캄한 어둠 속에서 천천히 눈을 뜨는 해상. 여기가 어디지? 둘러보면
화장실 안이다. 옆을 보면 여전히 변기 옆쪽에 웅크린 채 사시나무 떨듯이
떨고 있는 여자아이.
해상, 정신을 차리고 일어나다가 화장실 문밖에서 두런두런 들려오는
목소리를 듣고 멈칫한다.

현우 모(소리) 현우 핸드폰은 저게 언제 갖고 가가지구..

씬/13   N, 현우의 집 거실

화장실 문밖, 걸고리에 자물쇠가 설치된 화장실 문에서 빠지면, 짜장면에
소주 한 잔을 마시고 있는 현우 부. 그 옆에 앉은 현우 모, 불안한 얼굴로

현우 모   핸드폰으로 어디 어디에 전화했는지는 알아봤어요?
현우 부   한 놈은 알아냈는데 그 어린놈이 지레 겁먹고 도망치다가
           계단에서 떨어져서 죽어버렸어.

그런 현우 부모의 옆에 놓여 있는 삽, 비닐 봉투, 노끈들.

씬/14   N, 현우의 집 화장실

굳은 얼굴로 문밖에서 들려오는 현우 부모의 대화를 듣고 있는 해상.

현우 모(소리) 이러다 이 동네에서도 또 소문나겠어요.
현우 부(소리) 출생신고도 안 된 애야. 쥐도 새도 모르게 죽어버리면 돼. 원래
그럴 계획이었잖아.

해상, 떨리는 눈빛으로 여자아이를 돌아본다. 자기에 대한 얘기를 듣고
있는 아이, 숨죽여 닭똥 같은 눈물을 흘린다.
어떡하든 살려야 한다. 주머니 안에 핸드폰을 찾아보지만, 미리 빼놓은 듯
보이지 않는 핸드폰. 주변을 둘러보는 해상. 유일한 출입구는 창문이지만
방범창으로 막혀있다.
해상, 변기 위로 올라가서 방범창을 강하게 흔들어보지만 꿈쩍도 하지
않는다. 저 앞쪽으로 보이는 벽돌. 창살 사이로 손을 뻗어보지만, 아슬아슬
닿지 않는다.

씬/15   N, 현우의 집 거실

여전히 대화 중인 현우 부모.

현우 모   저 남자는 어떡해요?

순간, 화장실에서 들려오는 '쾅' 타격음. 뭐지? 돌아보는 현우 부모.
눈매 매서워지더니 화장실로 달려가 자물쇠를 풀기 시작하는 현우 부.

벽돌로 방범창을 안에서 밖으로 강하게 내려치는 해상. 여자아이, 겁이
나는 듯 더욱 구석으로 웅크리는데.. 밖에서 들려오는 자물쇠 따는 소리와
함께 '뭐 하는 거야!' 외치는 현우 부의 소리.
해상, 온 힘을 다해서 벽돌로 방범창을 내려치자, '쾅' 떨어져 나가는
방범창. 다급히 아래로 내려와 여자아이에게

해상   가자. 밖으로 나가는 거야.

여자아이, 더욱 겁나는 눈빛으로 웅크리는데..

해상   할 수 있어. 현우가 도와줄 거야.

현우 이름을 듣자 해상을 가만히 바라보는 여자아이. 알아듣기 힘든
발음으로 '현우 오빠..' 웅얼거리는..

해상   그래. 네 오빠 (손을 더 뻗으며) 자.. 어서.

여자아이, 해상을 보다가 해상의 손을 잡는다. 해상, 여자아이를 안고 변기
위로 올라가려는데 문이 열리는 소리. 해상, 여자아이를 변기 위에 올려놓고

해상   올라가! 어서!

해상, 그 말과 함께 화장실 한 켠에 놓인 세탁기를 문 쪽으로 거칠게 밀어
버린다. 안쪽으로 문을 열려던 현우 부. 그 기세에 밀려 문이 닫히지만,
계속해서 문을 열려고 힘을 주고

해상, 세탁기를 밀어붙이며 시간을 번다.

해상 (여자아이에게) 올라가! 빨리!

여자아이, 겁먹은 얼굴로 해상을 보다가 창문으로 손을 뻗어보지만,
아슬아슬 닿지 않는다. 조금 열린 문틈 사이로 그런 광경을 보던 현우 부.
현우 모에게

현우 부 나가봐! 놓치면 안 돼!

해상, 맘이 급한 듯 세탁기로 현우 부를 막으면서 뒤돌아보는데 여전히
여자아이의 손은 창문에 닿지 않는다. '쾅쾅' 밖에서 문을 열려는 현우 부
때문에 자신은 도울 수가 없다.
안타까움에 어찌할 바를 모르고.. 필사적으로 창문으로 올라가 보려는
여자아이의 눈빛에도 절망감이 감도는데..
순간 창문 밖에서 들어온 손, 여자아이의 손을 잡는다. 보면 산영이다.
산영과 시선 마주치는 여자아이.

산영 올라와. 할 수 있어.

여자아이의 손을 잡고 위로 올리기 시작하는 산영. 산영을 쫓아온 듯한
성현, 놀라서 여자아이를 바라보다가 힘을 보태기 시작한다. 겨우겨우
창밖으로 나와 산영에게 안기는 여자아이. 울음을 터뜨리는 여자아이를
꼭 안아주는 산영.
화장실에 혼자 남은 해상, 세탁기에서 힘을 떼자 '쾅' 문이 열리면
험악하게 들어서는 현우 부. '너 이 새끼 뭐 하는 새끼야' 다가서는데 현우
부의 얼굴에 시원하게 한 방을 먹여버리는 해상.

건물 뒤편, 여자아이를 더욱 꼭 안아주는 산영의 모습 위로 저 멀리에서
들려오기 시작하는 경찰차의 사이렌 소리.

씬/17   N, 현우의 집 건물 밖

집 앞에 빼곡하게 멈춰 서 있는 순찰차. 구급차들. 체포돼서 순찰차에
태워지는 현우 부와 현우 모. 구급차에서 응급처치를 받고 있는 여자아이.
그 곁에는 구청직원들과 경찰들. 주변에는 구경을 나온 듯한 이웃들.
사람들 사이 성현을 찾으러 온 듯한 성현 모, '연락도 안 하고 걱정했잖아'
성현을 나무라고 있다.
조금 떨어진 담장 쪽에 걸터앉고 서고 한 산영과 해상, 그런 모습을
지켜보고 있는데..

산영   ..지금도 보여요? 그 붉은 얼룩이요.

해상, 성현이를 보는데 팔에 보이던 붉은 얼룩은 사라져 있다.
그런 성현 뒤쪽으로 시선 옮기는 해상. 구경하는 사람들 사이에 서 있는
교복을 입은 피투성이 현우. 구급차 안에서 사람들에게 치료를 받고 있는
여자아이를 바라보고 있다.

— 인서트
— 밤, 여자아이가 갇혀 있던 방. 여자아이 배고픔에 지친 듯 울고 있는데
   달칵 문 열리면서 조용히 들어서는 현우. 여자아이에게 쉿 조용하라는 듯
   손짓하고는 옆에 와 앉으며 가지고 온 삼각김밥과 생수병을 꺼낸다.
   현우, 삼각김밥 까면서

현우　　　(낮은 목소리로) 엄마 아빠 주무시니까 천천히 먹어.

비닐을 깐 삼각김밥 여자아이에게 주면 배고팠던 듯 와구와구 먹는다.
그런 여자아이를 바라보다가

현우　　　오빠가 너 이름 지어봤다. 현지. 어때? 정현지.

여자아이, 무슨 말인지 이해를 못 하는 듯 그저 삼각김밥을 먹기에 바쁘고..
현우, 그런 여자아이를 보다가 미소 지으며 머리 쓰다듬는다.

현우　　　현지야. 천천히 먹어.

— 시간 경과되면
삼각김밥을 다 먹은 여자아이에게 핸드폰을 꺼내서 화면을 보여주고 있는
현우. 햇살이 반짝이는 바다다.

현우　　　이게 바다라는 데야.

여자아이, 그저 가만히 핸드폰 화면을 바라보고 있다.

현우　　　우리 나중에 꼭 같이 가자. 바다.

여자아이를 바라보며 미소 짓는 현우의 모습에서..

— 다시 현우의 집 건물 밖으로 돌아오면
여자아이를 바라보며 눈물을 흘리고 있는 현우, 헤어지기 싫은 듯 가만히
서서 아이를 바라보다가 서서히 사라진다. 해상, 그런 현우를 바라보다가

해상	보이지 않아요. 이제 사라졌어요.
산영	..그럼 이제 다 끝난 거죠.
해상	그쪽은 끝나지 않았어요. 그쪽한테 붙은 악귀는 아직 남아있습니다.

산영, 더 이상 듣기 두려운 듯 일어선다.

산영	귀신은 없어요.
해상	(보는)
산영	귀신보다 더 무서운 건 사람이에요. 저 악귀 같은 인간들 때문에 현우도 죽고, 진욱이도 죽은 거예요.. 귀신은 없어요..

뒤돌아서서 멀어지는 산영을 답답한 눈빛으로 바라보는 해상.

씬/18   D, 신경정신과 대기실

OO신경정신과라고 적힌 유리문 안, 대기실에 앉아있는 산영. '구산영
환자분'이란 간호사의 부름에 고개 드는데 시선 속에 들어온 거울 속에서
슥 지나가는 여자. 놀라서 보는데
간호사에게 '얼마예요?' 물어보는 살아있는 평범한 여자다. 산영, 엷은
한숨을 내쉰다.

씬/19   D, 신경정신과 진료실

의사와 마주 앉아있는 산영.

의사, 산영이 작성한 질문지를 훑어보다가

의사   스트레스 지수가 상당히 높네요. 수면 시간도 너무 부족하구요. 이런 상황이라면 환영을 보거나 환청이 들릴 가능성이 큽니다.

산영   저희 엄마가 오래전부터 불안장애가 있으셨는데 그런 영향도 있을까요?

의사   가까운 가족이 오랫동안 아프셨다면 그것도 스트레스의 요인이 됐을 순 있겠지만 유전적인 요인은 아직 확실히 밝혀지진 않았습니다. 일단 약을 처방해 드릴 테니까 드시면서 차도가 있는지 지켜보도록 하죠.

산영   (망설이다가) ..선생님은 귀신이 있다고 생각하세요?

의사   심신이 미약한 상태에서 헛것을 볼 수는 있지만, 진짜가 아니에요. 귀신은 없습니다.

의사의 말에 안도의 한숨을 내쉬면서도 여전히 불안감이 엿보이는 산영의 눈빛에서..

씬/20   N, 세미네 집 인근 가게 앞

가게 앞에 비치된 테이블에 캔 맥주 하나씩 앞에 놓고 앉아있는 산영과 세미.

세미   ..귀신들린 집보다 더 무서운 집이었네.. 어떻게 그렇게 끔찍한 짓을 할 수 있을까..

산영, 말없이 눈 아래 펼쳐진 도시를 내려다보고.. 세미, 지긋지긋한 듯 깊은 한숨을 내쉬며..

세미   진짜.. 탈출하고 싶다.. 그 애들한테는 미안한데.. 저 집에서
앞으로 어떻게 살지.. 그 생각밖에 안 들어..

세미, 고개 들어 산영이 바라보고 있는 화려한 도시의 고층아파트들
불빛을 보다가..

세미   저런 데서 살아도.. 힘든 일이 있겠지.. 그런데.. 힘든 일도 저런
데서 겪고 싶다. 그럼 행복하게 불행할 수 있을 것 같아..

가만히 도시를 내려다보는 산영과 세미의 모습에서..

씬/21   D, 암자 외경

오후, 고즈넉해보이는 작은 암자 건물

씬/22   D, 암자 건물 안

작고 소박한 건물 안. 스님이 연등에 '정현우'란 이름을 적고 있다.
스님, 맞은편에 앉아있는 해상에게

스님   이번에도 명복을 빌어드리면 되나요?

가만히 연등을 보다가 고개 끄덕이는 해상.

씬/23   D, 암자 건물 밖

건물을 빠져나오는 해상. 잠시 고개 들어 하늘을 바라보면 석양이
내려앉고 있다.
천천히 발걸음을 옮겨 건물을 빠져나가는 오솔길 쪽으로 향하는 해상의
귓가에 희미하게 명복을 비는 스님의 독경 소리가 들려온다.
점점 멀어지는 해상의 뒷모습 위로 불어오는 스산한 바람.

씬/24   N, 해상의 집

위스키를 원샷한 뒤 잔을 내려놓는 해상.
창밖에 펼쳐진 도심을 내려다보며 술을 마시고 있는 해상의 앞에는 벌써
빈 양주병 두 개가 놓여있는데.. 뒤쪽에서 다가오는 우진.

우진   어떻게 된 게 맨날 술이야.
해상   ...
우진   하긴, 맨정신으로 버티기 힘들겠지. 보이는 걸 보인다고
        얘기하는데 남들한텐 미쳤단 소리만 듣고, 그렇게 찾고 싶은
        악귀는 눈앞에 있는데 잡을 순 없고.
해상   (다시 한잔 더 따라 마시는데)
우진   그런데 구강모 교수란 사람은 왜 그런 걸까.
해상   (보면)
우진   한 번도 본 적도 없는 사람한테 자기 딸을 지켜달라고 편지를
        보낸 거잖아. 그렇게 만나달라고 할 때는 코빼기도 안
        비치더니.. 게다가 그 교수는 자기 딸한테 악귀가 붙을 것도
        알고 있었어. 대체 그걸 어떻게 알고 있었던 거지?

해상	..그 여자한테 왜 악귀가 붙었는지 알게 되면 다 밝혀지겠지.

해상. 다시 술 한 잔을 원샷하고.. 그런 해상을 가만히 바라보던 우진.

우진	네 어머니는 벌써 돌아가셨어. 악귀를 잡는다고 변하는 건 아무것도 없는데 왜 잡으려는 거야?
해상	...
우진	네가 다칠 수도 있어. 더 힘들어질 수도 있고..
해상	지금까지보다 더 힘들 일은 없어.

또다시 술을 따르는 해상을 바라보는 우진의 눈빛, 어두워진다.

씬/25 D, 산영의 집 건물 밖

'아 진짜 어디 가는 거냐고' 산영의 외침에 이어 건물 안에서 세미에게
끌려 나오고 있는 산영. 세미, 나름 꾸민 듯 정장 차림.
산영 역시 세미가 억지로 입힌 듯 정장 재킷에 에코백을 걸치고 있다.

산영	어딜 가는지는 좀 알자.
세미	말해주면 안 갈 거 아냐.
산영	아 갈 테니까 말해봐.
세미	너 윤정이 기억나? 우리 고등학교 동창 서윤정.
산영	(생각하다가) 재수탱이?
세미	걔 결혼한다잖아. 오늘이 청첩장 모임이래.
산영	거길 왜 가? 너두 걔 진짜 싫어했잖아.
세미	걔 우리 2년 선배, 회장 오빠랑 결혼하거든. 그게 무슨 뜻이겠니?

산영	무슨 뜻인데?
세미	그 회장 오빠 절친이 내 첫사랑이잖아. 오늘 그 오빠도 온대.
산영	아.. 그 홍신가 곶감인가 하는 선배?
세미	곶감이라니! 내 첫사랑이라고!
산영	첫사랑 좋아하시네. 초등학교 때부터 이 사람 저 사람 난리치고선. 한 열여덟 번째 첫사랑쯤 되겠다. 아 몰라. 난 안 가!

씬/26　N, 다이닝 레스토랑

고급스러운 다이닝 레스토랑 룸으로 들어서는 세미와 포기한 듯 끌려들어
오는 산영.
두 사람을 가식적인 함박웃음으로 맞는 화려한 차림의 윤정(20대 중반, 여).

윤정	어머, 얘들아 왔어?

윤정, 들뜬 목소리로 테이블 중앙에 앉아있다가 일어서는 예비 신랑의
팔짱을 끼며

윤정	우리 오빠는 알지?

세미, 인사하는 둥 마는 둥 손님들을 둘러보다가 세미와 산영 쪽으로
등지고 앉아있던 누군가를 알아보고 다가가

세미	오빠! 잘 지내셨어요?

그 소리에 뒤돌아보는 얼굴, 홍새다. 산영, 뭐지? 하는 눈빛으로 홍새를

바라보는..

홍새, 세미 보고

홍새   어, 그래 오랜만이다. 잘 지냈어..

세미   여기는 구산영이라고 제 친구예요. 태흥고 동기요.

산영, 껄끄러운 듯 시선 외면하는데 홍새, 그런 산영을 보다가

홍새   알아. 구산영.

세미   산영이 알고 계셨어요?

홍새   그럴 일이 있어.

산영   (불편한데 세게 따지지는 못하겠는) 왜 말 놓으세요..

세미   (홍새와 산영을 수상한 듯 보다가) 당연히 놔야지. 2년 선배신데..

산영, 세미를 향해 보일 듯 말 듯 눈 부라리는데..

— 시간 경과되면

와인과 함께 식사가 진행 중인 다이닝 룸. 테이블 구석 쪽에서 식사 중인

세미와 산영.

산영은 어울리지 않는 고급스런 분위기가 불편하고, 조금 떨어진 곳의

홍새도 불편한 기색. 홍새, 와인을 마시면서 중간중간 산영을 관찰하듯

바라보는데.. 세미, 눈치채지 못하고 산영에게 귓속말로

세미   어때? 잘생겼지? 너 제대로 보는 건 처음 아냐?

낮, 태흥고 운동장. 점심시간인 듯 여기저기 운동장에 삼삼오오 모여있는
학생들.
운동장 한 켠에 놓여있는 농구대 아래에서 삼대삼 농구 중인 남학생들 중
당시 고3이었던 홍새. 발군의 실력으로 골골골, 연속으로 골인시키는 멋진
모습들.
스탠드에 앉아서 구경 중인 세미, '오오오' 좋아서 집중해서 바라보는데..
그 옆에는 뻗어서 자고 있는 산영.

세미   (산영을 치면서) 산영아. 저 오빠가 홍시 오빠라니까.

산영   (비몽사몽) 됐고 끝나면 알려줘..

— 시간 경과되면

점심시간이 끝나가는 듯 하나둘씩 건물로 사라지는 학생들. 홍새와
농구팀 역시 사라지는데.. 서서히 일어서는 산영. 아직 잠에서 안 깬 듯한
얼굴로 스탠드에서 내려서서 농구대 아래로 다가가서 바닥을 훑으며
떨어진 동전들을 줍기 시작한다. 그때 울리기 시작하는 수업종. 건물
쪽으로 먼저 들어가고 있는 세미 '구산영! 빨리 와!!'

산영   먼저 가!

산영, 다시 고개 숙여 동전 주우며

산영   다들 폴짝폴짝 열심히들 뛰었네.

고개 숙여 열심히 동전 줍고 있는 산영의 모습 위로 누군가의 그림자가

드리워지는데..

씬/28   N, 현재, 다이닝 룸

와인을 한 모금 마시면서 테이블 반대편의 산영을 바라보는 홍새.
산영은 불편한 얼굴로 음식이라도 먹자 하며 열심히 먹고 있는데.. 모인
사람들에게 떠들고 있는 윤정.

윤정   아빠가 신혼여행 하와이로 가라고 하는데 너무 많이 간 데라 좀
질려서요. 어디 사람 없고 신선한 데 없을까요? 돈은 상관없구요.

모인 사람들, '뭐 글쎄..' 다들 건성건성 대답하는데..
윤정, 그런 사람들 바라보다가

윤정   제가 눈치 없게 우리 얘기만 했네요. 다들 어떻게 지내셨어요?

세미, 윤정의 말에 올 게 왔구나 싶은 얼굴로

세미   잠깐 화장실 좀 다녀올게.

자리에서 빠지면서 산영한테 눈치 주지만 산영, 눈치 못 채고 앉아있는..
윤정, 홍새 보며

윤정   오빠 경찰 일은 힘들지 않으세요?
홍새   (보다가) 일은 다 힘들어. 그래서 돈 받고 하잖아. 너도 한 번쯤
해보지 그러냐. 아빠 돈 말고 남의 돈 받는 거.

윤정의 옆에 앉은 윤정 남편, 그만하라는 듯 홍새에게 눈짓 주자
홍새, 성질 죽이며 시선 돌리는.. 윤정 역시 싸한 눈빛으로 시선 돌리다가
우걱우걱 밥을 먹고 있는 산영에게 시선 꽂히며

윤정   산영인 여전히 캐주얼이 어울리네.
산영   (이건 또 뭐냐 보는)
윤정   그런데 너무 학생처럼 하고 다니는 거 아니니? ..TPO라는 게
있잖아.

산영, 윤정을 바라보다가 주변을 둘러본다. 다들 잘 빼입은 정장 차림.
명품 백들. 자기 의자 옆에 놓인 에코백이 너무 초라해보인다. 자기도
모르게 에코백을 등 뒤쪽으로 돌리려다가 바닥으로 떨어지면서 '쨍그랑'
안에 있는 내용물들이 바닥으로 흩어진다.
산영, 당황해서 다급히 가방 안에 물건들을 수습하다가.. 내가 지금 뭐하고
있는 거지.. 감정을 추스르다가 애써 아무렇지 않은 얼굴로 물건들을
수습해서 일어나며

산영   나 먼저 가볼게. 내일 진짜 짭짤한 알바가 있어서.. (윤정 보며)
결혼 축하한다.

산영, 빠른 걸음으로 룸을 나간다.
윤정, 입가에 보일 듯 말 듯 미소가 걸리는데.. 그런 윤정을 가만히
바라보던 홍새.

홍새   ..여전하구나. 재수 없는 건.

윤정, 얼굴 굳고, 그 옆의 예비신랑, 하지 말라는 듯한 눈빛.

홍새, 짜증 나는 얼굴로 자리를 일어서는데..

씬/29 N, 다이닝 레스토랑 건물 밖

쫓기듯 건물 밖으로 걸어 나오는 산영. 문득 고개 들어 화려하기 그지없는
거리의 네온사인들을 가만히 바라보다가 천천히 오가는 사람들 사이로
멀어지는데..
뒤늦게 건물을 빠져나오는 홍새. 주변을 둘러보지만 어느새 산영은
사라져있다.

씬/30 D, 아파트 건물 외경

꽤나 비싸 보이는 고급스런 외관의 아파트 건물 앞.
이사가 진행 중인 듯 사다리차와 이삿짐센터 차가 세워져 있다.

씬/31 D, 아파트 내부/거실

이삿짐을 옮기고 있는 사람들. 그 모습을 지켜보며 어디 어디에
놔달라고 얘기하고 있는 부유해 보이는 30대 부부. 그런 모습 위로 어린
여자아이의 울음소리가 들려온다.

아이(소리) 내 잘츠부르크 찾아내라고!!

씬/32   D, 아파트 아이 방

화려한 공주풍의 가구들로 가득한 아이 방. 그 옆에서 박스들을 풀고 있는
산영, 옆에서 '으아아앙' 울고 있는 여자아이.
산영, 시끄럽고 정신없는 와중에 박스 여는데 인형이 가득하다. 인형 하나
들어서 아이에게 보여주며

산영   이거야?
아이   그거 아냐. 바보야.
산영   (주먹이 운다) 쬐끄만 게..

그때 울리는 산영의 핸드폰. 보면 해상이다. 통화 거절을 누르고 다시
핸드폰 주머니에 넣는데 아이, 바닥에 드러누워 더 크게 울기 시작한다.
그때 방으로 들어오는 30대 부부 중 엄마.
산영, 바로 표정관리하며 '오셨어요' 인사하는데

엄마   (아이에게) 그만 좀 울어.
아이   내 잘츠부르크가 없어졌다고!!
엄마   (산영 보고) 혹시 체크 무늬 원피스 입은 인형 못 봤어요?
         오스트리아에서 사온 건데 애가 끔찍하게 아끼는 애착
         인형이라서..

엄마, 얘기하다가 애가 계속 시끄럽게 울자 산영에게

엄마   애가 안 이러는 앤데 왜 이럴까. 미안해요.
산영   (애써 미소 짓는) 괜찮습니다.

그때, 밖에서 들려오는 '이 그림은 어디 놓을까요?' 소리에

엄마   (밖을 향해) 잠시만요! (산영에게) 그럼 좀 부탁해요.
산영   (어이없는) 예? 뭘.. 부탁..

하지만 이미 방을 나가버리는 엄마. 다시 떼쓰는 아이와 단둘이 남는 산영.

아이   잘츠부르크!!!
산영   (아 지친다) 그래. 찾자. (이를 갈듯 낮은) 이놈의 잘츠부르크
　　　　　 나오기만 해봐.

씬/33   D, 산영의 집 건물 밖

장을 보고 오는 듯 장바구니를 들고 집 쪽으로 다가오고 있는 경문.
핸드폰 울려서 보면 '집주인'이다. 화들짝 놀라 보다가 거절 버튼 누르고
후다닥 집으로 뛰어가는데 건물 앞에서 기다리고 있다가 경문과 시선
마주치자 예의 바르게 인사하는 해상을 보고 멈칫한다.

씬/34   D, 산영의 집/현관 밖

식탁에 앉은 해상에게 차를 내오며 마주 앉는 경문. 조심스러운 말투로

경문   산영이는 무슨 일로 찾아오신 거예요? 혹시 알바 사장님이세요?
　　　　　 산영이가 뭐 큰 실수라도 한 건가요?

해상, 쉽게 말을 꺼내지 못하다가 명함을 꺼내 건넨다.

해상 인사가 늦었습니다. 제영대 민속학과 교수 염해상이라고 합니다.

민속학과라는 얘기에 차갑게 얼어붙는 경문. 떨리는 눈빛으로 명함을 보다가

경문 민속학과 교수라구요.. (일어서며) 뭣 때문에 산영이를
찾아왔는지 모르겠지만 그만 가보세요.

해상 중요한 일입니다.

경문 됐으니까 가주세요.

해상 최근에 산영 씨가 좋지 않은 장소에 가거나 불길한 물건을 만진 적
있나요?

경문 ..무슨 얘기예요? 산영이한테 무슨 일이 있는 거예요?

해상 오래된 물건일 겁니다. 누군가 버린 걸 수도 있구요.

경문, 멈칫하다가.. 눈에 띄게 불안해 보이는 눈빛으로

경문 설마.. 그.. 붉은 댕기 얘기예요?

붉은 댕기 얘기에 해상의 낯빛, 눈에 띄게 굳는다.

해상 ..붉은 댕기요?

경문 ..산영이 아빠가 산영이한테 유품으로 남긴 거였어요.

해상, 믿기지 않는 눈빛으로 놀라서 보다가

해상 그 댕기 좀 볼 수 있을까요?

경문   여기 없어요. 그 집에 버리고 왔는데.. 왜요. 그게 어떤 물건인데요?

해상, 여전히 충격에 휩싸여서 경문 바라보다가

해상   실례하겠습니다. 다시 연락드릴게요.

말릴 새도 없이 현관문을 열고 나가버리는 해상. 경문, 불안한 얼굴로
'이봐요!' 따라 나가지만 이미 계단을 타고 내려간 해상, 보이지 않는다.
더욱 불안한 표정의 경문.

씬/35   D, 화원재 별채 서재

서재 한 켠에 놓인 강모의 영정사진. 그 옆에서 강모의 물건들을 마른
수건으로 닦으며 정리하고 있는 석란. 책상 위에 놓인 '댕기' 라벨이 붙은
노트를 내려다보다가.. 한 장을 넘긴다.
가장 첫 번째 장에 접힌 채 테이프로 붙어있는 낡은 종이. 볼펜으로 그린
약도다. 제일 아래쪽 '당산나무'라는 지명에서 시작돼 위로 직진하다가
'재고개'를 지나 양 갈래길이 나오면 좌측으로 화살표. 좌측으로 가다 보면
'소나무 숲'을 지나 목적지인 듯 엑스자가 크게 그어져 있다. 약도 하단
면에는 '장진리, 붉은 댕기'라는 강모의 메모.

씬/35-1   D, 고급아파트 건물 안 현관

엘리베이터에서 터벅터벅 내려서는 산영. 핸드폰을 켜면 경문의 부재중
전화 몇 통. 그리고 남겨진 문자. '염해상 교수란 사람이 찾아왔어. 붉은

댕기에 대해서 물어보더라. 그 사람 아니?'

그저 한숨 내쉬면서 핸드폰 꺼버리는 산영.

씬/36 N, 고급아파트 건물 밖

이삿짐 정리가 모두 끝난 듯 빈 박스와 담요 등을 이삿짐 차에 실으며 철수 준비를 하고 있는 이삿짐센터 직원들. 뒤이어 건물 안에서 가방을 메고 걸어 나오는 지친 얼굴의 산영.

이삿짐 직원들 중 직원1, 산영에게 다가와

직원1 괜찮아? 피곤하지. 웬 애가 그렇게 울어대.

산영 (지쳤지만 싹싹한 얼굴로) 괜찮습니다.

직원1, 주머니에서 장부와 볼펜 꺼내서 산영에게 건네며

직원1 거기다 싸인만 해주고 퇴근해.

산영, 오른손으로 볼펜 들어 장부에 사인하려다가 삐끗, 볼펜을 떨어뜨린다. 잠시 멈칫하다가 떨어진 볼펜을 왼손으로 들어올리는 산영. 왼손으로 장부에 '구산영'이라고 적는다.

씬/37 D, 산책로 일과

좁은 하천을 끼고 조성된 산책로. 유모차를 밀고 있는 애기 엄마들, 커플들이 오가는 평화로운 산책로를 평소와 다름없는 모습으로

걸어들어오는 산영.

하천 옆에 비치된 벤치에 잠시 쉬려는 듯 앉는 산영의 뒷모습. 가만히
하천 변을 지나는 사람들을 바라보다가 가방 안에서 뭔지 모를 물건들을
꺼내 들고 끼긱끼긱 소리와 함께 뭔가에 집중하는 산영의 뒷모습.
웅얼거리듯 산영의 목소리가 들릴 듯 말 듯 들려온다.

산영   운 좋게 부잣집에서 태어난 주제에 징징거리고 지랄이야.. 맨날
오냐오냐 갖고 싶은 거 다 사주니까 어린년이 버릇이 없어..

시간이 지나도 계속해서 뭔가에 집중하는 산영. 어린아이와 지나가던
엄마, 힐긋 산영을 보고는 소름 끼치는 듯 아이를 안아 들고 빠르게 멀어진다.
서서히 산영의 무릎 위를 비추면 체크무늬 옷을 입은 인형. 어느새 칼로
인형의 양 눈이 하얗게 긁혀져 있고, 얼굴 다른 곳 여기저기도 잔인하게
그어져 있다. 그런 인형을 서늘한 눈빛으로 내려다보며 빙긋 웃는 산영.
왼손으로 인형 머리를 쓰다듬으며

산영   이제 좀 이뻐졌네..

산영. 순간 멈칫한다. 정신이 돌아오는 듯 평소의 선한 눈빛으로 손에
들린 인형을 바라본다.

산영   이게.. 왜..

이게 뭐지? 이걸 왜 내가 들고 있지? 전혀 인지가 안 되는 눈빛으로
바라보다가 순간 공포가 밀려오는 듯 인형을 집어던져 버리는 산영. 강물
위 둥둥 떠 있는 인형을 뭐가 뭔지 혼란스러운 눈빛으로 바라보던 산영.
도망치듯 한 발 두 발 뒷걸음질을 치다가 빠르게 뛰어서 멀어진다.

새파랗게 질린 낯빛으로 쫓기듯 지하철 계단을 뛰어 내려오는 산영. 잠시
멈춰 서서 헉헉 거친 숨을 고르면서 고개 들다가 멈칫.. 저 앞쪽 자신과
지나다니는 행인들의 모습이 비춰지고 있는 대형거울이다.

천천히 두려운 눈빛으로 거울을 향해 다가가는 산영. 거울 앞에 멈춰
서서 자신의 모습을 바라본다. 아무 일도 벌어지지 않는다. 자신과 자신의
뒤쪽으로 지나다니고 있는 행인들의 모습 뿐.. 지친 눈빛으로 옅은 한숨을
내쉬며 시선 내리깔려던 산영, 놀라서 눈빛이 굳는다.

거울 안에 비친 자신의 그림자. 분명 산영은 머리를 묶고 있는데 그림자는
머리를 풀어헤치고 있다. 믿기지 않는 듯 떨리는 눈빛으로 다른 행인들의
그림자를 보면 그들의 그림자는 모두 정상이다. 고개를 돌려 실제 자신의
그림자를 보면 머리를 묶은 자신의 모습이 비춰진 그림자. 그러나 거울
안의 그림자를 보면 악귀의 그림자다. 놀라서 그런 그림자를 떨리는
눈빛으로 바라보는데..

순간, '쾅' 거울 안에서 산영의 모습을 한 악귀가 반대편 거울을 내려친다.
놀라서 거울 안의 또 다른 나를 바라보는 산영. 비웃듯 서늘한 눈빛으로
산영을 바라보는 악귀.

악귀(소리) ..버 이름을 맞혀 봐..

산영, 숨이 넘어갈 듯 놀라 뒷걸음질을 치는데.. 순간 거울 안의 악귀가
사라지고 그저 놀란 산영과 행인들만이 비춰지고 있다.

믿기지 않는 눈빛으로 거울을 바라보다가 더욱 놀라는 산영. 자신의
그림자가 사라져 있다. 이게 대체 뭐지? 다른 사람들을 보는데 다른
사람들의 그림자는 정상이고 여전히 보이지 않는 자신의 그림자.

순간, 뇌리를 스치는 그림들.

― 인서트

― 밤, 지하철, 거울을 바라보는 산영의 모습에서 빠르게 멀어지는 악귀의
  시선.

― 밤, 지하철을 빠르게 빠져나와 빠른 속도로 어딘가로 향하는 악귀의 시선.

― 밤, 도시의 네온사인들을 빠르게 지나서 어두운 국도로 향하는 시선.

― 밤, 국도를 따르던 시선, 어딘가에서 서서히 멈춰 선다. 화원재 건물
  앞이다.

― 다시 지하철, 거울 앞에 선 산영을 비추면 감았던 눈을 번쩍 뜨는 산영.

산영(소리) 할머니 집.. 왜 거기가 보인 거지..

불안하고 두려운 눈빛으로 뒤돌아서는 산영. 계단 쪽을 향해 뛰어가기
시작한다.

씬/39 N, 화원재 건물 앞

어두운 화원재 건물 앞에 멈춰 서는 자동차에서 내려서는 해상. 고개 들어
화원재 건물을 올려다본다.

씬/40 N, 화원재 안채 거실

거실 낮은 서탁 앞에 앉아 호롱 등잔 등불 아래에서 '댕기' 노트를 읽어
내려가고 있는 석란. 노트의 한 장 화면에 비춰지는데 '최만월'이란 이름의
여자의 흑백사진, 출생지를 비롯한 인적사항이 힐긋 비춰진다.

다시 한 장, 한 장을 넘기며 노트를 읽어 내려가는 석란의 눈빛, 어둡게
가라앉는다. 다시 한 장을 넘기는데 **'붉은 댕기, 옥비녀, 흑고무줄, 푸른
옹기 조각, 초자병, 악귀노 태자귀'** 강모가 죽기 전 확인하던 마지막 장이다.
강모가 생각나는 듯 어두운 눈빛으로 마지막 장까지 다 읽고 난 뒤 노트를
덮는데 울리는 초인종 소리에 돌아보는 석란.

씬/41 N, 화원재 대문 앞

대문 앞에서 초조한 눈빛으로 기다리고 있는 해상. 잠시 뒤 '끼이익'
대문을 여는 석란.

해상 안녕하십니까. 교수님 장례식 때 인사드렸었는데 기억하시죠?

그다지 좋지 않은 감정으로 해상을 바라보는 석란.

석란 무슨 일이시죠?
해상 구강모 교수님이 따님한테 유품을 남겼다고 들었습니다. 붉은
댕기라고 들었어요. 죄송하지만 그 댕기를 한번 볼 수 있을까요?

석란, 가만히 해상을 바라보는..

씬/42 N, 광역 버스 안

불안한 눈빛으로 버스에 앉아있는 산영. 창밖으로 국도가 스쳐 지나가고 있다.

씬/43　N, 학원재 별채 서재

석란, 서랍 안에서 붉은 댕기가 든 목각상자를 꺼내 해상에게 건넨다.

석란　이건 왜 보고 싶다는 거죠?

해상, 대답 없이 떨리는 손으로 목각상자를 열고 붉은 배씨댕기를
꺼내는데 눈빛이 크게 흔들린다. 충격에 휩싸여서 댕기를 보다가

해상　이걸.. 교수님이 갖고 있었다구요.. 이걸 언제부터 갖고 계셨던
거죠? 이 댕기와 관련된 연구를 하고 계셨던 건가요? 실례지만
교수님 연구 노트를 볼 수 있을까요?

석란, 충격에 휩싸여서 횡설수설하는 해상을 대답 없이 가만히 바라보는데..
'띵동' 들려오는 초인종 소리. 의아한 눈빛으로 열린 창밖을 바라보던 석란.

석란　잠시만 기다리세요.

석란, 나가고 난 뒤 초조한 눈빛의 해상, 책장을 훑어보기 시작한다.

씬/44　N, 학원재 대문 안

정원을 지나 대문으로 다가가는 석란. '끼이익' 문을 여는데 문밖에는
산영이 서 있다.
가로등 불빛을 받아 어두운 그림자가 내려앉아 있는 산영의 눈빛.

석란   ..산영이 니가 웬일이니..

씬/45 N, 화원재 별채 서재

석란을 기다리며 책장을 빠르게 훑어보고 있던 해상. 다른 쪽 책장 쪽으로
시선 돌리다가 창문 밖으로 뭔가를 보고 놀라서 멈춰 선다.
정원을 지나 안채 쪽으로 향하고 있는 석란. 그리고 그 뒤를 따르고 있는
건 머리를 풀어헤친 검은 그림자. 악귀다.

해상   안 돼..

놀라서 바라보다가 '쾅' 서재 문을 열고 뛰어나가는 해상.

씬/46 N, 국도 일각

버스 정류장에 멈춰 서는 버스에서 뛰어내려 화원재로 뛰어가는 산영.
순간, 악귀의 시선이 뇌리를 스치며 혼란스러운 듯 멈춰 선다.

— 인서트
— 석란의 뒤를 따라 화원재 본채 건물 안으로 들어가는 악귀의 시선.

— 다시 국도 일각으로 돌아오면
불안한 눈빛으로 화원재를 바라보는 산영. 다급히 뛰기 시작한다.

씬/47   N, 화원재 정원

별채에서 뛰어나오는 해상. 본채로 뛰어가 문을 열어보지만, 문이
잠겨있다. '쾅쾅' 온몸으로 부딪쳐 문을 열려는 해상.
'쾅' 문이 열리는데 건물 안에 가득 찬 매캐한 검은 연기.

씬/48   N, 화원재 안채 거실

연기를 뚫고 앞으로 뛰어들던 해상. 뭔가를 보고 놀란다. 연기 사이
대들보에 목을 맨 석란의 다리다. 그 옆 서탁 위 누군가 일부러 깬 듯 호롱
등잔이 깨진 채 불이 타오르고 있는데 그 아래 함께 불타고 있는 '댕기'
라벨이 붙은 연구 노트.
연구 노트를 보고 멈칫하지만 석란이 먼저다. 다급히 의자를 가지고 와서
석란의 몸을 받치다가 열린 문 너머를 보면 뛰어 들어오던 산영. 방 안의
정경에 정신이 나간 듯 그저 멍하니 떨리는 눈빛으로 바라보고 있다.

해상   119에 연락해요!

산영, 여전히 멍한 듯 서 있는데..

해상   119에 연락하라고! 빨리!

산영, 해상의 외침에 정신이 돌아오는 떨리는 손으로 핸드폰을 꺼내
다급히 긴급통화 누르고 '119죠? 여기 OO번 국도 옆 화원재예요! 빨리
출동해 주세요!' 외치면서 거실 한 켠에 있던 이불로 불을 끄기 시작한다.
석란의 몸을 어떻게든 받치던 해상. 타오르는 불꽃 사이 불타고 있는

'댕기' 연구 노트를 안타까운 눈빛으로 바라본다. 타오르면서 글씨가
사라지는 '댕기' 연구 노트 비추는 화면에서 서서히 암전.

씬/49   N, 화원재 건물 밖

화면 밝아지면 화원재 대문 앞에 세워져 있는 119 구급차. 소방 호스를
정리 중인 소방관들과 소방차, 순찰차, 감식반 차량들.

씬/50   N, 화원재 정원

정원 한 켠에 설치된 테이블에 멍하니 두려운 얼굴로 앉아있는 산영.
그 곁에 서서 형사1과 마주선 해상.
산영과 해상의 신분증을 확인하고는 돌려주는 형사1.

형사1   (해상에게) 오늘 여긴 왜 오신 거죠?

해상   ..교수님 연구에 대해 여쭤볼 게 있어서 왔습니다.

형사1   그런데 나이도 많으신 분이 어떻게 그 높은 대들보에 목을 매신
거죠?

해상   ..귀신이 한 짓이라면 믿겠어요?

형사1, 이게 뭔 소리야? 해상을 의아한 듯 보는데..
그때 열린 대문을 통해 안으로 들어서는 문춘. 미리 연락이 된 듯
해상을 발견하고 걸어오다가 해상의 옆에 멍하니 앉아있는 산영을 보고
멈칫한다. 그런 문춘과 시선 마주치는 해상.
형사1, 역시 다가오는 문춘을 알아보며

형사1	선배님. 여긴 웬일이세요?
문춘	(형사1에게 다가와) 잘 지냈어? 오랜만이네. 잠시 염 교수랑 얘기 좀 나눠도 될까?

씬/51 N, 학원재 뒤뜰

뒤뜰에서 따로 얘기를 나누고 있는 해상과 문춘.

해상	이번에 현장에서 불탄 노트가 한 권 있어요. 그 노트에 뭐가 쓰였는지 알아내야 합니다. 복원해 주실 수 있죠?
문춘	그것 때문에 나한테 연락한 거야?
해상	제가 말씀드린 구강모 교수 기억하시죠? 여기가 그분 집이에요. 오늘 돌아가신 분은 구강모 교수님 어머님이구요. 분명히 여기에 어머님을 죽인 악귀에 대한 단서가 남아있을 거예요.
문춘	염 교수, 몇 번 말해야 알아듣겠어. 난 귀신이 아니라 범인을 쫓고 있는 거야.
해상	(답답한) 형사님..
문춘	(말 자르며) 저 여자는 여기 왜 온 거야?
해상	(멈칫) 구산영 씨를 아세요? 어떻게 아시는 건데요?
문춘	(보다가) 그것까진 알 것 없고. 저 여자, 변사자가 죽을 때도 같이 있었어?
해상	구산영 씨를 의심하는 거예요?
문춘	귀신보다 무서운 게 사람이야. 큰돈이 걸린 문제라면 더 그렇지. 저 여자는 숨진 할머니의 유일한 유산 상속자야. 살인 동기로는 충분하지 않겠어?
해상	구산영 씨가 그런 게 아닙니다.

문춘 저 여자가 꾸민 건지, 아니면 정말 자살인 건지는 형사들이
밝혀낼 거야. 그러니까 자꾸 이런 사건에 얽히지 말고 돌아가.

답답한 눈빛의 해상을 두고 멀어지는 문춘.

씬/51-1 N, 화원재 정원

어느새 형사는 사라지고.. 테이블에 여전히 두려운 얼굴로 앉아있는 산영.
그때 본채 쪽에서 흰 천에 덮힌 석란의 시신이 실려 나온다.
산영, 그런 석란의 시신을 두려운 듯 바라보는데 툭 떨어지는 석란의 손.
정문 너머로 실려 나가는 석란의 시신을 바라보는 산영. 잠시 가만히
앉아있다가 일어나서 터벅터벅 화원재를 빠져나간다.
뒤뜰 쪽에서 걸어 나오던 해상, 멀어지는 산영을 의아한 듯 바라보는..

씬/52 N, 화원재 밖 오솔길/국도

국도를 향해 걸어가는 산영. 차도가 가까워지는데 멈출 생각이 없다.
차들이 오고 있는 국도 중앙선으로 터벅터벅 걸어들어가는데
순간, 차 한 대가 아슬아슬 쌩 스치듯 지나가고.. 멀어지는 자동차 조수석
문 열리며 '이 미친년아!!' 고함소리. 산영, 그런 소리 들리지 않는 듯 우뚝
국도 중앙에 멈춰 선다. 저만치 앞쪽에서 트럭이 다가오고 있다. 화원재에서
산영을 따라나온 듯한 해상, 멀리서 그 모습을 보다가 놀라서 뛰어오는데..
점점 다가오는 트럭의 헤드라이트 불빛. 산영, 비킬 생각이 없다. 그저
무덤덤한 눈빛으로 트럭을 바라보는데..

악귀(소리) 죽어봐.

순간, 멈칫하는 산영.

악귀(소리) 얼마나 살고 싶었는지 알게 될 거야.

'빵!!' 산영을 향해 다가오는 트럭. 아슬아슬 산영을 피해서 지나친다. 순간,
산영의 눈에 두려움이 깃들기 시작하는데.. 그런 산영을 향해 달려오다가
피해가는 자동차들. '빵빵' 귀청을 찢는 클랙슨 소리들과 타이어 마찰음.
눈부신 헤드라이트들이 산영을 스치고 지나간다. 패닉에 빠지는 산영,
어찌할 바를 모르겠는 듯 얼어붙어 그 자리에 서 있는데..
그런 산영을 안타깝게 바라보던 해상. 손을 들어 다가오는 차량들에게
수신호를 보내며 산영에게 다가와 선다. 저 멀리 보이는 사거리에 빨간
불이 들어오면서 차량의 운행이 멈추며 정적이 찾아오는데..

해상 ..죽을려고 했어요?

산영, 천천히 고개를 돌려 해상을 본다. 그제야 드러나는 산영의 얼굴. 두
눈에서 눈물이 뚝뚝 떨어지고 있다.

산영 나.. 죽고 싶지 않아요.. 죽으면 안 돼요.. 잘살려고 정말 열심히
살았는데.. 그런데.. 자꾸 이상한 생각이 들어서..

해상, 그런 산영을 바라보다가

해상 맞아요. 산영 씨 죽으면 안 돼요. 이제부터 시작입니다.
산영 ...

해상	같이 가요. 할 얘기가 있어요.
산영	내 옆에 있으면 나쁜 일이 생길 거예요.. 그런데.. 왜 이러는 거예요..
해상	무슨 일이 벌어져도 난 상관없으니까.. 나랑 같이 갑시다.

씬/53 N, 병원 시체안치실

중앙에 놓인 이동 침대 위에 눕혀져 흰 천에 덮혀있는 석란의 시신을 내려다보고 있는 문춘. 흰 천을 들어 숨진 석란의 손목을 보는데 양쪽 손목에 손 모양의 검푸른 멍. 문춘의 눈빛에 긴장감이 감돈다.

씬/54 N, 강수대 4계 사무실

몇몇 형사들, 야근인 듯 책상에서 서류들을 확인하고 있고
홍새, 문춘이 가져온 석란의 현장 사진을 보고 있다.

홍새	양쪽 손목에 피멍이 난 자살 사건.. 변사자는 구산영의 친할머니라구요.
문춘	(사건 파일 하나를 넘기며) 이 케이스도 똑같아.
홍새	누군데요?
문춘	구산영의 친아버지 구강모 교수. 최근에 자살을 했는데 손목에 피멍이 있었어.

홍새, 가만히 두 사건의 파일을 살펴보다가 눈빛, 가라앉는

홍새   이 사건들도 구산영이 범인이라고 생각하시는 거예요? 두 사건
모두 정황상 단순 자살이 유력합니다. (파일 덮고 문춘 보며)
이제 이런 거 말고 좀 더 정상적이고 그럴싸한 사건 찾아보죠.

문춘   (홍새 보다가) 그럴싸한 사건 하나 해결해서 승진하고 싶어?

홍새   (발끈해서 보는) 아닌데요.

문춘   너 승진에 목맸다고 소문 쫙 났던데.

홍새   누가 그래요?

문춘   승진하고 싶은 거 당연한 거야.

홍새   (멈칫) 네?

문춘   승진 안 하고 싶은 사람이 어딨냐. 나도 하고 싶었어. 능력이 안
되니까 못 한 거지..

홍새, 뭐 이런 사람이 다 있나 바라보는데..

문춘   그러니까 이 사건 한번 해보자고.

홍새   ..무슨 말씀이세요?

문춘, 책상 마지막 서랍 안에서 낡은 파일철 다섯 개를 꺼내서 내놓는다.
홍새, 의아한 눈빛으로 파일철 제목들을 훑어보는데
'95년도 동해 민박집 자살 사건', '2000년 강남 남부 횟집 자살 사건',
'2002년 서해 백차골 자살 사건', '2007년, 경기 북부 저수지 자살 사건',
'2022년 강북아파트 자살 사건'.

문춘   그 사건들도 똑같아.

홍새   예?

문춘   손목에 멍 자국이 있는 자살 사건들이라구.

홍새, 파일철 안의 사건 자료들을 훑어보는데 변사자들의 현장 사진들, 모두 손목에 붉은 피멍이 들어있다.

홍새 이런 케이스들을 다 모으고 계셨던 거예요? 왜요?

문춘, '95년도 동해 민박집 자살 사건' 파일을 바라보며

문춘 95년도 작은 민박집에서 화재 신고가 들어왔어. 신고자는 민박집 주인이었지.

— 인서트
— 과거, 밤, 1995년, 민박집 건물 안 복도. 불에 타 검게 그을린 건물 안으로 들어서는 당시의 문춘과 형사들. 복도 안쪽, 밧줄이 타서 바닥에 떨어진 듯 검게 그을린 채 바닥에 떨어져 숨져있는 해상 모의 손목을 굳은 얼굴로 바라본다.

문춘(소리) 불에 탄 건물 안에서 숨진 변사자가 발견됐어. 대들보에 목을 맸는데 양쪽 손목에 붉은 멍이 있었지.

— 과거, 밤, 민박집 건물 밖.
당황한 얼굴의 민박집 주인을 탐문하고 있는 문춘.

주인 엄마랑 어린 아들이 묵었었어요.
문춘 아들이요?

— 과거, 밤, 민박집 인근 야산, 흩어져서 수색 중인 경찰들의 플래시 불빛들. 그들 중 한 경찰, 여기저기 플래시 불빛을 비추다가 놀라는.. 야산 한

나무 아래에 쓰러져 있는 어린 해상이다. 동료들을 부르는 호루라기 소리 깔리면서..

문춘(소리) 어린 아들은 현장 인근의 야산에서 발견됐는데 당시 현장에 자기들 말고 다른 사람이 있었고, 변사자는 자살이 아니라고 얘기했어.

— 다시 현재 강수대 사무실로 돌아오면
'95년 민박집 자살 사건' 파일을 살펴보고 있는 홍새.

홍새 너무 어렸잖아요. 기억이 잘못된 거 아닙니까?
문춘 나도 그렇게 생각했었지.

— 인서트
— 과거, 밤, 1995년. 민박집 인근 도로 일각.
민박집으로 돌아오고 있는 주인. 민박집에 붙은 붉은 불빛을 보고 놀라서 달려오는데 민박집 건물에서 누군가가 뛰어서 멀어지고 있다.

— 다시 현재 강수대 사무실로 돌아오면

문춘 현장에서 사라진 용의자. 결국 그 사람을 찾지 못했어. 당시에는 씨씨티브이가 많지 않았으니까..
홍새 ..이게 선배님 첫 사건이었던 거예요?
문춘 ..맞아. 많이 어설펐고 엉망이었지. 그게 계속 맘에 걸렸었는데 그 뒤로도 비슷한 사건들이 계속 발생했어.

홍새, 사건 파일들을 바라보는..

문춘	오랫동안 똑같은 사건들이 벌어져 왔어. 이 사건들 한번 해결해보자.

홍새, 파일철들을 보다가 문춘을 바라보며

홍새	선배님도 오랫동안 풀지 못한 사건을 무슨 방법으로 어떻게 해결해요?
문춘	우리가 놓친 사건들이 있을 거야. 자살 사건들 위주로 살펴보면서 공통점을 찾아보자.
홍새	OECD 국가 중에 우리나라가 자살률 1위예요. 그 많은 자살 사건들을 다 찾아보자구요?
문춘	해결하면 특진이야.
홍새	..아니 제가 뭐 특진 때문에 이러는 게 아니라요.

홍새, 흔들리는 듯 문춘을 보다가 컴퓨터를 켠다.

홍새	특진 때문이 아니고 선배 얼굴 봐서 도와드리는 겁니다.
문춘	그래.
홍새	그리고 다음 사건은 무조건 제가 정합니다.
문춘	알았어.

컴퓨터 켜고 검색을 시작하는 홍새.

씬/55 N, 해상의 집 거실

거실로 들어서는 해상. 그 뒤를 이어 천천히 들어서는 산영.

해상, 테이블 가리키며

해상   앉아요.

산영, 가만히 서서 주변을 둘러보다가

산영   나한테 할 얘기가 뭐예요?

해상, 그런 산영을 가만히 바라보다가.. 테이블 옆 전면 유리창을 가리킨다.

해상   이제 산영 씨도 저게 보이죠?

산영, 유리창을 바라보면 유리창에 비친 자신의 그림자. 실제 산영 모습과
다른 머리를 풀어헤친 그림자다.

해상   저게 산영 씨한테 씐 악귀예요. 처음 산영 씨를 만났을 때보다 더
커졌어요. 사람들을 죽이면서 그림자가 커진 겁니다.

산영, 어두운 눈빛으로 악귀의 그림자를 바라보는데.. 석란한테 받은 붉은
배씨댕기를 꺼내 내려놓는 해상.

해상   이걸 받았을 때 악귀가 당신에게 붙은 거예요.

산영, 믿기지 않는 듯 눈빛 흔들린다.

산영   ..그럴 리가 없어요. 이건 아버지가 물려준 물건이에요. 그런데
왜..

해상, 강모가 보낸 편지를 산영 앞으로 내민다.

해상 아버님이 돌아가시기 전에 나한테 보낸 편집니다.

산영 아빠랑 모르는 사이였다면서요. 그런데 왜 이 편지를
교수님한테 보낸 거예요?

해상 나도 몰라요.

산영, 혼란스러운 눈빛으로 해상을 보다가 편지를 꺼내 읽어 내려가다가

산영 이게 뭐예요? 날 왜 도와주라고..

해상, 어두운 눈빛으로 산영 바라보다가

해상 아마도.. 교수님은 그 댕기 때문에 산영 씨가 악귀에 들릴 걸
알고 계셨던 것 같아요.

잠시 잘못 들은 거 아닌가.. 한 대 얻어맞은 얼굴로 해상의 얘기를 곱씹어
보던 산영.

산영 ..귀신 들린 물건을 일부러 나한테? 아무리 어렸을 때 헤어진
딸이라고 해도 친딸인데.. 대체 왜요?

해상 나도 그게 궁금해요. 왜 저런 불길한 물건을 산영 씨한테 준 건지..

산영, 테이블 위의 댕기를 보다가

산영 저 댕기.. 어떤 물건인지 알고 계신 거예요?

해상 예.. 오랫동안 저걸 찾아다녔어요. 댕기에 대한 기록들이

나오기만 하면 어디든 달려갔었죠. ...우리 어머님이 돌아가셨을
때 저걸 가지고 있었거든요.

놀라서 해상을 바라보는 산영. 과거를 회상하는 듯 해상의 눈빛, 어두워진다.

씬/56 과거, 몽타주

― 낮, 해상의 집 외경, 1995년, 잘 가꿔진 으리으리한 양옥 주택 위로
  들려오는 가족들의 웃음소리.
― 낮, 해상의 집 정원, 잘 가꿔진 정원에서 캐치볼을 하고 있는 어린 해상과
  해상 부. 한쪽 옆에 설치된 베란다에서 그 모습을 지켜보고 있는 50대
  후반의 친할머니 병희. 정원 한쪽에서 가위로 정원수를 관리하고 있는
  사람 좋아보이는 30대 중반의 치원. 반짝이는 햇살, 부유해 보이는 집.
  모든 게 완벽해 보이는 해상의 가족들. 하지만 건물 안, 창문을 통해
  가족들을 내려다보는 해상 모의 눈빛, 어둡고 불안하기 그지없다.
― 밤, 장례식장, 해상부 영정사진 앞에서 엉엉 울고 있는 어린 해상,
― 밤, 장례식장 대기실. 홀로 누워있는 해상. 고열에 시달리고 있는 듯 호흡이
  거칠고 낯빛이 창백한데.. 그런 대기실로 은밀하게 들어서는 해상 모. 주변을
  살피다가 정신이 없는 어린 해상을 안아 들고 나간다.
― 밤, 장례식장 밖 주차장. 주차된 차 안 조수석에 해상을 눕히는 해상 모.
  얼핏 뒷좌석에 놓인 나무상자가 보이고.. 그런 모습 위로 현재, 해상의
  소리 깔린다.

해상(소리) 어렸을 때 아버님이 돌아가시고 얼마 안 됐을 때였어요. 어머님이
아픈 나를 어디론가 데려가셨죠.

— 새벽, 해상 모가 운전하는 차, 해가 떠오르는 동쪽을 향해 국도를 달리고 있다.

— 낮, 울창한 숲길을 지나고 있다. 해상 모의 눈빛은 불안하기 짝이 없다.

— 밤, 산길에 세워진 자동차. 조수석에 있던 해상, 여전히 고열에 시달리는
듯 겨우 의식을 차리고 창밖을 보는데.. 맨손으로 커다란 고목 아래,
무언가를 묻으려는 듯 땅을 파고 있는 해상 모. 그 옆에 놓인 푸른 옹기 조각.
땅을 다 판 듯 옹기 조각을 들어 작은 칼이 박혀진 금줄로 묶기 시작하는데
해상의 시선에는 얼핏 금줄 끝만 보일 뿐, 작은 칼은 보이지 않는다.
물을 찾는 듯 주변을 두리번거리는 해상. 뒷좌석에 놓인 나무 상자를
발견하고 뚜껑을 열면 그 안에 놓인 흑고무줄과 붉은 배씨댕기.

— 낮, 바닷가 보이는 국도변을 달리고 있는 자동차.

씬/57 N, 과거, 민박집 외경

거친 파도가 치고 있는 동해 바닷가 인근에 위치한 낡은 민박집.

씬/58 N, 과거, 민박집 방 안/복도

어두운 방 안에 홀로 누워있는 해상. 정신이 드는 듯 눈을 뜨고 몸을
일으키는데 해상 모가 보이지 않는다. 옆에는 뚜껑이 열린 목각상자. 안이
텅 비어 있다.
불안한 얼굴로 방문을 열고 밖으로 나서는데 백열등 하나만 켜진 좁은
복도. 어디선가 들려오는 낮은 '쿵쿵쿵' 소리.
소리가 들려오는 곳을 바라보는 해상. 복도 끝 외부로 통하는 허름한 나무
문 쪽으로 다가가며

악귀 1

해상　　　..엄마?

더욱 크게 들려오는 '쿵쿵쿵' 소리.

해상, 닫혀있던 나무 문 걸쇠를 풀고 문을 여는 순간,

뒤쪽에서 들려오는 '안 돼!' 겁에 질린 목소리. 그 소리에 뒤를 돌아보면

백열등 아래에 선 해상 모, 붉은 댕기를 들고 공포에 찬 눈빛으로 열린

나무 문을 바라보고 있다.

해상, 그런 엄마를 이상한 듯 보는데 뒤쪽 열린 나무 문 쪽에서 들려오는

목소리.

악귀(소리)　문을.. 열었네..

해상, 놀라서 뒤돌아 문 쪽을 보면 조금 열린 문틈 사이로 가로등에 비친

머리를 풀어헤친 악귀의 그림자가 드리워져 있다.

놀라서 바라보는 해상.

씬/59　　D, 과거, 병실

병실에서 천천히 눈을 뜨는 어린 해상.

침대 옆에서 20대 후반의 문춘을 비롯한 형사들과 마주 보고 얘기하고

있는 병희의 목소리가 들려온다.

문춘　　왜 어린 아드님을 데리고 그런 곳에서 자살을 선택하신 걸까요?

병희　　모르겠어요. 아픈 애를 데리고 나가서 며칠 동안 연락이 없길래

　　　　　나도 걱정하던 참이었어요.

해상　　..엄마는요?

그 소리에 돌아보는 사람들. 불안한 눈빛으로 사람들을 바라보는 어린 해상.

해상 엄마는.. 어딨어요?

불안한 눈빛으로 계속 질문하는 해상의 모습에 쉽게 말을 떼지 못하는
젊은 문춘과 형사. 병희, 가만히 바라보다가

병희 죽었다. 니 엄마.. 스스로 목숨을 끊었어.

믿기지 않는 눈빛으로 바라보는 해상을 바라보는 젊은 문춘의 모습에서..

씬/60 N, 현재, 해상의 집 거실

산영을 바라보며 얘기를 이어나가는 해상.

해상 자살이 아니었어요. 어머님은 계속 동쪽으로 가고 있었어요.
동쪽, 가장 먼저 해가 비치는 곳, 귀신이 싫어하는 곳이죠.

해상, 머리를 풀어헤치고 있는 산영의 그림자를 내려다본다.

해상 당신한테 붙은 것과 똑같은 악귀.. 그 악귀한테서 벗어나려다가
죽임을 당한 거예요.

씬/61   N, 과거, 민박집 복도

— 58씬에 이어지는..

문밖에 선 머리를 풀어헤친 그림자를 놀라서 바라보는 해상.

순간, 뒤쪽에서 들려오는 '악!' 해상 모의 비명 소리. 다시 해상 모 쪽을

바라보면 비명을 지르면서 뭔가에 의해 뒤로 끌려가며 댕기를 떨어뜨리는

해상 모. 뒤로 끌려간 해상 모, 복도 옆에 놓인 노끈을 잡아 벌벌 떨리는

손으로 매듭을 만들기 시작한다. 손목에 들기 시작하는 멍.

순간, '쿵' 소리와 함께 소리와 함께 높은 천장 위로 몸이 들리는 해상 모.

천장 대들보에 매듭을 연결하는 해상 모, 교수형에 처해지는 듯 매듭에

목을 넣는데. 죽음에 대한 공포로 눈물이 한 줄기 흘러내린다.

'쾅' 아래로 떨어지는 해상 모의 다리. 공포에 질리는 해상. 해상 모,

숨이 막혀오는 괴로움 속에서도 주머니에서 지포 라이터를 꺼내 바닥에

떨어뜨린다. 화르륵 불이 붙기 시작하고.. 댕기 쪽을 향해 다가오는 불길,

화르륵 타들어 가는 붉은 댕기.

검은 연기 사이 떨리는 눈빛으로 그런 모습을 바라보는 해상의 모습에서..

씬/62   N, 현재, 해상의 집 서재

해상을 따라 서재로 걸어들어오는 산영.

해상   어머니가 죽은 이후 붉은 댕기는 사라졌어요. 난 그 댕기를
찾아다니다가 우연히 교수님이 쓴 논문들을 발견했습니다.

산영, 벽면 가득 붙어있는 강모의 논문, 사진들을 보고 멈춰 선다.

산영	이게 다.. 아버지가 쓴 거예요?
해상	맞아요.

논문에 적힌 글귀를 바라보는 산영.

'새소리를 내는 어린 소녀가 머리를 풀어헤친 그림자를 어깨에 얹고 있었다.'
'머리를 풀어헤친 그림자는 사람의 욕구를 채워주며 점점 더 커져간다.'
'귀신에 씌게 되는 경로는 여러 가지가 있는데 대표적인 것은 두 가지다.
좋지 않은 장소에 갔다가 나쁜 기운에 휩싸이는 것이 첫 번째이고, 귀신에
씐 물건과 접촉하는 것이 두 번째이다. 음한 기운이 강한 악귀의 경우는 두
번째일 경우가 많다.'
'머리를 푼 악귀의 기운이 서린 물건은 죽임을 당한 자의 기운으로만 누를
수 있다.'

해상	아무도 믿어주지 않았어요. 출처도 확실하지 않은 헛소리라고 학계에서도 소외되고 비난받았지만 은퇴하실 때까지 계속해서 악귀에 대한 논문들을 발표하셨죠.
산영	..(논문의 글귀들을 보다가) 머리를 풀어헤친 그림자..
해상	악귀의 형상이에요. 구강모 교수님은 악귀에 대해 알고 계셨던 거예요.
산영	...
해상	논문을 발견하고 바로 찾아갔지만 이미 은퇴하신 뒤였어요. 몇 번이나 연락을 드리고 만나려고 했지만 만나주지 않으셨죠.
산영	...
해상	어쩔 수 없이 교수님 논문들을 토대로 직접 조사를 해봤지만

출처가 불명확해서 알아낼 수 있는 게 없었어요.

산영   그럼 지금까지 악귀에 대해 아무것도 알아내지 못한 거예요?

해상   네. 지금까지는요.

산영   (보면)

해상   구강모 교수님이 어떻게 이 댕기를 갖게 됐는지 알아내면
         악귀에 대한 단서를 찾을 수 있을 거예요.

산영   (해상의 얘기를 들으며 생각에 잠기다가) 이상한 노트를 봤어요.

해상, 고개 돌려 산영을 바라보는

해상   무슨 얘기예요?

산영   ..보였어요. 할머니가 어떻게 돌아가셨는지..

— 인서트
— 화원재 본채. 악귀의 시선으로 보여지는 공포에 질린 석란,
  바들바들 떨리는 손으로 매듭을 매고 있다. 손목에 서서히 올라오는 붉은 멍.
— 서탁 위에 펼쳐진 노트로 다가가는 악귀의 시선. 노트의 첫 장을 넘긴다.
  35씬, 첫 장에 붙어있는 장진리 약도를 내려다보던 시선. 그 위로 '쨍그랑'
  던져지는 호롱 등잔. 불이 붙기 시작한다.

— 다시 현재 해상의 집 거실로 돌아오면
  어두워지는 산영의 눈빛.

해상   자책하지 말아요. 할머님을 죽인 건 산영 씨가 아니라 악귀예요.

산영   ...

해상   그 노트에만 집중해 봐요. 뭐라고 적혀 있었는지 기억나요?

산영, 해상을 보다가 고개를 끄덕인다.

씬/63   N, 해상의 집 거실

테이블에 앉아 종이 위에 어렵게 기억해 내며 약도를 그려가는 산영.
전 인서트 씬과 교차되며 점차 완성돼 가는 약도. 마지막으로 '장진리,
붉은 댕기'까지 적은 뒤 해상에게 건네는 산영.

산영   확실하진 않지만 이런 약도였어요.

약도를 바라보는 해상, 드디어 실마리를 발견했다.

— 시간 경과되면
현재 대한민국 지도를 펼쳐서 장진리를 찾아보고 있는 해상. 옆에서
산영은 핸드폰으로 검색을 해보다가 답답한 얼굴로

산영   장진리라는 데 검색을 해도 나오지 않아요.
해상   지도에도 없습니다. 이미 사라진 지명일 거예요.

씬/64   N, 동장소

한국지명총람 책들을 나눠 들고 와서 테이블에 올려놓는 해상과 산영.

해상   민속학을 연구할 땐 사라진 지명이 많습니다. 그럴 때 참고하는
책이에요.

산영, 한 권을 빼 들고 한 장 넘기려다가

산영 현우 때처럼 이름과 사연을 알아내면 악귀를 없앨 수 있는 거죠?

해상 말했잖아요. 귀신마다 다 다르다고.. 일단 그 귀신이 누군지
알아내면 방법이 생길 거예요.

씬/65 몽타주, 해상의 집 거실

— 밤, 서로 나눠서 테이블 위 한가득 쌓인 한국지명총람에서 장진리를 찾고
있는 두 사람의 모습.

— 밤, 커피를 내려서 산영 앞에 커피 잔을 내려놓는 해상. 피곤한 듯
스트레칭을 한 뒤에 다시 지명총람에 집중하는 산영.

— 새벽, 어느새 해가 떠오고 있는 거실. 지명총람 책들을 한 장 한 장 넘기며
몰두하고 있는 두 사람의 모습 위로

해상(소리) 난 알아야겠어요. 그 악귀가 왜 어머니를 죽였는지..

산영(소리) ..내 주변 사람들이 무사했으면 좋겠어요. 날 안다는 이유로
또다시 누군가 죽는 모습을 다신 보고 싶지 않아요.

씬/65-1 D, 해상의 집 거실

긴장한 눈빛으로 지도를 내려다보고 있는 해상과 산영.
두 사람의 시선 쫓아가보면 과거 장진리가 포함된 광천군 관내도다.

산영 여긴가요?

해상   지명총람에 언급된 장진리는 모두 세 곳.

장진리 지도 옆에 놓인 산영이 그린 약도와 비교하며 얘기를 이어가는 해상.

해상   그중에 재고개와 소나무 숲이 겹치는 곳은 여기뿐이에요.

장진리 지도를 내려다보는 산영과 해상.

해상   머리를 풀어헤친 그림자.. 이곳에 가면 그 악귀를 찾을 수 있을 겁니다.

씬/66   N, 과거, 장진리

— 50년대 후반, 초가집들이 옹기종기 모여있는 장진리. 초가집 사이로 난 길들 사이로 반짝거리는 불빛들. 각 집마다 영문을 모르는 얼굴로 어른들의 채근에 길을 나서는 아이들의 손에 들린 남포등 불빛들이다.
   * 자막 - 1958년, 장진리

— 오색 천이 매어진 당산나무 아래에 겁먹은 얼굴로 쭈뼛쭈뼛 모여있는 스무 명 정도의 아이들. 그 사이사이 보이는 향이(16, 여), 여자아이1(16), 그리고 아무것도 모르는 호기심 어린 눈빛으로 주변을 둘러보고 있는 목단(10, 여).
   그때, 저 앞쪽에서 횃불을 든 장진리 이장(30대 초반, 남)의 안내를 받으며 당산나무 쪽으로 다가오는 누군가의 손에 들린 붉은 댕기. 천천히 화면 빠지면 무표정한 눈빛에 하얀 한복을 걸친 만월(50대, 여)이다. 곱게 쪽 찐 머리에는 옥비녀를 꽂고 있는데.. 붉은 댕기를 들고 아이들 한 명 한 명을 눈여겨보며 지나친다.

씬/66-1 N, 과거, 창고 안

건물 틈 사이로 새어 들어오는 희미한 달빛만이 감도는 어두운 창고 안.
푸른 천이 뒤집어 씌워진 채 쓰러져 있는 여자아이. 천 아래로 조금
튀어 나와 있는 깡마른 손에는 붉은 배씨댕기가 쥐어져 있다. 죽은 듯
미동도 없는 여자아이에게 천천히 다가오는 만월. 한 손에는 핏물이
배어 나온 구운 고기가 담긴 접시. 마치 동물에게 주는 듯 여자아이
앞에 내려놓는 만월.
여전히 미동도 없는 여자아이. 그런 아이를 내려다보는 만월. 정적이
흐르는데 순간, 짐승 같은 괴성을 지르면서 고기를 낚아채려 뻗어오는
여자아이의 깡마른 손. 그 찰나에 만월의 입가에 그려지는 차가운 미소.
푸른 천 옆쪽에 떨어져 있는 붉은 배씨댕기 위로 붉은 피가 흩뿌려지는
모습에서..

씬/67 D, 해상의 집 거실 — 오미트

2부 끝.

3부

다른 사람들은 안 보이겠지만, 내 눈엔 그게 보여.

그런데 나까지 모른 척할 순 없어.

씬/1   N, 광천시 거리 일각

늦은 밤, 고요하고 조용한 지방 소도시. 점점이 켜진 가로등 아래 '장진
1동'이라는 표지판.
세강대학교 인근 원룸텔이 밀집한 거리. 지나다니는 사람 하나 없는 텅 빈
거리에 또각또각 울려 퍼지는 하이힐 소리.
저 앞쪽으로 스탠드 불빛이 새어 나오는 석훈의 원룸텔 건물 창문으로
다가가는 화면.

씬/2   N, 석훈의 방

깔끔하긴 하지만 한 명만 숙식이 가능할 듯한 좁고 답답한 원룸. 창가
옆에 놓인 작은 어항 안, 특이한 물고기 한 마리. 책상 앞에 앉아 취업시험
준비를 하고 있는 20대 중반의 석훈. 하지만 시선은 끊임없이 시계를
확인하고 있다. 시간은 10시 58분을 지나가고 있다. 점점 초조해지는
듯한 석훈의 눈빛.
순간, 복도 쪽에서 들려오는 또각또각 들려오는 하이힐 소리. 소스라치게
놀라는 석훈. 하이힐 소리 점점 다가오더니 문 앞에서 뚝 멈춘다. 더
바들바들 떠는 석훈. '쿵쿵쿵쿵' 문을 두드리는 소리. 시간을 보면 정확히
11시다.
석훈, 귀를 막으면서 괴로워하지만 점점 더 커져가는 '쿵쿵쿵쿵' 문소리.
귀를 막고 막다가 못 참겠는 듯 현관문을 여는 석훈. 문밖에 서 있는 붉은
하이힐. 열린 문밖을 보면서 눈이 커지는 석훈의 모습에서.. 서서히 암전.

'장진 1동'이란 표지판에서 내려오면 1씬의 세강대 인근 원룸촌 거리.
전봇대마다 '자취방 있습니다', '하숙방' 등 붙어있는 광고 전단지 사이,
'급전 101-OOO-OOOO' 전단지. 점심시간인 듯 가방을 메고 길을 오가고
있는 대학생들이 눈에 많이 띄는데..
그런 거리로 다가와 멈추는 차에서 내려서는 산영과 해상. 자신이 그린
약도를 들고 있는 산영, 주변을 두리번거리며

산영   여기가 장진리가 있던 곳이라구요?

해상   맞아요.

산영   고개도 소나무 숲도 다 사라졌잖아요.

해상   민속학을 연구하다 보면 이런 경우가 많습니다. 오래전부터
         여길 지켰던 마을은 사라지고 신기루 같은 도시가 들어서 있죠.

산영, 들고 있던 약도에서 엑스자가 쳐진 곳을 바라보며

산영   그럼 여길 어떻게 찾아요?

해상   장소보다 중요한 건 사람입니다. 젊은 층은 이동이 많지만,
         이곳에 뿌리를 두고 있는 노년층의 경우 이 근방을 떠나지
         않았을 가능성이 커요. 찾아보면 예전에 장진리에서 살았던
         사람들이 있을 거예요.

산영   동사무소 직원도 아니고 그 사람들을 어떻게 찾아요.

해상   민속학에서 지역조사라는 게 있어요. 그 방법을 써보면 뭐든
         나올 겁니다.

얘기를 이어가던 해상, 산영 뒤쪽으로 오가는 대학생들을 보고 멈칫한다.

산영   (불길한) 왜요? 뭐가 또 보여요?

지친 낯빛으로 걸어가다가 잠시 다리 삐끗하다가 멀어지는 여대생을
보던 해상.

해상   아뇨. 아무것도 아닙니다. (다시 산영 보며) 시작하죠.

씬/4   D, 몽타주

— 아파트 경로당 안으로 들어서는 해상. 안에 모여있는 노인분들에게
   깍듯하게 인사한다.
— 주민센터 옆에 있는 노인정으로 들어서는 산영.
— 또 다른 아파트 경로당, 명함을 건네는 해상. '예전에 장진리에 사셨던
   분들을 찾고 있는데요' 질문을 던지면 갸웃하는 할아버지. 옆에 있는
   다른 노인들에게 '장진리 살았던 사람 있어?' 질문하지만 다들 고개를
   가로젓는다.
— 또 다른 노인정, 어느새 할머니들의 화투판에 끼어들어서 신나게 화투를
   치고 있는 산영. 사이사이 '여기 언제부터 사셨어요?', '장진리라구
   들어보셨어요?' 질문하는 산영.

해상(소리) 경로당, 노인정에서 정보를 얻어야 해요. 그분들이 모르더라도
             몇 다리 건너 누가 여기 오래 살았다더라 같은 소문이요.

— 우체국에 들어서는 해상. 지나가는 직원에게 명함을 건넨다.

해상(소리) 전통사회에서 우체부들은 각 집에 숟가락 몇 개 있는지까지 다

알 정도예요. 오래 일하신 분들은 그 마을 사람들을 알고 계실 수
있어요.

— 핸드폰 지도와 거리 주소를 확인하며 앞으로 나아가던 산영.
저 앞쪽으로 허름한 구멍가게가 보인다. '실례합니다' 구멍가게 안으로
들어서는데 할머니 한 분이 큰 박스를 옮기고 있다. 바로 달려가서
할머니를 돕기 시작하는 산영.

해상(소리) 거의 편의점으로 바뀌었지만 그래도 남아있는 구멍가게들이
있어요. 오래된 가게인 만큼 꼭 가봐야 합니다.

씬/5   D, 거리 일각

핸드폰 지도 앱으로 또 다른 구멍가게를 찾아가고 있는 산영.
피곤한 기색이 역력한데 들려오는 카톡 착신음. 세미다. '산영아. 내일 시험인
거 알지? 고사장 앞에서 만날까?' 눈빛 어두워지는 산영의 뇌리에 스치는 과거.

— 인서트
2부, 48씬, 화원재 본채에서 목을 매고 죽은 석란.

— 다시 현재로 돌아오면
눈빛이 흔들리는 산영. 가만히 하늘을 보면서 숨을 고른다.. 생각에
잠기다가 세미에게 카톡을 보낸다.
'난 이번 시험 못 칠 것 같아. 너라도 꼭 붙어. 파이팅', '왜?', '왜 그러는
건데?' 연신 세미한테 답장이 오지만 읽지 않는 산영. 어두운 눈빛으로
있다가 마음 다잡으며

산영   그래. 내년이 있으니까.

그때, 또다시 울리는 산영의 핸드폰. 모르는 번호다.

산영   여보세요? (사이) 아.. 할머니. 예 저예요. 구산영. (놀라는) 예?
장진리에 사셨던 분을 찾으셨어요? 예. 바로 갈게요.

전화 끊고 뒤돌아서 뛰어가던 산영, 순간 뭔가에 걸린 듯 다리를
삐끗한다. 뭐지? 바닥 보면 아무것도 없고.. 급한 마음에 다시 빠르게
걸음을 옮기는 산영.
한 가게 앞을 지나는데 가게 유리창에 비친 산영의 다리 쪽이 검게
변했다가 다시 원래대로 돌아온다.

씬 / 6   D, 강수대 4게 사무실

'치치치칙' 프린트되는 종이들. 밤새 자료를 찾은 듯 피곤해 보이는 홍새,
출력된 종이들을 뽑아서 문춘의 자리로 다가와 건넨다.

문춘   이게 뭐야?
홍새   말씀처럼 최근에 일어난 자살 사건들을 찾아봤는데요. 좀
이상한 게 있어서요.

문춘, 홍새가 가지고 온 자료들을 확인한다.
첫 장, '홍미영'의 사건자료다.

홍새   일주일 전, 세강대학교 4학년 홍미영이 자신이 묵고 있던

원룸에서 목을 매 자살했어요.

문춘, 다음 장 넘기면 '채민주'의 사건자료.

홍새　　그 이틀 뒤에 같은 원룸촌에 살던 세강대학교 4학년, 채민주가 똑같이 자살한 채로 발견됐습니다.

홍새의 설명을 들으면서 다음 장 넘기면 석훈의 사진. 석훈의 사건자료다.

홍새　　그 다음 날 세강대학교 4학년 남석훈도 목을 매서 자살했구요.

사건 자료들을 훑어보던 문춘의 눈빛, 긴장감이 감돈다.

홍새　　이상하지 않아요? 일주일 사이에 같은 원룸촌에 살던 같은 학교 동기 세 사람이 자살한 채 발견됐어요.
문춘　　일선서 수사는 어떻게 됐대?
홍새　　타살의 의혹은 전혀 없었대요. 그런데..
문춘　　(바라보며) 그런데?
홍새　　세강대 대나무숲에 이상한 글이 올라왔어요. 피해자들이 숨진 날, 똑같은 소리를 들었대요.
문춘　　무슨 소리?
홍새　　하이힐 소리요.
문춘　　..하이힐? 구두 소리?
홍새　　예. 그리고 나서 문 두드리는 소리가 심하게 났대요.

문춘, 굳은 눈빛으로 사건자료 사진들 바라보며

문춘	여기 어디야?
홍새	광천시, 장진 1동입니다.

그런 문춘과 홍새의 모습 위로 들려오는 '콰쾅' 천둥소리.

씬/7   N, 광천경찰서 외경

비가 내리고 있는 광천경찰서 외경.

씬/8   N, 광천경찰서 휴게실

광천서 형사와 마주 앉아 얘기 중인 문춘.
테이블 위엔 원룸촌 자살 사건 서류들이 올려져 있다.

광천서 형사	선배님이 웬일로 이 사건들에 관심을 가지세요? 이 사건들, 전혀 미스테리하지 않습니다. 모두 단순 자살이에요.
문춘	자살이 정말 확실해?
광천서 형사	씨씨티브이 확인해봤는데 사건 당시 드나든 사람도 없었고, 현장감식 결과도 외부침입 흔적은 없었습니다.
문춘	하이힐 소리, 문 두드리는 소리는 뭐야?
광천서 형사	세강대 대나무 숲에 누가 그런 글을 올렸길래 조사해 봤는데 변사자들이 자살하던 날이 아니라 다른 날에 그런 소리가 들리긴 했나 봐요. 그러다가 학생들 사이에 괴담처럼 퍼진 거죠. 그런데 하이힐 소리, 문 두드리는 소리는 흔하잖아요. 워낙 원룸촌이 방음도 안 되니까요.

문춘	손목에 멍 자국 같은 건 없었어?
광천서 형사	예. 손목도 마찬가지고 어디에도 반항한 흔적은 없었어요.
문춘	숨진 변사자들이 모두 세강대 학생들이던데 사건들의 연관성은 없었어?
광천서 형사	학년이 같긴 했지만 학과는 모두 달랐어요. 다들 생활고에 시달리고 있었고, 취업에 대한 스트레스가 많았더라구요. 요즘 젊은 애들 사는 게 힘들잖아요.

씬/9   N, 구멍가게 외경

4씬, 몽타주 중 구멍가게 외경, 비가 내리고 있다.
서서히 구멍가게 위쪽 표지판을 비추면 '장진 1동'이란 표지판.

씬/10   N, 구멍가게 안

라면 끓여 먹는 테이블에 마주 앉아있는 구멍가게 주인 할머니와
습관처럼 소주를 한잔하고 있는 이씨 할아버지. 맞은편에는 해상과 산영.

주인할머니	(이씨 할아버지 보며) 여기 자주 오시는 분인데, 물어보니까 장진리를 잘 아시더라구.
이씨 할아버지	거기 산 건 아닌데, 거기 동생이 살아서 자주 갔었어.

해상, 긴장된 눈빛으로 보다가 산영이 그린 약도를 보여준다.

해상	이거 알아보시겠어요?

이씨 할아버지, 약도를 가만히 바라보다가

이씨 할아버지　응, 맞네. 당산나무, 재고개, 소나무 숲.. 장진리가 맞아.

해상과 산영, 시선 마주치는데 더욱 눈빛 긴장한다.
해상, 약도 안에 엑스자를 가르치며

해상　여긴 어딘가요? 여기가 어딘지 아세요?

이씨 할아버지, 약도를 바라보다가

이씨 할아버지　..덕달이 나무가 있던 자리네.

덕달이 나무란 말에 멈칫하는 해상.

해상　덕을 나무에 매던 풍습 말씀인가요?
산영　그게 뭐예요?
해상　..덕은 어린아이의 시신을 뜻해요.

씬/11　N, 몽타주

— 밤, 50년대 후반, 초라한 초가집 안. 홑이불로 덮힌 목단이의 시신을
어두운 얼굴로 내려다보고 있는 장진리 이장. 이불 밖으로 나와있는
목단이의 깡마른 손. 손가락 하나가 잘려있다.

해상(소리)　과거, 어린아이의 매장법은 성인과 달랐어요.

― 밤, 초가집 안. 홑이불로 감싼 어린아이의 시신을 푸른 옹기로 만들어진
  항아리에 넣는 거친 장진리 이장의 손.

해상(소리) 가족의 일원으로 인정받지 못해서 선산에 묻히지도 못했고,
  관에 넣어 정식으로 매장하는 경우도 거의 없었어요.

― 밤, 달빛도 보이지 않는 흐릿한 밤. 야산 일각 덕달이 나무 아래. 짚으로
  감싼 옹기를 새끼줄로 묶고 있는 장진리 이장의 손.

해상(소리) 관 대신 독에 담아 외진 곳에 비석도 없이 묻기도 하고 나무에
  매달아 놓기도 했죠.

― 밤, 덕달이 나무에 걸려있는 짚으로 싸인 옹기. 마치 자살한 사람처럼
  바람에 흔들거리고 있다.

해상(소리) 아이의 시신, 덕을 매다는 나무를 덕달이 나무라고 불렀죠.

씬/12   N, 구멍가게 안

해상의 얘기를 듣던 이씨 할아버지.

이씨 할아버지 맞아. 그래서 대대로 덕달이 나무라고 했는데 젊은 사람들은
  자살나무라고도 했어.

산영, 해상 의아한 눈빛으로 바라본다.

이씨 할아버지	이상하게 그 나무에서 자살한 사람들이 많았거든.

해상과 산영, 서로 시선 마주치다가

산영	지금도 그 나무가 있나요?
이씨 할아버지	그게 지금까지 남아있겠어? 10년 전에 신도시 건설한다고 싹 다 밀어버렸지.
해상	혹시 그 마을에 붉은 댕기와 관련된 얘기 없었나요?
이씨 할아버지	댕기? 글쎄.. 그런 얘긴 못 들어봤는데..

산영, 핸드폰 안에서 강모의 신문 기사 사진을 찾아서 보여주며

산영	그럼 혹시 이분은 보신 적 없나요?

이씨 할아버지, 사진을 가만히 보다가

이씨 할아버지	이 사람 교수 아냐? 교수라고 했던 거 같은데..

놀라서 이씨 할아버지를 바라보는 산영과 해상.

해상	이분을 아세요?
이씨 할아버지	그럼. 우리 동생 살아있을 때 자주 찾아왔었어.

해상, 산영 놀라서 보다가

해상	장진리에 살았다는 그 동생분 말씀이세요?
산영	(맘이 급하다) 무슨 얘길 하셨는데요? 여긴 왜 오셨어요?

이씨 할아버지	나야 모르지. 나는 인사만 몇 번 했고, 죽은 동생이랑 친했어.
해상	..동생분 가족분들은요? 어디 계시죠?
이씨 할아버지	아들놈이 하나 있었는데 원양어선 탔고. 그놈 딸내미가 근처에 살긴 하지. 이 근처 세강대 다니거든.
산영	그분 연락처를 알 수 있을까요? 정말 중요한 일이에요.

영문을 모르겠다는 눈빛으로 두 사람을 바라보는 이씨 할아버지.

— 시간 경과되면
해상과 산영에게 메모지를 건네는 이씨 할아버지.

| 이씨 할아버지 | 애가 너무 어릴 때 일이라 뭘 아는 게 있을진 모르겠네. |

메모지를 바라보는 두 사람의 시선.
'이태영 주소 0000, 00고시텔 306호. 전화번호 010-0000-0000'.

씬/13   N, 광천경찰서 휴게실

광천서 형사는 사라지고 혼자 앉아 자살 사건 자료들을 확인하고
있는 문춘. 뭔가 이상한 듯 갸웃하며 숨진 학생들이 발견된 방 안 현장
사진들을 다시 한번 확인해본다. 홍미영의 방 안, 한 곳에 놓인 작은
어항 안, 특이한 물고기 한 마리. 채민주의 방 안, 남석훈의 방 안에도
역시 똑같은 물고기가 찍혀있다. 그때, 휴게실 문 열리며 빠른 걸음으로
들어오던 홍새, 뭔가에 걸린 듯 삐끗하는데

| 문춘 | 뭐가 그렇게 급해. |

홍새   (다가와 앉으며) 강력계 형사가 빨리빨리 움직여야죠.

문춘, 자리에 앉는 홍새에게 현장 사진을 보여주며

문춘   이거 한번 봐봐. 죽은 학생들 모두 같은 물고기를 키우고
있었어. 다들 생활고에 시달렸다고 하던데 이런 특이한
물고기를 샀다는 게 이상하지 않아?

홍새   물고기는 됐구요. 숨진 변사자들 주변 친구들을 만나봤는데요.

홍새, 핸드폰으로 전송받은 듯한 사진 한 장을 보여준다. 홍미영과 함께
같은 카페 유니폼을 입고 사진을 찍은 이태영이다.

홍새   홍미영과 최근에 같이 알바를 하면서 친해진 학생이래요.

다음 사진으로 넘기면 스터디 카페 테이블에 앉아서 함께 찍은 네 명의
학생. 그중 보이는 남석훈과 이태영.

홍새   숨진 남석훈과 함께 스터디를 했던 학생들인데 여기도 이
학생이 있습니다.

다음 사진으로 넘기면 학원 식당에서 여럿이 함께 찍은 사진 중에도
태영이 있다.

홍새   채민주가 최근에 다니던 학원 학생들인데, 여기도 이 여학생이
있어요.

문춘, 유심히 태영의 사진을 내려다본다.

홍새   숨진 변사자들 모두와 최근에 친해진 학생인데 이 학생도 역시
              세강대학교 4학년이래요. 이름은 이태영. 그런데..

문춘   그런데?

홍새   변사자들이 자살하고 난 뒤부터 갑자기 사라졌대요. 연락도
              없이 알바도 안 나오고 스터디모임 학생들도 연락이 안 된대요.
              학원에도 나오지 않구요. 뭔가 수상하지 않아요?

문춘, 홍새의 핸드폰 안에서 미소 짓고 있는 태영의 사진을 가만히
내려다보는데..

씬/14　N, 태영의 원룸

불 꺼진 방 안, 책상 위에 놓인 태영의 사진들. 그 옆쪽으로는 작은 어항.
그 안에서 유유히 헤엄치고 있는 특이한 물고기.
옆쪽 벽면에 걸린 시계, 11시에 가까워지고 있다.

씬/15　N, 고시텔 건물 3층 복도

어두운 복도를 또각또각 걸어가고 있는 붉은 하이힐.

씬/16　N, 고시텔 건물 밖

3층짜리 고시텔 건물 앞에 멈춰 서는 차에서 내려서는 산영과 해상.
산영은 전화를 걸고 있는데, '고객 전화의 전원이 꺼져있사오니..' 멘트가

흘러나온다.

산영   전화는 계속 꺼져있어요.

해상, 건물을 올려다보다가 놀라서 멈칫한다. 그런 해상을 긴장해서
바라보는 산영. 해상의 시선 쫓아가 보지만 평범한 고시텔 건물이다.

산영   왜요? 또 뭐가 있어요?

산영, 가방에서 거울을 꺼내 들어 거울을 통해 건물을 바라보다가 낯빛이
굳어진다. 건물 3층 창문에서 시작한 커다란 나무 그림자. 사방으로
기괴하게 뻗은 가지들에 대롱대롱 매달려 있는 세 명의 시신. 그 옆 또
하나의 가지에는 시신은 없이 텅 빈 밧줄이 매달려 있다.
놀라서 건물에 비춰진 나무의 그림자를 바라보는 해상과 산영.

해상   자살귀. 그중에서도 목을 매달아 숨진 귀신이에요.
산영   3층이에요!

씬/17 N, 고시텔 건물 안 일각

건물 안으로 뛰어드는 해상과 산영. 계단을 타고 3층으로 향하기
시작한다.

씬/18   N, 고시텔 건물 3층 복도

천장에 드리워진 검은 나뭇가지들. 3층, 306호 앞에 서 있는 붉은 하이힐.
계단 쪽에서 해상과 산영이 다급히 올라오는 발자국 소리가 들려온다.

씬/19   N, 고시텔 건물 계단/3층 복도

계단을 올라오는 해상과 산영, 3층 복도에 다다르는데
어느새 사라져 있는 붉은 하이힐. 천장에 드리워졌던 검은 나뭇가지 역시
사라져 있는데..
복도를 둘러보던 해상, 낯빛 변한다.

해상   사라졌어요.

산영, 거울 들어서 여기저기를 둘러보는

산영   분명히 여기 3층이었어요.

창문을 열어서 건물 밖까지 둘러보는 해상. 하지만 아무것도 보이지 않는다.
그때, 아래층 계단 쪽에서 들려오는 뚜벅뚜벅 발자국 소리. 해상과 산영,
본능적으로 소리가 들려오는 계단 쪽을 바라보는데 계단 아래에서
올라오던 홍새, 문춘과 시선 마주친다.
서로가 의외라는 듯 바라보는 해상과 문춘. 홍새와 문춘을 알아보고
왠지 마음이 찔리는 듯 시선 외면하는 산영. 홍새, 그런 산영을 의아한 듯
바라본다.

건물 밖에 마주 서서 얘기를 나누고 있는 해상과 문춘.

문춘   염 교수. 저 여자하곤 왜 자꾸 같이 다녀?

해상   (말 돌리는) 여긴 왜 오신 거예요?

문춘   (답답한 듯 보다가) 염 교수는 왜 온 건데?

해상   만날 사람이 있어서 왔습니다.

문춘   또 그놈의 귀신 때문인 거야?

해상   (가만히 보다가) 형사님, 자살 사건 때문에 오신 거죠? 세 명 다
목을 매서 숨진 거.. 맞죠?

놀라서 눈빛 흔들리며 해상을 보는 문춘. 이내 기색을 감추며

문춘   맞아.

해상, 자신의 예상이 맞자 눈빛 어두워진다.

해상   ..자살을 하는 방법은 여러 가지예요. 수면제를 쓸 수도
있고, 투신할 수도 있고, 손목을 그을 수도 있죠. 그런데 왜
약속이라도 한 것처럼 목을 맨 걸까요.

문춘   ...

해상   목을 매서 죽은 자살귀가 그들을 죽게 만든 겁니다. 평범한
사람들은 그 기운을 느끼지 못하지만 우울감에 빠져있거나
불행한 일을 당한 사람들은 그 유혹을 이기기 힘들어요.

문춘   귀신 아냐. 단순 자살이라고 밝혀졌어.

해상   장소는요?

문춘	자기가 살던 원룸이나 고시텔에서 숨졌어.
해상	다 이 근방이었죠? 그분들 사건기록 볼 수 있을까요?
문춘	얘기했잖아. 단순 자살이라고. 그만하고 돌아가.

문춘, 돌아서는데..

해상	한 명이 더 죽을 거예요.
문춘	(걸어가려다 멈칫한다)
해상	마지막 한 밧줄이 비어있었어요. 또 한 명이 자살할 겁니다.
문춘	(돌아보며) 난 그런 얘기 믿지 않아.

씬/21   N, 고시텔 건물 안, 총무실 앞 복도

총무실 앞에서 잠에서 깬 듯한 총무와 얘기를 나누고 있는 홍새.

총무	이태영 씨요? 306호?
홍새	예. 요즘 만난 적 있나요?
총무	일주일 넘게 안 들어왔어요. 알바하는 카페랑 임용고시 학원에도 가봤는데 안 나온 지 꽤 됐다 그러더라구요. 월세 밀린 게 꽤 되는데.. 아무래도 나쁜 거 같아요.
홍새	..이태영 씨 사라지기 전에 뭐 이상한 일은 없었나요? 하이힐 소리라던지, 문 두드리는 소리라던지..
총무	(놀라서 보는) 어떻게 아셨어요? 같은 층에 계신 분들 몇 분이 민원을 넣었더라구요.

얘기 나누고 있는 홍새와 총무의 모습에서 서서히 옆으로 화면 팬하면,

기둥 뒤에서 홍새와 총무의 얘기에 귀 기울이고 있는 산영이다.
'이태영 씨 보게 되면 연락주세요' 작게 들려오는 홍새의 목소리. 잘
들리지 않는 듯 조금 더 몸을 기울이는데

홍새(소리)   뭐하냐?

화들짝 놀라서 보면, 어느새 총무와 얘기를 끝내고 기둥 쪽으로
걸어오다가 산영을 발견하고 삐딱하니 보고 있는 홍새다.

홍새   우리 얘기 엿듣고 있었던 거야?
산영   (당황해서) 아뇨. 제가 왜 형사님 얘길.. (하다가) 진짜 계속 말
놓으실 거예요?
홍새   (보다가) 응.

산영, 어이없다는 듯 가만히 보지만, 할 말이 없다.

산영   근데 저 정말 엿들은 거 아니에요. 그냥 여기 서 있던 거예요.

홍새, 빤히 산영을 본다. 산영, 무안한 듯 시선 돌리다가.. 도저히 궁금함을
참지 못하고 홍새에게

산영   그런데 이태영 씨는 왜 찾는 거예요?
홍새   (더 삐딱하게 산영을 보는) 이태영 씨 알아? 너 여기 왜 온 거냐?
산영   그게..
홍새   참 이상하네. 왜 네가 아는 사람들한테는 다 안 좋은 일이
생길까? 죽거나.. 사라지거나..

산영, 낯빛 굳는..

홍새   친할머니가 최근에 돌아가셨지? 그런데 하나도 안 슬퍼 보이네.
여기서 이러고 있는 거 보면.

산영, 더욱 눈빛이 흔들린다.

홍새   안 그래도 수상한데 더 의심받을 짓 하지 말고 집에 가 있어.

홍새, 돌아서서 멀어지고.. 산영의 눈빛은 더욱 어두워진다.

씬/22   N, 고시텔 건물 앞

건물 앞을 떠나는 홍새와 문춘이 탄 자동차.
해상, 답답한 눈빛으로 멀어지는 차를 바라보고 있는데, 건물 안에서
뚜벅뚜벅 걸어 나오는 어두운 낯빛의 산영.

해상   어떻게 됐어요? 이태영 씨에 대해 알아봤어요?
산영   ..경찰들도 이태영 씨를 찾고 있었어요. 고시텔 총무 말이 안
들어온 지 오래됐대요.
해상   ..(생각하다가) 경찰들이 움직인다면 금방 찾을 수 있을 거예요.
그럼 자연스럽게 만날 수 있겠죠.
산영   ...
해상   그것보다 그 나무 쪽을 더 알아봐야겠어요. 그 나무 때문에 벌써
세 명이나 죽었어요.
산영   무슨 소리예요?

해상	덕달이 나무를 자살나무라고 불렀다고 했잖아요. 한번 사람이 죽은 나무에는 자살귀가 깃들 가능성이 큽니다. 그 나무를 찾아봐요.
산영	우리가 여기 왜 왔는지 잊었어요? 이태영 씨를 찾는 게 먼저예요. 찾아서 아빠가 여기 왜 왔는지 알아내야 해요.
해상	그 나무 때문에 한 명이 더 죽을 수도 있어요.
산영	..악귀 때문에 죽을 사람들은요?
해상	..누군가가 죽을 걸 알면서 외면하면 더 힘들어집니다.

산영, 순간 눈빛 흔들리며 해상을 보다가

| 산영 | 난 악귀를 없애는 게 더 중요해요.. |

산영, 뒤돌아서 멀어지기 시작하고.. 그런 산영을 바라보며 옅은 한숨을 내쉬던 해상. 다시 고개를 돌려 건물을 올려다본다. 여전히 자살귀 나무는 보이지 않는다.
해상, 건물을 올려다보다가 다시 돌아서서 멀어지는데.. 멀어지는 해상을 비추던 화면 다시 건물 3층 창문을 비춘다.

씬/22-1 N, 고시텔 건물 3층 복도

서서히 306호로 다가가는 화면.

씬/22-2 N, 태영의 원룸

불 꺼진 어두운 방 안. 누군가 원룸 안의 물건들을 뒤지고 있다. 한 켠에
놓여있던 어항은 실수로 떨어진 듯 깨져있고..
바닥에 숨겨 있는 물고기. 그 옆으로 보이는 누군가의 발. 붉은
하이힐이다.

씬/23 N, 산영의 집 건물 외곽

터덜터덜 힘없이 집으로 다가오는 산영. 고개 들어 건물을 올려다보는데
집 거실 불이 켜져있다. 경문이 아직 자지 않는구나.. 잠시 생각하다가
세미한테 전화를 걸기 시작한다.
걸자마자 달칵 받는 세미.

세미(소리) 야, 너 하루종일 전화도 안 받고 어떻게 된 거야?
산영   세미야. 부탁이 있는데 엄마한테 오늘 너랑 같이 시험
            준비했다고 좀 얘기해 주라. 알았지? 끊는다.

전화 끊으려는데 수화기 너머에서 들려오는 경문의 목소리.

경문(소리) 너 어디야?

산영, 놀라서 눈이 똥그래진다.

산영   어..엄마?

씬/24   N, 산영의 집 거실

어찌할 바를 모르는 세미, 그 옆에선 화난 얼굴의 경문, 세미한테 핸드폰
뺏어 들고 통화 중이다.

경문   너 엄마가 보이스 피싱 당했다구 무시하는 거니? 어제부터
그렇게 연락했는데 연락은 다 씹고, 무슨 일 있나 싶어서 세미랑
실종 신고하려던 참이다. 너 어디야? 어디냐구?

씬/25   N, 산영의 집 외곽

놀란 산영, 어버버하다가

산영   아니.. 그게..
경문(소리)   집주인이 오늘도 계속 보증금 때문에 문자 보내고 난리 났는데
어디서 뭐하는 거야? 염해상인가 무슨 민속학과 교수가 너
찾아왔던데 설마 그 사람하고 같이 있는 거 아니지?

산영, 어찌할 바를 모르다가 그냥 툭 전화를 끊어버리고 냅다 도망치기
시작한다.

씬/26   N, 산영의 집

끊긴 전화를 내려다보다가 또다시 가슴 부여잡는 경문.
옆에 있는 세미에게

경문	봐봐. 얘 나 무시하는 게 확실해. 이젠 거짓말까지 하는 거 봐봐.

세미 곧바로 옆에 있는 약통과 물을 경문 앞에 대령하며

세미	어머님, 진정하세요. 릴렉스. 릴렉스.

씬/27   N, 한강 다리

1부 6씬의 한강 다리로 걸어들어오는 산영. 연신 울려대는 전화기를
보다가 한숨 쉬며 전화를 아예 꺼버린다.
힘 빠지는 얼굴로 천천히 걸어오다가 우뚝 중간에 멈춰 서서 흘러가는
강물을 바라본다. 천천히 난간 밑단 위로 올라서는 산영. 위태롭게 난간에
기대어 선 채 강물을 내려다보는 산영의 어깨에 내려앉은 검은 기운.

해상(소리)	무고경주.. 까닭없이 놀라 달아나다. 삼국사기, 삼국유사, 조선시대의 승정원일기 등 여러 문헌에서 발견되는 문구야.

씬/28   N, 해상의 집 테라스

테라스에 나란히 앉아 야경을 바라보며 위스키를 마시고 있는 해상과 우진.

해상	삼국사기 백제본기 의자왕 편에 저잣거리의 사람들이 까닭없이 놀라 달아났는데 정체 모를 무언가에 놀라 죽은 자가 백여 명이 넘었다라고 적혀있어.
우진	집단 패닉 같은 건가?

해상　　　　비슷한 거지. 옛날 얘기만은 아냐. 요즘에도 그런 게 보여.

　　　　─ 1부, 31씬. 다리, 팔 등이 검은색으로 물들었다 사라지는 고등학생들.
　　　　　　그들 중 다리가 검은색으로 물든 채 삐끗하는 고등학생.

해상(소리)　반복되는 시험과 점수에 쫓기는 학생들.

　　　　─ 3부, 3씬. 지친 낯빛으로 걸어가다가 삐끗하며 멀어지는 여대생. 보면
　　　　　　다리 부분이 검다.

해상(소리)　남들보다 뒤쳐질까 봐 불안해하는 젊은이들.

　　　　─ 밤, 학원가. 수업이 끝난 듯 좁은 정문을 통해 우르르 몰려나오고 있는
　　　　　　고시생들. 그들의 모습에도 드리운 검은 기운. 그들 중 몇 명 걷다가
　　　　　　누군가 잡아당기는 느낌이 드는 듯 뒤를 돌아보는데 아무도 없다. 보다가
　　　　　　다시 지친 얼굴로 멀어지는 고시생. 끝도 없이 학원 건물에서 나와 뿔뿔이
　　　　　　흩어지는 고시생들의 모습 위로

해상　　　　왜 어디로 달리는지도 모르다가 지쳐버린 사람들한테 그런
　　　　　　기운들이 보여.

　　　　─ 밤, 평범한 중산층 복도식 아파트. 집으로 다가오던 홍새, 잠시 현관문
　　　　　　밖에서 멈춰 선다. 가라앉은 눈빛이다가 문을 열고 들어가는데 안에서
　　　　　　밝은 얼굴로 홍새를 반기는 홍새 부모(50대 후반, 남녀). 홍새 역시
　　　　　　가라앉은 낯빛을 지우고 밝은 미소로 '다녀왔습니다' 인사하고
　　　　　　집 안으로 들어가는데 그런 홍새의 뒷모습, 팔과 다리에도 검은 그림자가
　　　　　　내려앉았다가 사라진다.

해상(소리) 그런 사람들을 유혹하는 거야. 귀신들은.. 나처럼 너도 목을 매라고..

— 다시 해상의 집 테라스로 돌아오면
가만히 아래에 펼쳐진 도시를 내려다보는 해상.

해상 다른 사람들은 안 보이겠지만, 내 눈엔 그게 보여. 그런데 나까지 모른 척할 순 없어.

우진, 해상을 보다가 차갑게 웃으며

우진 정신 차려.. 지금 제일 위험한 게 누군데. 자길 없애려는 걸 알면 그 악귀가 가만히 있을 것 같아? 너도 너네 어머니처럼 끔찍하게 죽을 수 있어.

도시를 내려다보는 해상의 눈빛, 보일 듯 말 듯 흔들리다가..

해상 그럴 수도 있겠지.

어두운 눈빛으로 도시를 내려다보는 해상의 모습에서..

씬/29 D, 농로 일각

신도시 주변, 푸른 벼들이 펼쳐진 논밭으로 난 농로를 달리는 해상의 차.
더 이상 차가 진입하기 힘든 좁은 농로가 나오자 옆쪽에 차를 주차한 뒤,
핸드폰 맵을 확인하며 걸어서 앞으로 한참을 나아가면 가장 끝 쪽 외진

곳에 떨어져서 위치한 이씨 할아버지의 농가 주택. 뒷마당에서 닭 모이를 주고 오는 듯 걸어 나오는 이씨 할아버지와 시선 마주치자, 인사하는 해상.

씬/30   D, 농가 주택 거실

마주 앉아있는 해상과 이씨 할아버지.

이씨 할아버지   아니 뭘 여기까지 찾아오고.. 그냥 전화하시죠.
해상   아닙니다. 제가 당연히 찾아봬야죠.

거실과 연결된 주방 쪽에서 커피 잔이 든 쟁반 들고 다가오는 무뚝뚝해보이는 인상의 할머니, 쟁반을 내려놓는데..

이씨 할아버지   (할머니에게) 인사드려. 내가 얘기했던 그분이야. 태영이 찾아오신 교수님.

순간, 보일 듯 말 듯 쟁반을 내려놓던 할머니의 눈빛 흔들리지만, 이내 기색을 감추는 할머니.

할머니   말씀 나누세요. 그럼..

할머니, 돌아서서 거실 창문 쪽에 놓인 빨랫대에서 빨랫감을 정리하기 시작하는데..
티셔츠 중 하나에 영문자 'S'가 가슴에 크게 새겨진 학과 후드티가 보인다.

이씨 할아버지   그래, 무슨 일로 오셨어요?

해상	(이씨 할아버지에게) 어제 말씀하신 덕달이 나무 말입니다. 혹시라도 그 나무가 남아있을 가능성은 없나요?
이씨 할아버지	신도시 지으면서 싹 다 밀어버렸다니까요.
해상	나무 종류가 뭐였습니까?
이씨 할아버지	소나무요. 그 일대가 다 소나무 숲이었어요.
해상	혹시 그 나무 사진을 구할 수 있을까요?
이씨 할아버지	사진? (잠시 생각하다가) 앨범 한번 찾아보면 있을 것 같은데..

고개 돌려 빨래 개고 있는 할머니한테

이씨 할아버지　　앨범들 어딨지? (일어나며) 창고에 있나?

할머니, 손사래치며 벌떡 일어서서 나가며

할머니　　앉아 계세요. 제가 가져올게요.

힐긋 그런 할머니 쪽을 바라보는 해상.

─ 시간 경과되면
빛바랜 앨범들을 쌓아놓고 소나무 사진을 찾고 있는 해상과 이씨
할아버지. 이씨 할아버지, 앨범들을 넘기다가

이씨 할아버지　　어, 여깄네.

해상, 이씨 할아버지의 말에 할아버지가 가리키는 사진을 바라본다.
2010년 날짜가 박힌 오래된 사진. 소나무 숲 옆에 위치한 낡은 농가
주택 앞에서 이씨 할아버지 내외, 이씨 할아버지의 동생 이철주, 태영의

아빠, 그리고 열 살 정도의 어린 태영이 함께 찍은 사진이다.

이씨 할아버지　여기가 나고 옆에가 마누라. 그 옆에 동생이고 태영이 아빠랑
　　　　　　　　그 옆에 어린애가 태영이.

　　　　　　　　이씨 할아버지, 사진 안의 인물들을 설명하는데, 해상의 시선은 사진 속
　　　　　　　　다른 곳에 꽂혀 있다. 천천히 손으로 소나무 숲에서 조금 떨어진 곳에
　　　　　　　　심어진 나무를 가리키며

해상　　　　이게 덕달이 나문가요?
이씨 할아버지　어떻게 알았대? 맞아, 이게 그 나무였어..

　　　　　　　　— 인서트
　　　　　　　　— 3부, 16씬. 고시텔 건물에 비추던 나무 그림자의 모습.

　　　　　　　　— 다시 이씨 할아버지네 집으로 돌아오면
　　　　　　　　해상이 바라보고 있는 사진 속 나무 형상이 정확히 일치한다.

씬/31　　D, 세강대 정문

'세강대' 로고가 박힌 현수막이 드리워진 정문을 지나서 캠퍼스 안으로
들어서는 산영. 주변을 두리번거리면서 앞으로 나아간다.

씬/32　D, 국문과 강의실 밖 복도

강의실 옆에 꽂혀있는 시간표와 핸드폰에 뜬 세강대 홈페이지 교과과정을
확인하는 산영. 4학년 전공 과정인 걸 확인한 뒤 주변을 어슬렁거리는데..
강의가 끝난 듯 강의실을 나오는 교수. 그 뒤를 이어서 학생들이 나오기
시작하는데 그중에 잡담을 하면서 나오는 여대생들에게 다가가는 산영.

산영　　안녕하세요. 4학년이시죠?

　　　　　여대생들, '아.. 예' 뭐지? 인사하는데..

산영　　제가 태영이 고등학교 친군데요. 좀 급하게 태영이 만날 일이
　　　　　있어서 왔는데 연락이 안 돼서요. 태영이 만나려면 어디로 가면
　　　　　될까요?
여대생1　어, 근데 태영이 요즘 학교 안 나와요. (여대생2 보며) 너도 연락
　　　　　안 되지?
여대생2　(여대생1 보며) 응. (산영에게) 과대도 연락이 안 된다고 했어요.
산영　　아.. 저기 그럼 태영이 알바하던 데가 있다고 하던데 어딘지
　　　　　아세요?

　　　　　여대생들, 산영에게 핸드폰 맵 보며 카페 위치 얘기해 주는데.
　　　　　멀리서 누군가 그런 산영을 엿보고 있는 시선.

씬/33　D, 카페

카페 직원과 얘기 중인 산영.

직원	이태영 씨요?
산영	예. 제가 태영이 고등학교 친군데..
직원	(불쾌한 표정) 친구면 얘기 좀 전해주세요. 말도 없이 그렇게 갑자기 안 나오는 거 예의가 아니라구요.
산영	..아..예. 그럼 요즘에 연락하고 지내는 분들은 없는 건가요?
직원	연락이 되면 이런 얘기 전해달라고 하겠어요.
산영	저, 그럼 태영이 다니는 학원은 어디예요?
직원	(차가운) 몰라요.

씬/34 D, 카페 밖 거리 일각

한숨 내쉬면서 카페를 나서는 산영.

그때 울리는 핸드폰. 경문이다. 여러 번 부재중 전화가 떠있는데 산영, 보다가 거절 버튼을 누르고 걸어가려는데 앞을 가로막아서는 누군가. 여리여리한 인상의 희곤(20대 중반, 남)이다.

희곤	태영이 친구분이세요?
산영	(반색하는) 이태영 씨 아세요?

희곤, 산영 가만히 보다가 친절하게 미소 지으며

| 희곤 | 예, 잘 알죠. |

화면 가득, 물 안을 자유롭게 노니는 열대어들.

서서히 화면 빠지면 세련되게 꾸며진 대형수조들이 설치된 수족관.

가만히 그런 물고기들을 바라보고 있는 산영.

뒤쪽에서 커피 잔을 들고 다가오는 희곤.

희곤   이쁘죠?

산영   예. 이쁘네요.

희곤, 뒤쪽에 위치한 테이블 위로 커피 잔 내려놓으며

희곤   앉으세요.

산영   (앉으며) 이태영 씨가 여기서 알바를 하셨다구요.

희곤   예, 우리도 많이 걱정했었어요. 갑자기 연락이 끊겨서요. (산영 살펴보며) 그런데.. 태영이 친구 아니죠? 친구를 이태영 씨라고 부르진 않잖아요.

산영   (찔리는 얼굴) 아.. 그게..

희곤   (미소 지으며) 괜찮으니까 얘기해 보세요. 태영이 무슨 일로 찾는 거예요?

산영   ..사실은 예전에 있었던 장진리란 마을에 대해서 알고 싶어서요.

희곤   장진리요? 태영이가 거기 살았대요?

산영   예. 그렇다고 하시더라구요.

희곤   누가 그래요?

산영   태영 씨 큰할아버님이 말씀해 주셨어요.

희곤, 순간 멈칫하다가 씨익 미소 짓는다.

희곤	태영이한테 큰할아버지가 있었어요?
산영	예. 이 근처 사시던데요.
희곤	혹시 그분 연락처나 주소 알 수 있을까요? 태영이 남기고 간 짐이 있어서 안 그래도 어떡하나 했거든요.
산영	아.. 잠시만요.

주머니에서 핸드폰 꺼내는데 그때 울리는 전화. '집주인 아주머님'이다. 산영, 곤란한 듯 보다가 희곤에게 '잠시만요' 양해를 구하고 좀 떨어진 곳으로 이동해서 전화를 받는다.

산영	여보세요.
집주인(소리)	산영아. 이건 아니지 않니. 니네 사정 힘든 거 알긴 아는데 니네 엄마 전화도 안 받고 문자에도 답이 없구 진짜 불쾌하네.
산영	죄송합니다. 제가 다음 달까지는 꼭 보증금 마련해 볼게요. 그때까지만..
집주인(소리)	그 소리만 몇 번째니? 됐구, 이번 달까지 보증금 못 올려주면 그냥 방 내놓을 거야. 그렇게 알아.

뚝 끊기는 전화. 산영, 한숨 내쉬는데 뒤쪽에서 그런 산영을 바라보는 희곤.

희곤	무슨 일 있으세요?
산영	아뇨.

— 시간 경과되면
테이블 위에 있는 메모장에 이씨 할아버지의 연락처와 주소를 적는 산영.

산영	여기예요.

희곤	아, 맞다. 나보다 우리 사장님이 태영이랑 친했는데 뭐라도 더 알고 계시지 않을까요?
산영	(반색하며) 그래요?
희곤	금방 들어오실 거니까 편하게 앉아서 기다리세요.

산영, 다시 테이블에 앉아 한숨 내쉬다가 문득 고개 돌려 수조 안에서 유영하는 물고기들을 바라보는데..

씬/36   D, 광천경찰서 외곽 일각

경찰서 건물 외곽 도로에 세워진 차 안에서 세강대 변사자들 현장 사진에 있는 어항들이 맘에 걸리는 듯 바라보고 있는 문춘.
그때, 문 열리며 운전석으로 들어서는 홍새.

홍새	이태영 씨 소재 알아내기가 힘드네요. 카드, 핸드폰이 다 신용불량자라서 막혔어요. 큰할아버지가 근처에 살아서 할머니랑 통화해 봤는데 거기도 연락이 없었대요.

홍새의 얘기에 문춘, 답답한 얼굴로 생각에 잠기다가 문득 해상의 말을 떠올린다.

— 인서트
— 3부, 20씬. 고시텔 건물 밖에서 얘기를 나누고 있는 해상과 문춘.

해상	한 명이 더 죽을 거예요. 마지막 한 밧줄이 비어있었어요. 또 한 명이 자살할 겁니다.

— 다시 차 안으로 돌아오면

문춘, 자료들을 보다가

문춘   홍새야, 그쪽 한번 파보자. 하이힐 소리, 문 두드리는 소리. 사건
당일 씨씨티브이는 일선서에서 조사해 봤다니까 됐고, 그 전
씨씨티브이 한번 찾아보자구.

홍새   영장도 없는데요?

문춘   우리가 언제 영장 가지고 수사했냐. 잘 얘기해서 협조 구하는 거지.

씬/37   D, 광천시청 건물 외경

씬/38   D, 도시개발과 사무실

직원이 보여주는 보호수 리스트를 확인 중인 해상.

직원   신도시 들어설 때 보호수로 지정된 나무들은 그게 다예요.

보호수 리스트에는 당산나무로 쓰였던 느티나무와 수령이 오래된
은행나무 등이 있지만 소나무는 보이지 않는다.

해상   장진리 쪽에 소나무 숲이 있었다고 들었는데요. 그 숲에 있던
나무들은 어떻게 됐죠?

해상, 이씨 할아버지네서 가지고 온 사진을 보여주며

해상　　이 소나무들입니다.

직원　　(사진 보며) 아마 벌채업자들이 처리했을 것 같은데요. 당시
　　　　벌채업자들 연락처를 드려볼 테니까 그쪽에 한번 알아보세요.

씬/39　D, 공장 건물 일각

건물 밖 주차장에서 벌채업자와 얘기를 나누고 있는 해상.

벌채업자　장진리 쪽은 우리가 안 했어요.

해상　　그럼 다른 업체가 진행하신 건가요?

벌채업자　산림 조합 쪽일 것 같긴 한데.. 그런데 소나무면 아마 폐기처분
　　　　됐을 거예요.

　　　— 시간 경과되면

주차된 차에 올라타는 해상. 답답한 얼굴로 소나무 숲 사진을 꺼내서
바라본다.

해상(소리)　분명히 어딘가 남아있어.. 어디지..?

사진을 바라보다가 조수석에 사진을 내려놓고 차를 출발시키는 해상.
조수석에 놓인 사진 속 덕달이 나무, 미세하게 가지가 휘기 시작한다.

씬/40　D, 수족관

문 열리면서 들어서는 30대 후반으로 보이는 사장.

테이블에 앉아있던 산영과 책상에서 업무를 보던 희곤. 함께 일어선다.

희곤   오셨어요. (사장에게 다가가며) 이분이 제가 말씀드린 구산영
씹니다.

사장, 사람 좋은 미소로 목례하는 산영에게 다가와 테이블 맞은편에 앉으며

사장   반가워요. 앉으세요.

산영   (마음이 급한) 이태영 씨를 찾고 있는데요. 혹시 어디 있을지
짐작 가는 곳 없으세요?

사장   (희곤과 시선 마주치며) 그게 안 그래도 연락받고 오면서
알아봤는데 아무 데도 안 왔다는데요.

산영, 실망하는 기색이 역력한데..
희곤, 그런 산영 보다가 옆에 와서 앉으며

희곤   사실은 태영이도 태영인데 다른 일 때문에 사장님 한번 뵙고
가라고 한 거예요.

산영   예?

희곤   우리 사장님이 되게 좋으신 분이세요. 주변에 사정이 딱한
대학생들을 선의로 돕고 계시거든요. 아까 보니까 급하게 돈이
필요한 것 같던데, 한번 상의 해보세요.

갑작스런 제안에 산영, 어안이 벙벙해서 사장과 희곤을 번갈아 가며 본다.

사장   그래요. 얘기해 봐요. 얼마 필요해요?

산영   아뇨.. 그게.. 아무리 그래도 초면에 그럴 순 없죠.

사장	나도 젊었을 때 고생 많이 해봐서 그 맘 알아요. 걱정 말고 털어놔 봐요. 내가 빌려줄게요.

산영, 여전히 사장을 보다가 망설이는데.. 울리는 문자음. 경문이다.
'나 경찰서 다녀왔다', '연락 줘' 경찰서란 말에 눈 커지는 산영.

산영	(자기도 모르게 혼잣말로) 또 무슨 사고를 친 거야.. (일어서며) 죄송합니다. 제가 급한 일이 생겨서요. 마음만으로도 정말 감사합니다. 그리고 혹시라도 태영 씨 보게 되면 꼭 연락 좀 부탁드릴게요.

사장, 산영이 급하게 일어서자 같이 일어서며

사장	잠시만요. 그래도 이것도 인연인데 빈손으로 가게 할 순 없죠.

수족관 한쪽에 진열된 물고기 한 마리가 들어있는 작은 어항을 산영에게 안기는 사장.

산영	아뇨. 괜찮아요.
사장	기운 내라고 주는 선물입니다. 젊음이 재산이에요. 기운 내시고 내가 필요하면 언제든 찾아와요.

산영, 머뭇거리다가 호의를 무시할 수 없는 듯

산영	감사합니다.

인사를 하고 어항을 들고 수족관을 나서는 산영.

씬/41 D, 남석훈의 원룸텔 사무실

좁은 사무실 책상에 놓인 컴퓨터로 현관 씨씨티브이를 빠르게 확인하고 있는 홍새. 문춘과 통화 중이다.

홍새   남석훈이 살던 원룸텔 씨씨티브이 확인 중인데요. 아직은 뭐 수상한 게 없네요. 홍미영 쪽은 어때요?

씬/42 D, 홍미영의 고시텔 총무실

전 씬과 비슷한 분위기의 총무실에서 역시 씨씨티브이를 빠르게 돌려보고 있는 문춘.

문춘   아우, 눈 침침해 죽겠네. 여기도 아직이야.

그때, 전화기 너머에서 홍새의 '어' 멈칫하는 소리.

문춘   왜?

홍새(소리) 하이힐을 신은 여자예요.

씬/43 D, 남석훈의 원룸텔 사무실

밤이라 흐릿하게 보이는 씨씨티브이 화면을 일시 정지시키고 보고 있는 홍새. 밤 10시 55분. 정문을 통과하고 있는 여자. 긴 검은 머리, 독특한 무늬가 눈에 띄는 상의에 붉은 하이힐. 얼굴엔 검은 선글라스.

홍새	긴 머리에 흰색 상의, 빨간 하이힐을 신었어요. 밤 열시 오십구분에 현관을 통과했습니다.

씬/44   D, 홍미영의 고시텔 총무실

홍새의 말을 듣던 문춘, 보고 있던 씨씨티브이 화면을 빠르게 돌려 밤 10시 50분 즈음에 맞추는데 58분쯤에 고시텔 현관을 통과하고 있는 붉은 하이힐. 씨씨티브이 각도는 다르지만 똑같은 머리에 똑같은 흰색 상의에 검은 치마다.

뭐지? 화면을 바라보고 있는데 문 열리면서 음료수 쟁반에 담아서 들어서는 총무.

총무	이것 좀 드시면서 하세요.
문춘	아이고 감사합니다. 아, 오신 김에 이 화면 좀 봐주실래요?

일시 정지된 화면을 바라보는 총무.

문춘	여기 사는 사람입니까?
총무	아뇨. 여기 사는 사람은 아닌데.. 어디서 봤지? 어디서 봤는데.. (생각하다가) 아! 얘, 미영이 친구네.
문춘	홍미영 씨 친구요? 이름은요?
총무	이름이.. 그게.. 무슨 태자가 들어갔는데..
문춘	..이태영이요?
총무	맞아요. 그 이름이었어요.

문춘, 뭐지? 수상한 눈빛으로 화면 안의 여자를 바라본다.

골목에 위치한 편의점에서 문춘, 걸어 나오는데.. 저 앞쪽에서 다가와 멈춰
서는 홍새의 차.
홍새, 내려서 문춘에게 다가가며

홍새   남석훈 원룸텔 씨씨티브이를 싹 다 조사해 봤는데 두 달
        전부터 매주 월요일 같은 시간에 고시텔을 찾아왔습니다. 건물
        내부에는 씨씨티브이가 없어서 확인을 못 했지만, 남석훈을
        찾아왔던 게 분명해요.

문춘   이쪽도 마찬가지야. 매주 토요일에 홍미영을 찾아왔었어.

홍새   이태영이 죽은 애들과 친구 사이였으니 찾아올 수도 있지만,
        매주 같은 요일, 같은 시간에 같은 옷을 입고 찾아온 건 이상하지
        않아요?

문춘   그것보다 더 이상한 게 있어.

문춘, 편의점 앞 삼거리에서 한쪽 골목을 가리킨다.

문춘   저 골목으로 들어가면 홍미영이 살던 고시텔까지 외길이야.
        그러니까 고시텔에서 나온 사람은 무조건 이 편의점 앞을
        지나가야 한다는 거지.

홍새   그래서요?

문춘   이태영의 동선을 확인해 보려고 편의점 씨씨티브이를 확인해
        봤는데.. 없어.

홍새   예?

문춘   이태영이 온 날 그 시간 이후 씨씨티브이를 확인해 봤는데, 그
        여자가 나온 모습이 찍히지 않았다구. 꼭 땅으로 꺼진 것처럼..

홍새   ..무슨 말씀이세요? 그럼 그 여자가 귀신이라도 된다는 거예요?

씬/46   D, 산림 조합 사무실

산림 조합 직원과 얘기를 나누고 있는 해상.
직원, 프린트된 서류철을 해상에게 건네주며

직원   2010년 기록인데, 그때 장진리 소나무 숲 나무들은 모두 폐기
처분됐습니다.

해상   (서류 확인하며) 한 그루도 빠짐없이 다 폐기된 건가요?

직원   예. 저도 그때 작업에 참여했었어요. 확실합니다.

씬/47   D, 산림 조합 건물 외곽

갑갑한 얼굴로 걸어 나오는 해상. 차에 올라탄다.
시동을 걸고 잠시 조수석에 놓은 나무 사진을 힐긋 본 뒤 차를
출발시키는데, 순간 놀라서 핸들을 놓친 듯 가드레일을 박을 뻔하다가
끼이익 아슬아슬하게 급정거하는 차.
놀란 얼굴의 해상, 믿기지 않는 눈빛으로 조수석에 놓인 사진을 들어
확인한다. 사진 속 덕달이 나무 가지가 휘어져 있고 그 아래 누군가 목을
맨 듯 검은 형상이 매달려 있다.

해상(소리)   사진이.. 변했어.. 나무는 사라졌지만.. 사진 안에 귀신이
남아있었어..

충격에 휩싸여서 사진을 내려다보는 해상.

씬/48   D, 대폿집

반주 한잔을 하고 있는 이씨 할아버지, 해상과 통화 중이다.

이씨 할아버지   사진? 그 나무 사진 말하는 거야?

씬/49   D, 산림 조합 건물 외곽

차를 세워놓고 옆에 서서 전화를 하고 있는 해상.

해상   예. 이 사진이 한 장뿐인가요?
이씨 할아버지(소리) 동생네 집 철거하기 전에 기념으로 찍은 거니까 동생네도
                 갖고 있을 거야.
해상   ...그럼 이태영 씨도 똑같은 사진을 갖고 있을 수 있겠네요.
이씨 할아버지(소리) 그렇겠지.

해상, 눈빛 흔들린다.

씬/50   D, 또 다른 편의점 안

점주와 함께 편의점 씨씨티브이를 확인 중인 홍새와 문춘.
몇 명의 행인이 띄엄띄엄 지나가고 있는데 그사이 모자를 쓰고 큰

가방을 멘 희곤의 모습도 얼핏 보일 뿐, 붉은 하이힐은 보이지 않는다. 씨씨티브이 확인하다가 문춘 돌아보는 홍새.

홍새   이 편의점에도 찍히지 않았는데요. 뭐지.. 날개라도 달렸나.

그때 울리는 문춘의 핸드폰. 해상이다.

문춘   여보세요.
해상(소리)   이태영 씨, 찾았어요?
문춘   아직이야.
해상(소리)   빨리 찾아야 해요. 이태영 씨가 위험합니다.

씬/51   D, 해상의 차 안

운전을 하면서 통화 중인 해상.

해상   밧줄 얘기 기억나요? 한 명이 더 죽을 거라고.. 그 여자가 귀신이 깃든 사진을 가지고 있었어요. 빨리 찾지 않으면 그 여자도 죽을 겁니다.

씬/52   D, 또 다른 편의점 안

문춘, 답답한 얼굴로 핸드폰 너머에서 들려오는 해상의 소리를 듣고 있다.

해상(소리)   전 이태영 씨 원룸텔에 한 번 더 가볼게요. 형사님도 찾으면 연락주세요.

문춘 근데 진짜 염 교수 내 말 안 듣네. 여기서 손 떼라고 했어, 안 했..

해상(소리) (말 자르듯) 찾으면 바로 연락주세요! 꼭 입니다.

뚝 끊기는 전화.

문춘 아 맨날 지 할 말만 하고.. 말은 드럽게 안 들어 처먹고.. 돈이
많아 그런가..

문춘, 핸드폰 주머니에 넣다가.. 생각난 듯

문춘 아까 이태영 큰할아버지가 근처 산다고 했지? 다시 한번
연락드려봐.

홍새 통화했다니까요.

문춘 (괜히 홍새에게) 통화하는 거랑 직접 뵙는 거랑 같애? 아 진짜
하나부터 열까지 가르쳐야 돼요.

홍새 여기까지 누구 때문에 왔는데요. 변사자들 기록부터
씨씨티브이까지 수사 방향 제가 다 정했구만. 그런데 뭘 가르쳐요.

문춘 알았으니까 빨리 연락드려보라고.

씬/53 D, 해상의 차 안

국도를 달리는 해상의 차. 저 앞 사거리 신호가 빨간색으로 변한다. 차를
멈추는 해상. 태영의 행방이 오리무중이라 답답한 얼굴로 생각에 잠겨
차창 밖을 바라보는데.. 시야에 들어오는 '세강대학교' 정문.
오가는 세강대 학생들이 보이는데 그중에 함께 학과 후드티를 입고

지나치고 있는 일련의 무리. 가슴에 크게 새겨진 영문자 'S'가 해상의 시선에 들어오는데..

갸웃하던 해상, 뭔가가 기억나는 듯 멈칫한다.

— 인서트

— 30씬, 농가 주택 거실.

이씨 할아버지와 해상 얘기를 시작하는데 돌아서서 거실 창문 쪽에 넣어놓은 빨랫감을 정리하기 시작하는 할머니. 할머니가 개고 있던 똑같은 'S'자가 가슴에 새겨진 학과 후드티.

— 다시 해상의 차 안으로 돌아오면

해상   ..세강대.. 이태영..

— 인서트

— 30씬, 농가 주택.

이씨 할아버지   (할머니에게) 인사드려. 내가 얘기했던 그분이야. 태영이 찾아오신 교수님.

순간, 보일 듯 말 듯 쟁반을 내려놓던 눈빛 흔들리는 할머니.

— 다시 해상의 차 안으로 돌아오면

해상   설마..

잠시 생각하던 해상, 이씨 할아버지의 집 쪽으로 차를 유턴시킨다.

'쾅' 문 열리면서 헉헉거리며 들어서는 산영.

거실에서 신경질적인 눈빛으로 서성이고 있던 경문. 불안한 시선으로
산영을 바라본다.

산영, 식탁 위에 가지고 온 어항 내려놓으며

산영 뭐야? 경찰서엔 왜 갔다 온 건데? 또 무슨 사고를 친 건데?

경문, 그런 산영을 불안한 듯 바라보다가

경문 너 왜 얘기 안 했어..
산영 ..뭘?
경문 할머니 돌아가신 거 왜 얘기 안 했냐구..

산영, 순간 말문이 막혀서 경문을 본다.

경문 아까 낮에 형사가 전화가 왔었어.

― 인서트
― 낮, 시체안치실. 불안한 눈빛의 경문에게 흰 천을 걷어 숨진 석란의
얼굴을 보여주는 형사1.

형사1 시어머님이셨던 김석란씨가 맞습니까?
경문 ..예.. 맞아요.

― 다시 산영의 집 거실로 돌아오면

산영에게 다그치듯 몰아치는 경문.

경문   할머니 돌아가셨을 때 니가 그 집에 있었다면서.. 거기 니가 왜
        있었냐구?

산영   (말문이 막혀 당황하는) 그게..

경문   할머니랑 무슨 일 있었던 거야? 요즘 너 이상하다 했는데.. 그것
        때문이었어? 집에도 잘 안 들어오고 내 연락도 피하고.. 정말
        무슨 일 있었던 거야?

불안한 듯 다그치는 경문을 바라보며 흔들리는 산영의 눈빛.

— 인서트

— 밤, 화원재 본채. 공포에 질린 채, 바들바들 떨리는 손으로 매듭을 매고
    있는 석란.

— 다시 산영의 집, 거실로 돌아오면 그때 기억이 떠오르는 듯 눈빛 떨려오는
    산영.

경문   얘기해 봐!

산영   아니.. 아무 일 없었어..

경문   ..정말이지?

산영   ..아무 일 없었어.. 그냥 인사드리러 갔던 거야..

경문   그래 그럼 됐다..

경문, 떨리는 눈빛으로 안도의 한숨 내쉬다가..

경문   그런데.. 너 알고 있었어? 형사님이 그러는데 할머니가 너한테

유산을 남겼대.

산영, 놀라서 말도 못 하고 멍하니 경문을 바라보는데..

경문	우리 그거 받자.
산영	뭐?
경문	그 유산 받자구.

순간, 어디선가 들려오는 악귀의 목소리.

악귀(소리) 받아.

'쾅' 놀라서 일어서는 산영. 두려운 눈빛으로 뒤로 물러서며

산영	안 돼..
경문	나도 받기 싫어. 그 집안이랑 연결되는 거 싫다구. 근데 어쩔 거야. 보증금 줘야 하잖아. 그냥 길바닥에 나앉을 거야?

산영, 또다시 그 목소리가 들려올지 두렵기만 하다. 새파랗게 질려서 뒤로 물러서다가..

산영	싫어.. 안 받아..

뒤돌아서 집을 뛰쳐나가는 산영. 경문, 놀라서 바라보고..

씬/55   N, 골목 일각/대로변

집을 뛰쳐나와 겁에 질려 정신없이 뛰어가는 산영. 대로변에 도착해서야
잠시 멈춰 서서 숨을 고른다.
천천히 고개 들어 주변을 바라보는 산영. 눈부신 자동차의 헤드라이트
불빛들. 화려하게 반짝이는 네온사인들. 바쁘게 오가는 사람들 사이에
서서 어디로 가야 할지 겁나고 막막한 눈빛으로 주변을 바라보다가..
결심이 선 듯 돌아서서 멀어지기 시작한다.

씬/56   N, 대폿집 밖/대폿집 안

대폿집을 향해 걸어오고 있는 할머니. 불만 가득한 얼굴로 대폿집 문을
열면서

할머니   뭐가 그렇게 급하다구 바쁜 사람을 오라 가라 해요.

할머니, 안으로 들어서다가 멈칫한다.
이씨 할아버지, 그 옆에는 문춘과 홍새가 앉아있다.

할머니   (문춘과 홍새를 경계하는 표정이 역력한) 누구..세요?
이씨 할아버지 여 와서 일단 앉아봐.
할머니   (겁먹은 표정으로 와서 앉는데)
이씨 할아버지 태영이가 실종됐다는 게 무슨 소리야? 알고 있었어?
할머니   (낯빛 굳는)
이씨 할아버지 아까 낮에 저 젊은 형사 양반이랑 통화했을 때, 놀라지도
          않았다며? 알고 있던 거냐구?

할머니	...(겁먹은 얼굴로 시선을 외면한다)
이씨 할아버지	어쩐지 이상하다 했어. 주말마다 맨날 와서 밥 먹고 가고 그랬는데. 요즘 바빠서 못 온다고 그랬잖아. 나한테 거짓말한 거야?
할머니	...
이씨 할아버지	아, 얘기 좀 해봐. 태영이한테 진짜 무슨 일이라도 생겼어?

대답도 못 하고 벌벌 떠는 할머니의 태도에서 이상함을 느낀 문춘과 홍새.

문춘	(친절한 말투로) 할머니. 혹시 이태영 씨가 지금 어딨는지 알고 계시는 거예요?
할머니	난 몰라요. 진짜 아무것도 몰라요.
홍새	이태영 씨랑 친했던 친구분들한테 안 좋은 일이 생겼어요. 왜 그런 일이 생겼는지 이태영 씨한테 묻고 싶어서 찾는 거예요.
할머니	모른다니까요.
문춘	(보다가) 이태영 씨도 위험할 수 있습니다.

할머니, 화들짝 놀라며

할머니	설마.. 그 사람들 얘기예요?
홍새	네? 그게 무슨 말씀이세요?
할머니	다 그 사람들 때문이에요. 태영이는 무서워서.. 너무 무서워서 숨은 거라구요.

씬/57 N, 수족관 앞

건물로 다가서는 산영. 불 켜진 수족관을 바라보다가 잠시 망설인다.
한숨을 내쉬며 다시 마음을 다잡는 산영. 결심한 듯 문을 열고 들어간다.

씬/58 N, 수족관 안

산영, 안으로 들어서는데 아무도 보이지 않는 수족관.

산영   계세요?

주변을 두리번거리면서 들어가는데 저 앞쪽으로 작은 사무실 문이
열려있다.
책상과 의자, 금고. 책상 위에는 여러 서류들이 널부러져 있고..
산영, 다가가서 열린 문을 노크한 뒤

산영   사장님. 아까 인사드린 구산영이라고 합니다.

조심스레 사무실 안으로 들어서는데 사무실 안도 텅 비어있다. 산영, 다시
나오려는데 바닥에 떨어져 있는 서류 한 장을 밟는다. 다급히 들어 올려
밟은 흔적을 지우려 털어내다가 멈칫.
앳된 대학생의 사진이 붙어있는 서류. '이수민'이란 이름. 세강대 OO학과
채무금액 100만 원. 선이자 10프로 실수령액 90만 원. 이자 30프로.
1차 변제 기간 중 미납. 채무 금액 130만 원. 2차 변제 기간 미납. 채무
금액 169만 원. 3차 변제 기간 미납. 채무 금액 219만 7천 원. 서류를
놀라서 바라보던 산영. 책상 위의 다른 서류들을 살펴본다.

'김재홍' 세강대 OO학과. 주민등록 사본, 세강대 학생증. 재학증명서 등과 채무 금액. 젊은 채무자들의 서류들을 살펴보는데 얼핏 지나가는 '홍미영', '남석훈' 사진이 붙은 서류들.

씬/59 N, 대폿집

문춘과 홍새, 할머니의 얘기를 굳은 눈빛으로 듣고 있다.

홍새　　..돈을 꿨는데 이자가 눈덩이처럼 불어났다구요.

문춘　　불법 대부업이군요..

씬/60 몽타주

― 낮, 어두운 얼굴로 걸어가다가 '급전' 스티커를 보는 태영.

― 낮, 수족관 산영에게 했듯 친절한 모습으로 얘기를 하는 사장과 희곤 앞에 앉아있는 태영. 채무계약서에 지장을 찍는다. 친절하게 어항 선물하는 희곤.

문춘(소리)　모르는 사람들은 왜 저런 돈을 써. 왜 이렇게 어리석어 할 수도 있지만 살다 보면 언제나 변수가 생겨요. 가족이 아플 수도 있고, 사고가 날 수도 있고. 그런 변수를 감당할 수 없을 만큼 어리거나 힘든 사람들이 어쩔 수 없이 기대는 게 불법 대부업이에요.

― 낮, 수족관. '죄송합니다. 다음 달엔 꼭 갚을게요' 미안하다고 사과를 하고 있는 태영. 맞은편에서 사람 좋은 미소로 '살다 보면 그럴 수 있죠. 그런데

다른 방법이 하나 있긴 한데..' 하며 핸드폰 개통 서류를 내민다.

— 낮, 태영의 고시원 현관, 우편함. 우편함에서 핸드폰 고지서를 보고 울상이
　　되는 태영. 소액 결제란에 150만 원이 찍혀있다.
— 낮, 카페. 알바 중인 태영. 어딘가가 신경 쓰이는 듯 바라보면 테이블에
　　앉아 태영을 감시하듯 앉아있는 희곤.
— 낮, 은행 ATM기기 앞의 태영. 입금된 알바 월급을 뽑고 있다. 그 뒤에 서
　　있는 희곤. 체념한 듯 지친 얼굴로 뽑은 돈을 희곤에게 건네는 태영.
— 밤, 수족관. 울면서 사장과 희곤에게 사정을 하고 있는 태영. 어느새 거친
　　태도로 태영을 위협하고 있는 사장과 희곤.

문춘(소리)　처음엔 몇십만 원 정도로 시작했을 수도 있죠. 알바해서 빨리
　　　　　　갚아버리자고 생각했겠지만 그 다음 달에도 그 다음 달에도 또
　　　　　　변수가 생겨요. 그 돈을 갚기 위해 또다시 돈을 꾸고 꾸다 보면
　　　　　　몇십만 원이었던 돈이 감당할 수 없을 만큼 불어나 있죠.

씬/61　N, 수족관 안/사무실

굳은 눈빛으로 서류들을 살펴보다가 발견하는 사진. '이태영'이다.
고시원 계약서. 핸드폰 명의 개통 서류, 마이너스 통장 서류들을 충격에
휩싸여 바라보는 산영. 500만 원이었던 채무 금액이 어느새 삼천만
원이 넘어있다. 서류들을 바라보던 산영. 다급히 사무실에서 나오면서
가방 안을 뒤지기 시작한다. 홍새의 명함을 발견하고 꺼내려다가 떨리는
손길에 가방 안에 있던 손거울이 바닥에 떨어진다. 바닥에 떨어진
손거울을 바라보다가 이게 뭐지? 멈칫한다. 손거울에 비춰진 천장에 검은
나뭇가지가 길게 드리워져 있다.
맨눈으로 천장을 바라보면 아무것도 보이지 않는다. 순간 불안해지는

산영. 손거울을 들어서 주변을 둘러보다가 놀라서 숨을 들이쉰다. 거울에 비춰진 수족관 안의 풍경. 대형 수족관에서 뻗어 나온, 16씬의 사방으로 기괴하게 뻗은 가지들에 세 명의 시신이 걸려있다. 떨리는 눈빛으로 그 광경을 바라보고 있는데 들려오는 목소리.

사장(소리) 언제 왔어?

산영, 놀라서 뒤돌아보면, 어느새 산영의 바로 뒤쪽에 서 있는 친절한 미소의 사장이다. 불안한, 경계하는 눈빛으로 사장을 바라보는 산영.

사장 (커피 머신으로 다가가며 미소 지으며) 앉아. 커피 한잔 내려줄게.

산영 ..아뇨. 이만 가볼게요.

산영, 문을 향해 걸어가는데 뒤에서 들려오는 목소리.

사장 너. 봤구나?

멈칫 뒤돌아보면 차가운 눈빛으로 산영을 바라보는 사장.

사장 왜? 도망가서 경찰한테 신고하게?

산영, 뒤돌아 빠른 걸음으로 문으로 다가가 문을 열려는데 문이 열리지 않는다. 뭐지? 당황해서 계속 문을 열어보지만 굳게 닫힌 문. 사장, 비웃듯이 산영을 바라보다가 주머니 안에 있던 열쇠를 들어올린다. 산영, 그 모습에 핸드폰 꺼내서 긴급전화를 누르려는데 다가와서 산영의 손목을 거칠게 잡아채는 사장. 아픔에 핸드폰을 떨어뜨리는 산영.

'이거 놔' 있는 힘껏 반항하는데 산영을 거칠게 밀쳐버리는 사장. 바닥에
쓰러지는 산영.

사장   살아서 나가려면 고분고분 말 들어.

사장, 여유 있게 책상에 앉으며 채무계약서를 꺼내 든다.

사장   여기에 싸인만 하면 돈 생겨. 너 돈 필요하잖아. 너한텐 고마운
       일이 있으니까 특별히 이자는 깎아줄게.

산영, 떨리는 눈빛으로 무슨 말이지? 사장을 바라보는데..

사장   이태영 그 기집애. 돈도 안 갚고 날랐거든. 그 약삭빠른 게
       친척이 있는 걸 우리한테 숨겼는데 니 덕분에 알게 됐잖아.

산영, 낯빛 변하며..

산영   할아버지 주소..

산영, 눈빛 흔들리다가 맘이 급한 듯 닫힌 문을 향해 시선을 돌리는데..

씬/62   N, 농로 일각

가로등 불빛 하나 없는 어두운 농로로 헤드라이트 불빛에만 의존해서
다가오는 해상의 차. 한 켠에 차를 세우고 내려서는데 밤안개로 주변이
스산하기만 하다. 천천히 이씨 할아버지네로 향하려는데 울리는 전화.

산영이다.

해상　　여보세요.

산영(소리)　(겁에 질려 다급한) 자살귀 나무요. 그걸 봤어요. 불법으로 돈 빌려주는 데였어요.

해상　　어디예요? 산영 씨 괜찮아요?

산영(소리)　겨우 도망쳐 나왔는데, 이태영 씨 할아버지가 위험해요. 거기로 빨리 가봐야 돼요.

그때 어둠 저 너머 어디선가 들려오는 하이힐 소리.
뭐지? 돌아보는 해상. 사방이 뚫려있는 농로. 어디서 들려오는지 분간이 되지 않는다.

해상　　(핸드폰에) 다시 연락할게요.

전화를 끊고 가만히 주변을 둘러보는데 뚝 끊기는 하이힐 소리.
긴장한 눈빛으로 다시 이씨 할아버지네로 향한다.

씬/63　　N, 농가 주택 마당

밤안개를 뚫고 농가 주택으로 다가가고 있는 해상.
모두 외출한 듯 어둠에 휩싸인 농가 주택. 해상, 다가가 '계세요' 외치려다가 뭔가를 보고 놀란다. 열려있는 문 너머로 이것저것 집기들이 부서진 채 마구 어질러져 있는 거실이다. 놀라서 열린 문 안으로 뛰어드는 해상.

씬/64   N, 농가 주택 거실

누군가가 난동을 부린 듯한 거실을 놀라서 바라보는 해상.

해상   (다급히 주변을 두리번거리며) 할아버지! 괜찮으세요?

불을 켜보려고 하지만 두꺼비집이 내려간 듯 불이 켜지지 않는 거실.
핸드폰 불빛을 거실 내부에 비추다가 멈칫. 바닥 곳곳에 남아있는 하이힐
발자국이다. 이 방 저 방을 뒤진 듯한 하이힐 발자국을 쫓아가다 보면
거실 한 켠에 뒷문으로 연결되는 좁은 복도와 마주하는데..
순간 저 멀리에서 들려오는 문 두드리는 소리.
놀라서 멈춰 서는 해상. 점점 커져 오는 문 두드리는 소리.

— 인서트
— 전 씬의 해상의 모습에서 서서히 과거, 민박집 복도에 서 있던 어린
  해상의 모습으로 오버랩되는 화면. 현재와 똑같이 '쿵쿵쿵' 들려오는 문
  두드리는 소리.
  어린 해상, '엄마?' 부르며 복도 끝 외부로 통하는 허름한 나무 문 쪽으로
  다가가 문을 열려고 하는데.. 그 위로 들려오는 현재 해상의 목소리.

해상(소리)   안 돼..

— 다시 현재 이씨 할아버지의 농가 주택으로 돌아오면
  과거가 떠오르는 듯 눈빛이 떨려오는 해상. 점점 문 두드리는 소리가
  커져 온다.

씬/65   N, 국도 일각

홍새의 차를 타고 문춘과 함께 집으로 향하고 있는 이씨 할아버지와 할머니.

문춘   태영 씨가 집 창고에 숨어있다는 거죠?
할머니   (체념한 듯 고개 끄덕인다)
문춘   안심하세요. 태영 씨, 괜찮을 겁니다.

문춘, 고개 돌려 다시 앞을 바라보는데..

홍새   그런데요. 그 씨씨티브이에 찍힌 여자는 태영 씨가 아니라면
누구죠?

그런 홍새의 모습 위로 들려오는 문 두드리는 소리.

씬/66   N, 농가 주택 안/뒷마당

뒷문 쪽에서 들려오는 문 두드리는 소리를 듣던 해상. 두려움을 이기고
뚜벅뚜벅 걸어가 문을 열어 젖히는데.. 순간, '쾅' 소리가 들리면서 문
두드리는 소리가 뚝 끊긴다.
해상, 불안감에 뒷문을 통해서 나오는데 뒷마당에 있는 창고 건물의 문이
부서져 있고, 안에서 태영의 '아악' 비명 소리가 들려온다.
놀라서 바라보는 해상.

어두운 창고 안, '쾅' 소리와 함께 누군가에게 맞은 듯 입가에 피를 흘리며
바닥에 쓰러지는 태영. 겁에 질려 울먹이는 태영에게 다가가는 하이힐.
선글라스를 벗으면 드러나는 얼굴, 희곤이다.

태영   잘못했어요. 제발 저 좀 살려주세요.
희곤   이게 감히 돈도 안 갚고 날라? 내가 너 찾겠다구 얼마나 개고생
        했는 줄 알아?!

다시 한번 때리려는 듯 희곤, 손을 치켜드는데 뒤쪽에서 들려오는 목소리.

해상(소리)   고리대금?

뒤를 돌아보는 희곤. 창고 문으로 들어서는 해상이다.

해상   뿌리 깊은 역사를 가진 인간말종이시네요.
희곤   (비릿하게 웃으며) 아저씨, 누구야. 얘, 친척이야?
해상   (핸드폰으로 112 누르며) 아뇨. 신고 정신이 투철한 시민입니다.

희곤, 창고 안에 놓인 곡괭이를 들며

희곤   얘 대신 삼천 갚아줄 거 아니면 꺼져.
해상   돈 많으면 치세요.

희곤, 어이없어 보다가 문 쪽에서 들려오는 인기척에 뒤로 주춤. 창고
문으로 들어서고 있는 홍새와 문춘, 이씨 할아버지와 할머니다.

태영, 할아버지와 할머니를 보자 울음이 터지면서 그쪽으로 뛰어가
할머니에게 안기고.. 이씨 할아버지, 놀라서 '이게 무슨 일이야..'

홍새   (희곤 보며) 와.. 씨씨티브이 피하겠다고 저렇게까지 변장을 한
거예요?

문춘   노력은 가상하지. (할머니에게 안겨 우는 태영을 향해)
괜찮으세요? 아이구.. 피가.. 많이 다치셨네.

해상   (희곤 가리키며) 저분이 그랬습니다.

홍새, 상황을 보다가 앞으로 나서서 신분증 보여주며

홍새   서울청, 강력범죄수사대에서 나왔습니다.

희곤, 놀라서 낯빛 변하며 뒤로 물러서려는데
홍새, 능숙하게 그런 희곤을 제압해 수갑을 채우며

홍새   재물손괴 및 폭행 등의 혐의로 현행범으로 체포합니다.
변호사를 선임할 수 있고, 변명할 게 있으면 그때 하시면
됩니다.

씬/68   N, 농로 일각

농로로 숨이 가쁘게 뛰어오는 산영. 농로 한 켠에 세워진 경찰차를 보고
놀라서 멈춰 선다. 이씨 할아버지네 집 쪽에서 체포된 채 홍새와 문춘에게
끌려와 경찰차에 태워지는 희곤을 보자 안도한 듯 숨을 고르고 이씨
할아버지네 집 쪽을 바라본다.

앞마당으로 들어서는 산영. 마당 한 켠에 서서 어딘가를 바라보고 있는 해상과 마주친다.

해상　괜찮아요?

산영　여기는요? 다친 사람 없어요?

그때, 들려오는 태영의 울음소리. 보면 거실 툇마루에 앉아 할머니에게 안겨서 울고 있는 태영이다. 이씨 할아버지, 착잡한 듯 좀 떨어진 곳에 앉아있고..

태영　내 친구들.. 걔네들이 자살했대요. 다 나 때문이에요. 돈 없는 친구들 데려오라고 겁을 줘서..

엉엉 울고 있는 태영을 보던 산영.

산영　이태영 씬가요?

해상　맞아요.

산영, 말릴 틈도 없이 태영에게 다가가 시선 맞추며

산영　이태영 씨..

주머니에서 핸드폰 꺼내 구강모 교수의 사진을 보여주는 산영.

산영　이태영 씨. 이분 알아보겠어요? 이분이 할아버지를 찾아왔다고 했어요. 태영 씨 어릴 때요.

태영, 정신이 없다. 울먹이며 제대로 보지도 않고

태영　몰라요..

산영　많이 힘든 거 알아요. 그런데.. 미안하지만 한 번만 더 봐주세요. 기억이 정말 안 나요?

태영, 그저 눈물만 흘리는데..
해상, 안타깝게 보다가 산영을 끌어당기는

해상　그만해요. 좀 진정이 되면 그때 물어봅시다. 내일 쯤이면..

산영　난 시간이 없어요. (불안하고 초조한) 내가 내가 아닌 것 같아요. 아까도 어떻게 거기서 도망쳤는지 모르겠어요.

해상　(보다가) 돌아가서 좀 쉬어요. 이태영 씨 조금이라도 진정되면 연락할게요.

산영, 답답하고 힘든 눈빛으로 해상을 보다가 다시 태영을 보는데.. 여전히 서럽게 울고 있는 태영. 산영 역시 더 물어봐 봤자 답이 나오지 않는다는 걸 안다. 어두운 얼굴로 돌아서는 산영.
돌아서서 멀어지는 산영의 뒷모습에 검은 기운이 더욱 짙어져 있다.

씬/70　N, 산영의 집 거실

힘없이 들어서는 산영. 불도 켠 채 소파에 누워서 핸드폰을 잡고 잠들어 있는 경문.

산영, 한숨을 내쉬고 이불을 가지고 와서 경문을 덮어준다.

거실, 식탁 위에 놓여진 작은 어항 안의 물고기를 비추는 화면.

씬/71   N, 농가 주택 거실

어지러워진 거실을 정리하고 있는 해상.

이씨 할아버지, 방에서 나오다가 놀라서 달려와 말리는

이씨 할아버지   안 이래도 돼요.. 우리 태영이 구해준 것만 해도 고마워

죽겠는데..

해상   태영 씨는요? 좀 진정이 됐나요?

이씨 할아버지   마누라가 재우고 있어요. 아.. 그리고 그 나무 사진이요.

해상   뭐라고 해요? 지금 갖고 있대요? 갖고 있다면 그 사진도

없애야 합니다.

이씨 할아버지   벌써 찢어버렸대요.

해상, 의아한 눈빛으로 바라보는데..

씬/72   D, 과거, 수족관 안/태영의 진술

울먹이면서 앉아있는 태영. 사장과 희곤 앞에 앉아서

사장   몇 번을 얘기하냐. 운다고 해결될 문제가 아냐. 좋은 말로 할 때

대신 돈 갚아줄 사람이나 대.

태영   엄마는 돌아가셨고 아빠는 원양 어선 타셨어요.

사장	너네 부모님이야 가족관계증명서에 나왔고, 다른 친척 없냐고?

태영, 겁먹은 얼굴로 고개 젓는데..
그때, 울리는 사장의 핸드폰. 사장, 전화기 가지고 나가며 희곤에게

사장	야, 쟤 좀 탈탈 털어봐.

태영, 겁먹은 얼굴로 희곤 보는..

희곤	핸드폰.
태영	예?
희곤	핸드폰 내놔보라고.

얘기하며 태영의 가방을 가져가려고 하는데 태영, 가방을 붙잡고 놓지 않는데.. 그때 문 열리면서 들어서는 커플 손님.

희곤	(눈 부라리며) 여기서 꼼짝 말고 있어. (180도 다른 친절한 얼굴로 커플에게 다가가며) 오셨어요. 물고기 보시려구요?

커플 안내하는 희곤 보며 발발 떨리는 손으로 가방 안에서 지갑을 꺼내는 태영. 지갑 안에 간직해 왔던 듯한 아빠와 할아버지, 이씨 할아버지 내외와 찍은 나무 배경 사진을 꺼내서 잘게 찢기 시작한다.
조용히 옆에 놓인 휴지통에 버리려고 하다가.. 휴지통 안도 발각될 것 같은 태영. 울먹이며 주변을 조심스럽게 둘러보다가 옆에 놓인 수조 안에 찢은 사진을 버린다. 수조 안에 있는 구피 물고기들. 서서히 가라앉는 사진 조각들을 사료로 착각한 듯 사진들을 먹기 시작한다.

악귀 1

씬/73 N, 현재, 농로 일각

농로에 세워놓은 차를 향해 다가가며 문춘과 통화 중인 해상.

해상 사채업자들이 아지트로 쓰던 수족관이 있었답니다. 거기 가봐야
돼요.

씬/74 N, 광천서 건물 앞

대기하고 있는 순찰차와 기동차량에 증거물 압수용 박스들을 싣고 있는
경찰들. 그 옆에 서서 해상과 통화 중인 문춘.

문춘 안 그래도 거기로 출동하려고 하고 있어. 체포된 애 경찰서
오자마자 술술 불더라고. 안 그래도 자살한 학생들한테 다
물고기가 있어서 이상하다 생각했었거든.

문춘, 희곤을 조사할 때 끄적였던 수첩을 보면서

문춘 급전이 필요해서 온 학생들한테 호감을 사려고 선물로 줬대.
그런데 구산영이란 여자도 그 수족관에 갔다던데.

씬/75 N, 농로 일각

멈칫하는 해상.

해상   설마.. 산영 씨한테도 그 물고기를 줬대요?

문춘(소리)   응.

놀라는 해상.

씬/76   N, 산영의 집 거실

어항 안을 헤엄치는 물고기를 뚫어지게 바라보고 있는 어두운 눈빛의 산영.
식탁 위의 핸드폰이 진동으로 울린다. '염해상 교수님'.
하지만 물고기에 홀린 듯 여전히 어항만을 바라보고 있는 산영.

씬/77   N, 도로 일각

산영의 집을 향해 달려가고 있는 해상. 문춘에게 전화를 거는 해상.

해상   구산영 씨 핸드폰 위치추적 됐어요?

문춘(소리)   서울, 여의도 근처야. 거기까지밖에 추적이 안 돼.

씬/78   N, 한강 둔치 일각

어항을 들고 터벅터벅 걷고 있는 산영.
무슨 생각을 하는지 무표정한 얼굴로 둔치를 걷다가 고개 들어 올려다보면
1부 6씬의 한강 다리다.

씬/79   N, 도로 일각

액셀을 밟아 여의도로 진입하는 해상의 차. 주변을 두리번거리며 산영을
찾는다.

해상(소리) 어디지.. 어디에 있는 거지..?

그때, 저 앞쪽으로 보이는 '마포대교' 표지판. 표지판을 가만히 바라보는 해상.

씬/80   N, 한강 다리 위

다리 중간쯤 어항을 들고 난간 밑단 위로 올라서는 산영, 흘러가는 강물을
내려다본다.

씬/81   N, 수족관 건물 앞

건물 앞에 하나둘씩 도착해서 멈춰 서는 순찰차와 기동차량. 제일 먼저
내려서는 문춘과 홍새.
정문이 활짝 열려있다. 그 너머로 보이는 수족관 안의 광경에 멈칫.

씬/82   N, 수족관

수족관 안으로 들어서는 사람들. 여기저기 부서지고 깨져서 엉망이다.
대형수조 하나도 깨져서 푸른 형광등 불빛들이 깜박깜박 점멸하고 있고..

바닥에는 깨진 유리와 물고기들.

이게 어떻게 된 일이지? 주변을 살펴보면서 안으로 들어서는데 깨진
대형 수조 뒤편에서 희미한 신음 소리가 들려온다. 홍새, 제일 먼저
달려가 보면 온몸을 웅크리고 바들바들 떨고 있는 사장. 제정신이 아닌 듯
다가오는 홍새의 기색에 '으아아아악' 비명을 지른다. '오지마!! 오지마!'
발작을 하듯 홍새의 손을 뿌리치는데 그런 사장의 손목을 보고 놀라는
홍새. 뒤늦게 달려온 문춘 역시 놀라서 손목을 바라본다.

손목 위에 붉은 피멍 자국이다.

씬/83   N, 한강 다리 위

주변을 둘러보면서 뛰어오는 해상. 저 앞쪽 난간에 기대어 있는 산영을
발견한다.

들고 있던 어항을 강물에 떨어뜨리는 산영. 해상, 그런 산영을 보다가
뭔가 이상한 듯 천천히 다가간다.

씬/84   N, 수족관

이동 침대에 실려 나가는 사장을 지켜보고 있는 홍새와 문춘.

사장, 여전히 제정신이 아닌 듯 벌벌 떨면서 비명을 지르고 있는데..

경찰들 중 한 명 홍새와 문춘에게 다가와

경찰   씨씨티브이, 발견했습니다.

경찰의 안내를 받으며 책상에 있는 컴퓨터에 다가가는 두 사람. 분할

화면으로 된 씨씨티브이 중 수족관 안을 비추는 씨씨티브이를 뒤로
돌려서 플레이하는 홍새. 혼자서 대걸레 자루를 들고 수족관을 깨부수고
있는 사장이다.

문춘 이게.. 뭐지?

홍새도 역시 이해가 안 간다는 눈빛으로 보다가 다른 곳을 비추는
씨씨티브이를 뒤로 돌려 플레이하다가 멈칫. 수족관 문 쪽을 비추는
씨씨티브이. 문 옆에 서서 가만히 사장 쪽을 바라보고 있는 산영이다.
산영의 입가에는 미소가 지어져 있다. 홍새도 문춘도 그런 산영을 굳은
얼굴로 바라보는데..

씬/85 N, 한강 다리 위

전 씬, 씨씨티브이 속 산영의 모습과 겹쳐지면서 천천히 고개를 돌려
해상을 바라보는 산영. 평소와 다른 서늘한 눈빛으로 차갑게 미소 짓는다.
그런 산영을 떨리는 눈빛으로 뚫어지게 바라보는 해상.

— 인서트
— 2부, 58씬. '쿵쿵쿵' 들려오는 문 두드리는 소리.
  어린 해상, 닫혀있던 나무 문 걸쇠를 풀고 문을 연다.
— 열린 나무 문 쪽에서 들려오는 목소리.

악귀(소리) 문을.. 열었네..

해상, 놀라서 뒤돌아 문 쪽을 바라보는데 열린 문밖 가로등 아래 보이는

머리를 풀어헤친 악귀의 그림자.

― 다시 한강 다리 위로 돌아오면
난간 밑단에서 내려와 해상을 차갑게 바라보는 산영. 그 아래로 길게
드리워진 머리를 풀어헤친 악귀의 그림자.

산영 ..오랜만이야.

해상, 한 걸음, 두 걸음. 몇십 년 만에 엄마를 죽인 악귀 앞에 선다.

해상 ..오랜만이네.

차갑게 미소 짓는 산영. 그런 산영과 대립하듯 선 해상의 모습에서

3부 끝.

4부

그런데 이 사건은 언제쯤 끝날까요?

사람들이 왜 어떻게 죽었는지를 알아내야 끝이 나지.

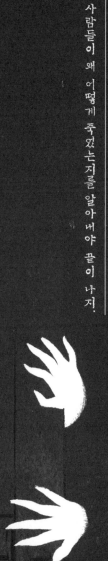

씬/1   N, 한강 다리 위

한강 다리 위에서 서로 마주 보고 있는 해상과 산영.
산영, 서늘한 눈빛으로 해상을 바라보다가

산영   ..많이 컸네.. 그땐 꼬마였는데..

해상, 과거가 떠오르며 분노와 공포가 뒤섞인 눈빛으로 말없이 산영을
바라보는데..
그런 해상을 바라보며 비웃듯 웃는 산영.

산영   그때.. 기억나?

악귀로 변한 산영을 바라보는 해상의 눈빛, 떨려온다.

— 인서트

2부, 56씬의 몽타주 중..
밤, 산길에 세워진 자동차. 조수석에 있던 해상, 여전히 고열에 시달리는
듯 겨우 의식을 차리고 창밖을 보는데.. 맨손으로 커다란 고목 아래,
무언가를 묻고 있는 해상 모. 작은 칼이 꽂힌 금줄에 묶인 푸른 옹기
조각이다.
물을 찾는 듯 주변을 두리번거리는 해상. 뒷좌석에 놓인 나무 상자를
발견하고 문을 열면 그 안에 놓인 흑고무줄과 붉은 배씨댕기.
해상, 뭐지? 의아한 눈빛으로 바라보다가 배씨댕기를 들어보는데.. 순간
'쾅' 문 열리는 소리. 돌아보면 무서운 표정으로 바라보고 있는 해상 모.

해상 모   그거 놔..

해상	(겁먹은) 엄마..
해상 모	그거 놓으라고!!!

무섭게 소리 지르는 해상 모를 겁먹은 눈빛으로 바라보는 해상.

— 밤, 어두운 국도변을 달리고 있는 자동차. 전면만을 응시하며 운전을 하고
있는 해상 모.
조수석의 해상, 열에 시달리는 아픈 낯빛으로

해상	엄마.. 어디 가는 거예요..

대답없이 운전하는 해상 모. 맞은편에서 스쳐 지나가는 자동차의
헤드라이트에 비친 해상 모의 눈빛, 무섭게 일렁이고 있다.

해상	(울 듯이) 엄마.. 무서워.. 나 집에 갈래요.. 엄마 싫어..

— 밤, 민박집 복도. 밧줄에 목을 집어넣는 해상 모. 공포에 질린 눈빛으로
어린 해상을 바라보다가

해상 모	해상아.. 안 돼..

해상 모, 숨이 막혀오는 괴로움 속에서도 주머니에서 지포 라이터를 꺼내
바닥에 떨어뜨린다. 화르륵 불이 붙기 시작하고.. 댕기 쪽을 향해 다가오는
불길, 화르륵 타들어가는 붉은 댕기. 검은 연기 사이로 떨리는 눈빛으로
그런 모습을 바라보는 해상. 벽면을 비추면 해상의 그림자, 머리를
풀어헤친 악귀의 그림자다.

— 다시 현재 다리 위로 돌아오면

천천히 해상에게 다가가는 산영. 해상을 바라보다가

산영 누가 죽인 걸까.. 너네 엄마.. 나? 아니면.. 너?

해상, 계속해서 자신을 괴롭혀오던 죄책감과 아픔에 더욱 눈빛 흔들리며
고개 떨구다가.. 천천히 고개 들어 산영을 바라보다가

해상 배씨댕기는 솜털이 나기 시작하는 어린 여자아이한테 해주던
댕기야.

산영의 입가에 웃음이 사라진다. 차가운 눈빛으로 해상을 바라보는데..
주머니 안에서 댕기를 꺼내 산영의 눈앞에 보여주는 해상.

해상 그냥 장신구가 아니라 아이의 건강과 안전을 바라는 염원이
담긴 부적 같은 물건이었지.

댕기를 바라보는 산영의 눈빛, 차갑게 가라앉는데..

해상 누구였을까. 이 댕기의 주인이..
산영 ...(눈빛이 흔들리는)
해상 그게 너인지 다른 누구인지 아직은 모르지만..

댕기를 바라보던 산영, 천천히 시선 들어 해상을 바라본다.

해상 찾아내 줄게. 그러면 네 이름을 알아낼 수 있겠지.

산영과 해상. 서로를 말없이 바라보는데..

해가 떠오르는 듯 주변이 서서히 환해지기 시작한다.

산영　　..21..

해상, 뭐지? 이상한 듯 산영을 바라보는데..

붉은 태양 빛이 반사된 산영의 눈빛, 서서히 평소의 선한 눈빛으로 돌아오기 시작한다. 정신이 드는 듯 눈을 깜박거리는 산영.

산영　　..21.. 176..
해상　　..산영 씨?
산영　　21.. 176..

산영, 잠시 정신을 차리는 듯 눈을 감았다 뜨고 난 뒤 낯선 눈빛으로 주변을 둘러본다.

산영　　내가.. 왜 여기 있어요?

해상, 산영을 관찰하듯 말없이 바라본다.

순간, '빵' 클랙슨을 울리고 지나가는 자동차. 놀라서 뒤로 물러서며 두려운 눈빛으로

산영　　내가 왜 여기 있는 거예요? 교수님이랑 같이 온 거예요?

해상, 말없이 그런 산영을 보다가 댕기를 내민다.

해상　　받아요.

산영, 그저 혼란스러운 눈빛으로 바라보는데..

해상 아무 일도 없었으니까 받아요.

산영, 해상을 보다가.. 뭐가 뭔지 모르겠는 듯 오른손으로 댕기를 받는다.
그런 산영을 가만히 보던 해상.

해상 21.. 176. 그 숫자는 기억나요?

산영, 가만히 생각하다가 고개를 끄덕이며

해상 그게 무슨 숫자죠?
산영 모르겠어요.. 그냥 그 숫자들이 들려왔어요.. 꼭.. 내 안의
누군가가 떠올린 것처럼요..

씬/2   D, 산영의 집 인근 거리 일각

아침, 거리를 달리고 있는 해상의 차. 조수석에는 불안한 얼굴의 산영.

산영 ..21.. 176.. 그게 뭘까요. 분명히 악귀하고 관련이 있는 숫자일 텐데..

해상, 말없이 운전하다가 초조해 보이는 산영을 한번 보고는

해상 내가 알아볼 테니까 일단은 집에 가서 쉬고 있어요.
산영 ..불안해서 견딜 수가 없어요..
해상 (보는)

산영	..수족관에서도 어떻게 나왔는지가 기억나지 않아요.. 지금도 분명히 집이었는데 정신을 차려보니까 다리 위였어요. 자꾸 이상한 게 보이고 들려요. 앞으로 내가 무슨 짓을 저지를지.. 너무 무서워요.

해상, 불안해하는 산영을 힐긋 보다가

해상	낮에는 괜찮을 거예요. 귀신은 빛을 싫어하니까. 하지만 낮에도 물가는 위험해요. 물은 음기가 가득하거든요. 비가 오는 날도 조심해야 합니다.

불안한 낯빛으로 한숨을 내쉬는 산영을 바라보던 해상, 저 앞쪽에 은행 건물을 발견하고 차를 정차시킨 뒤

해상	잠깐만 있어요.

해상, 차에서 내려 은행 건물을 향해 멀어지고..
산영, 그저 모든 게 힘든 듯 가만히 고개를 떨구는데..

— 시간 경과되면
쇼핑백을 하나 들고 차를 향해 다가오는 해상. 뒷좌석에 놓은 뒤 다시 차를 출발시킨다.

씬/3   D, 산영의 집 앞

집 앞에 멈춰 서는 해상의 차. 산영, 내려서는데 뒷좌석에 놓였던 가방을

산영에게 내미는 해상.

산영   뭐예요?

해상   돈 필요하다면서요?

산영, 무안함에 낯빛이 확 변한다.

산영   아뇨. 괜찮습니다.

해상   악귀는 사람의 가장 약한 점을 파고들어요. 앞으로도 그 점을
         이용할 겁니다. 그러니까 받아요.

산영, 말문이 막히긴 하지만 돈 가방을 받을 순 없다.
그런 산영을 보던 해상. 그 앞에 돈 가방을 놓고 차에 올라탄다.

해상   갈게요.

산영   (놀라서) 이거 가져가세요!

하지만 만류할 틈도 없이 차를 출발시켜 버리는 해상.
산영, 놀라서 돈 가방을 들고 뛰어가다가 차를 향해 집어던지며

산영   이거 가져가라고!!

자존심 상한 얼굴로 식식대며 멀어지는 차를 바라보는 산영의 모습에서..

씬/4   D, 산영의 집 인근 거리 일각

출근 시간인 듯 꽉 막힌 거리. 빨간 신호등에 막혀 차들 사이에 서 있는
해상의 차. 해상, 생각에 잠겨있는데 순간 운전석 창문을 두드리는 소리.
보면 여기까지 뛰어온 듯한, 손에 돈 가방을 든 채 숨이 턱에 차 있는
산영이다. 해상, 답답한 듯 바라보다가 창문 내리며

해상   그냥 꿔준 거라고 생각하라니까요.

산영   (헉헉대는) 너무.. 많아요.

해상   (의아한 듯 바라보는) 네?

산영   너무 많다구요. 우리 집이 그쪽 집처럼 좋은 집인 줄 알아요.
         오백이면 충분한데 뭘 오천이나 넣었어요.

산영, 열린 조수석 창문으로 돈 가방을 해상에게 건네며

산영   오백 빼고 나머지 사천 오백은 가져가세요.

해상, 얼떨결에 돈 가방 받는데..

산영   꼭 갚을게요.

해상   (보는)

산영   이자까지 해서 꼭 갚을게요. 은행 금리로.

그때, 신호가 초록색으로 바뀐다. 뭐야? 바라보던 뒤차 운전자 빵빵
클랙슨을 누르는데..

산영   ...고맙습니다.

해상, 멈칫 보는데.. 산영, 허리 숙여 정중하게 인사하며

산영 고맙게 잘 쓸게요.

인사하고는 빠르게 뛰어서 멀어진다. 룸미러를 통해 그런 산영을 가만히 바라보는 해상.

씬/5 D, 산영의 방

산영, 피곤한 낯빛으로 방으로 들어서고 그 뒤를 따라 들어서는 경문.

경문 그 교수가 돈을 줬다구? 왜?
산영 그냥 준 게 아니라 꿔주신 거라구. 금방 갚을 거야.

경문, 굳은 눈빛으로 산영 보다가

경문 난 그 교수 맘에 안 들어. 너도 더 이상 그 교수랑 얽히지 않았으면 좋겠어.

산영, 경문을 바라보다가

산영 ..교수님이 민속학자라서 그런 거야?
경문 ...(시선 피하는데)
산영 엄마. 왜 그렇게 아빠를 싫어하는 건데?

경문, 말없이 산영을 바라보다가

경문	안 된다면 안 되는 줄 알아.

산영을 바라보다가 문 열고 나가버리는 경문. 산영, 이해하기 힘든
눈빛으로 생각에 잠기는데..

씬/6   D, 해상의 집

홈 바에 놓인 위스키병들을 쓸어서 쓰레기통에 담는 손. 깔끔하게 새
옷으로 갈아입은 해상이다.
옆에서 의아한 눈빛으로 지켜보고 있는 우진.

우진	웬일이야. 그 좋아하는 술을 다 버리고.
해상	악귀는 사람의 가장 약한 면을 이용해. 제대로 싸워볼려면 약점은 없을수록 좋겠지.
우진	21, 176. 그 숫자를 쫓겠다구?

해상, 여전히 술병들을 치우며

해상	조선, 중종 때 채수란이란 문신이 지은 설공찬전에 죽은 귀신은 왼손을 쓴다는 구절이 있어. 비록 소설이지만 당시 사람들의 생각이 표현된 거지.

해상, 술병들을 다 치우고 겉옷을 걸치고 지갑, 차 키 등을 챙기면서

해상	그 여자 댕기를 오른손으로 받았어. 그땐 제정신이었다는 거야.
우진	하지만 그 여자한테 그 숫자를 말해준 건 악귀야. 악귀가 일부러

그 숫자들을 홀린 걸 수도 있어.

해상 알아. 그런데 저쪽에서 싸움을 걸어왔는데 물러설 순 없잖아.

씬/7   D , 강수대 사무실

자기 자리에 앉아서 컴퓨터 화면으로 수족관 씨씨티브이, 웃고 있는
산영의 모습을 가만히 바라보고 있는 문춘.
외근을 다녀온 듯 들어와 책상으로 다가오는 홍새.

문춘 뭐래? 수족관 사장은?

홍새 아직도 제정신이 아니에요. 병원 측에서도 좀 더 안정이
필요하답니다.

홍새, 옆자리에 앉다가 문춘이 보고 있는 컴퓨터 화면 힐긋 보고는 답답한
눈빛으로

홍새 다 잡은 불법사채업자 사건은 광천서에 넘겨버리구 그딴 건
왜 보고 계십니까? 대학생들 등치고 살던 양아치들이잖아요.
제일 잘하는 게 협박, 공갈이었어요. 만만해 보이는 구산영
협박하려고 자작극을 벌인 거겠죠.

문춘 (화면 가리키며) 안 보여? 웃고 있잖아.

홍새, 자기가 봐도 화면 안, 산영의 표정이 낯설다. 말문이 막히지만

홍새 씨씨티브이에 다 나와 있잖아요. 그 새끼 혼자 쌩쇼한 거고
구산영은 보기만 했고. 그럼 끝이죠.

문춘, 답답한 듯 화면을 보다가 겉옷 챙겨서 일어선다.

홍새   어디 가세요?
문춘   팔목에 난 붉은 멍 자국이 아무래도 맘에 걸려. 좀 더 알아보고
         올게.
홍새   다음 사건 제가 정하기로 했거든요.
문춘   아직 이 사건 안 끝났어. 인마.

사무실을 나가버리는 문춘.
홍새, '뭐야' 기가 막힌 듯 보다가 힘 빠지는 듯 의자에 기대어 앉는데 문춘
책상 위 씨씨티브이 속 산영이 시야에 들어온다. 산영의 모습을 가만히
바라보는 홍새의 모습에서..

— 인서트
— 2014년, 낮, 태흥고 운동장. 농구를 끝내고 친구들과 건물로 향하던 홍새.
  주머니에 손을 집어넣었는데 뭔가를 잃어버린 듯 양쪽 주머니 찾아보다가
  친구에게 '먼저 들어가' 한 뒤 뒤돌아서 농구대를 향해 뛰어오다가 멈칫.
  농구대 아래에서 눈에 불을 켜고 동전들을 찾아 줍고 있는 산영이다.
  가만히 보다가 천천히 다가가는 홍새. 산영의 위로 드리워지는 홍새의
  그림자. 인기척에도 고개 들지 않고 동전을 줍고 있는 산영을 보다가

홍새   안 쪽팔리냐?

산영, 고개 들어 홍새 보는데 햇볕 때문에 역광이 져서 얼굴이 잘 안
보인다. 누구지? 보다가

산영   안 쪽팔린데요.

아무렇지 않은 듯 또다시 동전 줍기에 열을 올리는 산영을 낯선 듯
바라보는 홍새.

― 2014년, 밤, 태흥고 인근 편의점 건물 앞. 멀리서 걸어오던 홍새,
　편의점 앞 테이블을 치우고 있는 산영을 보자 잠시 멈춰 서서 바라보는데..
　지나가던 산영과 같은 반 친구들, '산영아! 내일 보자!' 인사하고 산영도
　거리낌 없이 인사를 한다. 그런 산영을 가만히 바라보는 홍새.
　산영, 테이블을 다 치운 뒤 편의점 밖에 놓여있던 큰 과자 박스들을
　한꺼번에 들어 편의점 안으로 나르려는데 박스에 가려져 앞이 보이지
　않자 문이 아니라 그 옆 유리 벽 쪽으로 향하고 있다. 아슬아슬한
　산영에게 다가가는 홍새.

홍새　　오른쪽 두 시 방향.
산영　　(박스 때문에 뒤돌아보지 못하고) 네?
홍새　　부딪친다고.

　산영, 아.. 오른쪽 방향으로 트는 데도 조금 못 미친다.
　홍새, 산영의 팔꿈치를 살짝 잡아서 문 쪽으로 틀어준다.

홍새　　이쪽.

　산영, 누군지도 모르고 '고맙습니다' 하고 편의점 안으로 들어가 과자
　박스를 내려놓고 뒤를 돌아보면 어느새 사라진 홍새.

― 2014년, 밤, 편의점. 테이블에서 사발면을 먹으면서 옆에 책을 펼치고
　공부를 하고 있는 홍새.
　카운터에서 졸린 듯 하품을 하는 산영. 잠을 쫓으려는 듯 카운터에서 나와

스트레칭을 하며 유리 벽 너머를 바라보다가

산영　어. 눈이다.

홍새, 산영의 소리에 고개 들어보면 눈이 내리고 있다. 홍새, 내리는 눈을 보다가 문득 시선 돌려 산영을 바라보면..
산영, 옅은 미소를 띈 채 눈이 내리는 모습을 바라보고 있다.
흰 눈을 바라보는 산영과 그런 산영을 바라보는 홍새의 모습에서..

— 다시 현재 강수대 사무실로 돌아오면
그때와 전혀 다른 씨씨티브이 속 산영을 보고 있는 홍새.

홍새　그새, 뭔 일이 있었던 거야..

산영의 모습을 보던 홍새. 자기 컴퓨터 켜면서

홍새　일이나 하자.

씬/8　D, 일신서 건물 로비

로비에서 얘기 중인 문춘과 2부 50씬의 형사1.

문춘　구강모 교수 어머님 사건, 결국 단순 자살로 종결될 것 같다구?
형사1　예. 여러모로 찜찜한 구석이 있긴 한데 확증이 없어요.

문춘, 역시 찜찜한 얼굴로 생각에 잠기다가

문춘   그 불탄 노트는? 좀 복원이 됐어?

형사1   (가지고 온 서류봉투에서 사진을 꺼내 넘기는) 이거 하나 겨우
　　　　　건졌답니다. 근데 사건과는 관련이 없던데요.

문춘, 복원된 노트 조각이 찍힌 사진을 내려다본다.
'어린 女兒(여아) 失踪(실종) 二週日(이주일) 經過(경과)'라는 헤드라인 아래,
50년대 당시의 어린 목단이의 불확실한 흑백 얼굴 사진이 실린 기사.

씬/9   D, 화원재 밖

오솔길을 따라 걸어들어오던 산영. 담장 너머 화원재 건물이 보이기
시작하자 우뚝 멈춰 선다. 인기척 하나 없이 적막하기만 한 화원재 건물을
올려다보는 산영의 모습에서..

— 인서트
— 2부, 46씬. 석란의 뒤를 따라 화원재 본채 건물로 들어가는 악귀의 시선.
— 밤, 화원재 본채. 악귀의 시선으로 보여지는 공포에 질린 석란,
　　바들바들 떨리는 손으로 매듭을 매고 있다. 손목에 서서히 올라오는 붉은 멍.

— 다시 화원재 밖으로 돌아오면
　　두려운 듯 시선 떨구다가.. 다시 용기를 내서 천천히 건물을 올려본다.
　　결심한 듯 다가가 문을 열어보지만, 굳게 닫힌 문. 주변을 둘러보던
　　산영, 가방을 움직이기 편하게 엑스자로 고쳐 메면서 담장을 따라 걷기
　　시작한다.

씬/10   D, 화원재 마당

담장 너머에서 들려오는 '낑낑'거리는 산영의 힘쓰는 소리.
뒤이어 담장 위로 '턱' 올라오는 손. 낑낑거리며 담을 넘어 반대편 마당으로
구르듯 떨어지는 산영. 아고고 바닥에 부딪친 무릎을 부여잡다가 불어오는
스산한 바람에 고개 들어 화원재 건물들을 바라본다. 하늘 위 잔뜩 낀
먹구름. 바람에 흔들리는 나무들. 덜컹거리는 창문.
산영, 왠지 으스스해 보이는 화원재 건물들을 바라보다가 별채 쪽을 향해
다가간다.

씬/11   D, 화원재 별채 서재

끼이익, 문이 열리면서 서재 안으로 들어서는 산영.
낮이지만, 덧문이 모두 닫혀 어둑어둑한 서재. 전기 스위치를 올려보지만,
전기가 끊긴 듯 불이 들어오지 않는다. 핸드폰 전등을 켜서 주변을
둘러보다가 한 켠에 놓인 강모의 영정사진을 발견하고 멈칫.. 바라본다.

산영(소리) 악귀를 가장 잘 알고 있던 사람.. 아빠..

영정사진을 바라보던 산영, 책상 쪽으로 다가가서 살펴보기 시작한다.

산영(소리) 아빠는 분명히 알고 계셨을 거야. 21, 176이 뭘 의미하는지..

책상 위, 단출한 필기구를 훑어보지만 아무것도 적혀있지 않다. 서랍을
열어보는데 텅 비어있다. 다른 서랍들도 모두 열어보지만 역시 아무것도
보이지 않는다. 책상에서 아무것도 찾아내지 못하자, 책장 쪽을 둘러보기

시작하는 산영. 오래되어 보이는 책들 사이에서 '민속학으로 바라본 귀신' 제목을 보고 멈칫한다. 저자의 이름, 구강모다.

책을 빼서 첫 장을 넘기는데 나오는 30대 중반 젊은 나이의 강모의 사진. 낯선 듯 아빠의 사진을 바라보던 산영. 한 장 두 장 책장을 넘기기 시작한다.

'음력 1월 16일 정월 열엿새 날, 조선시대의 제사를 관장하는 봉상시(奉常寺)에 신실을 두고 동쪽에 여섯, 서쪽에 아홉의 잡귀들을 봉안하였다.'

'측신은 늘 변소에 있는 것이 아니고 매월 6일·16일·26일과 같이 6자가 있는 날에만 나타난다고 하여, 이날은 근신하고 금기하는 것이 좋다.'

'창귀는 세 번까지 사람 이름을 부르는데 그 세 번 안에 대답을 하면 꼼짝없이 홀려 범 앞으로 걸어 나간다는 것이다.'

'세상에 태자귀가 있다는 것은 소아귀이다. 천연두, 마마, 기아로 죽은 어린 아이들. 특히 부모에게 버림받아 죽은 아이들을 통칭하여 태자귀라 한다.'

책을 보다가 힘든 듯 옅은 한숨을 내쉬는 산영. 그때, 닫힌 서재 문 너머에서 '끼이익' 소리가 들려온다. 놀라서 문 쪽을 보는데.. 한 번 더 '끼이익' 소리가 들려온다. 산영, 긴장한 눈빛으로 가방 안에서 손거울을 꺼내 문 쪽으로 다가간다. 또다시 들려오는 '끼이익' 소리. 긴장한 눈빛으로 천천히 문을 열고 거울을 통해 문밖을 보는데.. 순간 거울 안으로 쑥 들어오는 손.

'으아악' 놀라서 거울을 떨어뜨리고 뒤로 우당탕 넘어지는데.. 열린 문 너머에서 산영이 떨어뜨린 거울을 들고 이쪽을 바라보는 누군가..

해상이다. 놀라서 바라보던 산영, 정신을 추스르고

산영   여..여기서 뭐 하시는 거예요?

해상, 역시 의외라는 듯 보다가 산영을 일으켜 세워주며

해상   그 숫자가 뭔지 찾아보러 온 거예요?
산영   교수님도 그래서 오신 거예요?

해상, 산영이 보던 '민속학으로 바라본 귀신'이란 책을 보는..

해상   98년도에 출간된 구강모 교수님 책이네요. 교수님이 출판하신
          유일한 책이에요. 이유는 모르겠지만, 그 이후로 논문은
          발표하셨지만 책은 출간하지 않으셨어요.

산영, 그런 책이었구나.. 가만히 책을 바라보는데..

해상   그 책 안의 내용은 나도 잘 알고 있습니다. 거기에도 그렇고
          출판된 다른 민속학 책에도 그 숫자들은 나와 있지 않았어요.
산영   하지만 여긴 책밖에 없어요. 서랍 안을 찾아봤지만 할머니가
          정리하셨는지 아무것도 없었어요.

해상, 답답한 눈빛으로 주변을 둘러보다가

해상   책 내용 말고 안에 혹시라도 메모나 노트가 남아있지 않은지
          같이 한번 찾아보죠. (책장 한쪽 가리키며) 난 이쪽을 맡을
          테니까 (다른 쪽 책장 가리키며) 산영 씨는 저쪽을 맡으세요.

해상, 돌아서서 책장 쪽의 책들을 꺼내기 시작하고.. 산영, 역시 돌아서서
다른 쪽 책장으로 다가가는데..
해상, 시선은 책들을 훑어보면서

해상　　그런데 여기 오는 거 무섭지 않았어요?

산영　　(멈칫 돌아보다가) 무서우니까 빨리 찾아야죠. 그런 일들이 또
　　　　벌어지는 게 더 무서우니까.. 그리고 빨리 해결해야 교수님 돈도
　　　　갚죠.

해상, 잠시 산영 보다가 다시 시선 돌려 책장을 빠르게 넘기며
훑어보는데..

산영　　그런데요.. 교수님은 무섭지 않으셨어요?

해상　　(본다)

산영　　아까 아빠 책을 봤는데.. 귀신이 너무 많더라구요. 이런
　　　　귀신들을 어렸을 때부터 보신 거잖아요.

해상, 말없이 가만히 생각에 잠기다가...

해상　　다 무서운 건 아니에요.

해상의 대답에 뒤돌아보는 산영. 해상, 여전히 생각에 잠긴 얼굴로..

해상　　가끔은.. 귀신을 볼 수 있어서 좋을 때도 있어요. 너무 보고
　　　　싶은데 더 이상 볼 수 없는 사람을 볼 수 있으니까..

산영, 무슨 얘기지? 물끄러미 바라보는데.. 해상, 생각을 떨쳐내려는 듯

다른 책을 잡으며

해상　하던 거 하죠.

책장을 넘겨가며 집중하기 시작하는 해상을 잠시 바라보던 산영도 책장
안의 책들을 꺼내려다가 아까 보다 만 '민속학으로 바라본 귀신' 책을 힐긋
본다. 가만히 보다가 가방 안에 소중하게 책을 넣고 난 뒤, 책장 안의 다른
책들을 꺼내 훑어보기 시작한다.

씬/12　N, 동장소

어느덧 해가 져서 더욱 어두워진 서재. 책장 앞에서 책 무더기들을 앞에
쌓아놓고 훑어보고 있는 두 사람.
산영, 마지막 한 권을 훑어보다가 아무것도 발견하지 못한 듯 덮는다.
텅 빈 책장 안에 뭐라도 남아있지 않을까 다시 한번 훑어보지만 아무것도
보이지 않는다. 산영, 해상 돌아보며

산영　뭐 있어요?

해상, 역시 마지막 책을 덮으며

해상　아뇨.

산영, 답답한 눈빛으로 주변을 둘러보다가 미닫이문 옆 구석에 걸려있는
금줄을 그제야 발견하고

산영   저건 뭐죠? 새끼줄 같은데..

해상, 금줄로 다가와서 바라보는

해상   이건 금줄입니다. 보통 새끼줄은 오른쪽으로 꼬여져 있는데
이건 왼쪽으로 꼬여져 있어요. 부정을 막기 위한 금기 도구죠.

산영, 그런 금줄을 보다가 문 다른 쪽에 설치된 걸개를 보고 금줄을 들어
그 걸개에 건다.

산영   이런 식으로 거는 건가 봐요.
해상   맞아요. 보통은 문밖에 설치를 하는데 여긴 반대네요. 하지만
이건 숫자와는 관계가 없어요.

산영, 실망하는 눈빛.

산영   이제 어떡하죠?
해상   (생각하다가) 교수님 침실은 어디예요?
산영   나도 모르죠.
해상   다른 방들 한번 조사해 봅시다.

씬/13   N, 서재 밖 복도/경문의 방

함께 서재를 나서는 해상과 산영.
복도 끝에 위치한 또 다른 방문을 향해 다가가는 두 사람. 문을 여는데
멈칫하는 산영. 좀 먼지가 쌓이긴 했지만, 깔끔하게 정리되어있는 방 안. 한쪽

벽면에 걸려있는 커다란 강모와 경문의 결혼사진. 그 옆에 놓인 아기 침대. 화장대 위에는 당시에 경문이 썼던 듯한 화장품들과 2002년도 탁상용 달력. 한쪽에 잘 정리되어있는 어린 산영이 썼을 법한 장난감과 동화책들.

산영　　..여긴..

방 안을 둘러보던 산영의 시선, 탁상용 달력에 꽂힌다.
몇 개 날짜들 위에 적힌 '아버님 제사', '동창회', 'my birthday' 등등
일정이 적혀있는 달력을 들어서 확인하는 산영.

산영　　엄마 글씨예요. 엄마가 이혼 전에 아빠랑 쓰던 방이었나 봐요.

해상, 다가가서 장롱 문을 열면 역시 깔끔하게 정리되어있는 이불장. 그
옆 장롱에는 가지런히 걸려있는 젊었을 때 경문이 입던 옷들.

해상　　어제까지 누가 쓰던 방 같네요.
산영　　...
해상　　두 분이 왜 이혼했는지 모르겠지만 교수님은 어머님과 산영
　　　　씨를 그리워하셨나 봐요.
산영　　엄마는 아빠를 지금도 싫어하는데.. 아빠 얘기 물어봐도 절대
　　　　얘기를 안 해주세요.

산영, 답답한 눈빛으로 다시 탁상용 달력을 보다가.. 뭔가를 발견하고
눈빛이 흔들린다.
한 날짜 위에 하트가 그려져 있고 '출산 예정일'이라고 적혀있다.

산영　　이건..

해상	왜요?

해상, 다가와 출산 예정일이라고 적힌 달력을 보다가

해상	산영 씨 생일 아니에요?
산영	아뇨. 난 이때 다섯 살이었어요..

더욱 혼란에 빠져서 탁상용 달력을 바라보는 산영. 그때 울리는 해상의 핸드폰.
'장진리 이씨 할아버님' 발신인을 확인하고 바로 전화를 받는 해상.

해상	염해상입니다.

핸드폰 너머에서 들려오는 이씨 할아버지의 목소리를 듣다가 순간, 놀라는 해상, 산영을 바라보는데..

씬/14 N, 농가 주택 외경

이씨 할아버지의 농가 주택.

씬/15 N, 농가 주택 거실

산영, 해상과 커피 잔을 앞에 놓고 마주 앉아있는 사람들.
이씨 할아버지와 조금은 회복된 듯 침착해 보이는 태영이다.

이씨 할아버지	천천히 오서도 된다니까.
해상	아닙니다. (태영 보며) 이제 좀 괜찮아지셨어요?

태영, 머뭇거리다가

태영	그때는 죄송합니다. 정신이 없어서 고맙단 인사도 제대로 못 드려서..
이씨 할아버지	그러니까 빨리 말씀드려.

산영, 긴장한 얼굴로 바라보다가 핸드폰에서 강모의 사진을 찾아서 보여주며

산영	이분이 기억난다고 하셨다면서요. 정말.. 이분이 맞나요?

강모의 사진을 바라보는 태영.

이씨 할아버지	너 너무 어릴 때라서 긴가민가한 거 아냐? 자세히 봐봐.
태영	어릴 때 아니에요.

해상, 산영 태영을 바라본다.

태영	1년 전에 할아버지 돌아가시기 전에 요양병원에 계셨거든요. 그때 병원으로 찾아오셨었어요.

병실 한 켠에 있는 작은 냉장고에서 캔 음료수를 꺼내고 있는 태영.
조금 떨어진 침대 쪽에서 작게 들려오는 철주와 강모의 목소리.

철주(소리)   옛날 우리 마을에서 없어진 아이요?

태영, 쟁반에 담은 캔 음료수를 가지고 다가가는데
병색이 완연한 70대의 철주에게 오려진 빛바랜 신문 기사를 보여주고
있는 50대의 반백 머리에 안경을 쓴 강모. 8씬, 문춘이 보던 복원된 노트
조각에 실린 기사다.

강모   예. 신문에도 났었는데. 이 기사예요. 알아보시겠어요?

태영, 캔 음료수를 강모 옆에 내려놓자, 강모 고맙다는 듯 눈인사를 하고
다시 철주를 바라본다. 태영도 두 사람 보다가 돌아서서 겉옷을 들고
병실을 나서려는데 들려오는 철주의 목소리.

철주   목단이네요.
강모   목단이요?
철주   예. 이목단이요.

긴장한 눈빛으로 태영을 바라보고 있는 해상과 산영.

| 해상 | 이목단이란 아이를 찾고 계셨다구요.. 왜 찾는지 이유는 들으셨나요? |
| 태영 | 아뇨. 그건 잘 모르겠어요. |

그때, 옆에서 얘기를 듣고 있던 이씨 할아버지.

| 이씨 할아버지 | 걔 말하는 것 같은데.. |

놀라서 이씨 할아버지를 바라보는 산영과 해상.

| 산영 | 목단이란 아이를 아세요? |
| 이씨 할아버지 | 그런 이름이었는지는 잘 모르겠는데.. 옛날 장진리에서 어떤 여자애가 없어져서 마을 분위기가 뒤숭숭했었어요. |

씬/18   D, 과거, 장진리

50년대, 한낮, 초가집들이 옹기종기 모여있는 장진리. 그 모습 위로 들려오는 아이들의 웃음소리.
초가집들 사이 한 담장 앞에서 벽을 보고 눈을 가린 채 숫자를 세고 있는 철주(10, 남).

| 철주 | 열까지 센다! 하나! |

뒤쪽에서 장난기 가득한 얼굴로 그 모습을 바라보던 아이들, 하나같이 초췌한 행색이지만 눈가에는 어린 나이 특유의 해맑음과 장난기가 가득하다.

철주가 숫자를 외우기 시작하자 웃음을 참으며 뿔뿔이 흩어지기
시작한다. 담장들 사이를 뛰어서 마을 곳곳으로 숨어드는 아이들 중
뒤뚱거리면서 뛰는 목단, 머리에 붉은 배씨댕기를 하고 있다.
함께 놀던 어린아이들 목단을 향해 '목단아 너두 빨리 가서 숨어'
웃으면서 얘기하고..
목단, 시골길 사이를 뛰어가는데 저 멀리 마을 초입 아름드리 당산나무
옆에서 흐릿하게 보이는 만월이 이리 오라는 듯 손을 흔들고 있다.
목단, 마을 안쪽과 그 여자를 번갈아 보다가.. 여자를 향해 뛰어가기
시작한다. 서서히 멀어지는 목단의 뒷모습에서..

씬/19   N, 현재, 농가 주택 거실

산영과 해상에게 얘기하고 있는 이씨 할아버지.

이씨 할아버지   술래잡기하다가 없어졌다는 둥 외지인이 와서 데리고 갔다는
둥 여러 소문들이 있었는데 뭐 그 다음은 어떻게 됐는지 잘
모르겠어요.
산영   결국 그 아이를 못 찾은 건가요?
해상   그 아이 가족은요? 아는 분들이셨나요?
이씨 할아버지   난 잘 몰라요. 국민학교 때부터 큰아버지 집에 살았거든요.

해상도 산영도 답답한 눈빛이다가..

해상   (태영에게) 구강모 교수님이 기사를 가지고 오셨다고 했죠?
태영   ..예..

씬/20   D, 현재, 대형 도서관 외경

씬/21   D, 도서관 마이크로필름 자료실

마이크로필름이 든 여러 개의 상자를 들고 자료실로 들어서는 해상과 산영.
나란히 있는 컴퓨터 앞에 앉으며

해상   할아버지가 열네 살 때였으니까 1958년. 날씨가 더웠다고
했으니까 기간은 5월부터 9월까지. 주요 일간지보다는 장진리
인근 지역 신문에 났을 가능성이 커요.

산영, 가방 내려놓고 해상이 나눠주는 마이크로필름 상자들을 받는데

해상   덕달이 나무도 그렇고 배씨댕기도 그렇고 어린 여자아이를
가리키고 있어요. 이목단이란 아이 꼭 찾아야 합니다.

산영, 고개 끄덕이며 마이크로필름을 리더기에 삽입하는데..

해상   (문득) 한자 잘 알아요?
산영   (멈칫 보다가 천연덕스럽게) 그럼요.

씬/22   D, 몽타주

— 자료실, 각자 컴퓨터 앞에서 당시 신문 자료들을 검색하고 있는 해상과
산영. 화면 가득 한자투성이다. 산영, 핸드폰 한자 사전 앱으로 하나하나

확인해 가며 눈이 빠져라 자료들을 검색하고 있다.

앞에 놓인 노트에는 '樟鎭里(장진리), 兒童失踪事件(아동실종사건),
誘拐(유괴)' 한자가 크게 적혀 있고.. 산영이 보고 있는 신문 제호. 'ㅇㅇ일보'.
— 어느새 신문 제호가 'ㅇㅇ신문'으로 바뀌어 있는 화면. 산영, 계속해서
날짜를 넘기고 있다. 옆에 앉은 해상 역시 계속해서 다른 신문의 다른
개월로 넘어가는 화면들.

씬/23 D, 거리 일각 차 안

차를 운전 중인 홍새. 조수석의 문춘. 8씬의 신문 기사 사진을 보고 있다.

홍새 정말 그 신문 기사가 구산영 친할머니 사건이랑 관계가 있긴
있는 거예요?

문춘 당연하지. 범인은 일부러 그 노트를 없애려고 방화를 했어.
분명히 거기에 중요한 단서가 있다는 거야.

홍새, 탐탁지 않은 얼굴로 운전을 하다가

홍새 그런데.. 이 사건은 언제쯤 끝날까요?

문춘 몰라서 물어? 이 사람들이 왜 어떻게 죽었는지를 알아내야 끝이
나지.

홍새, 옅은 한숨을 내쉬다가

홍새 정말 다음 사건은 제가 결정합니다.

씬/24   D, 기원

기원으로 들어서는 홍새와 문춘.
'딱', '딱' 바둑돌 두는 소리 외에는 조용하기만 한 기원 안 몇몇 테이블에서
대국 중인 사람들을 둘러보며 안으로 들어서던 문춘, 어딘가를 가리키며
'저기 계시다' 입 모양으로 홍새에게 얘기하는.. 저 앞쪽 테이블에 앉아
혼자 대국 중인 80대 노형사다.
문춘, 다가가 조심스럽게 인사하며

문춘   안녕하십니까. 선배님. 까마득한 후배 서문춘입니다.

내려놓는 명함과 문춘을 번갈아 보는 노형사.

씬/25   D, 기원 밖 복도

자판기 커피를 들고 문춘이 내민 사진을 확인하고 있는 노형사.
그 옆에 예의 바르게 서 있는 문춘과 홍새.

문춘   그게 워낙 옛날 사건이라 기록에도 남아있지 않더라구요.
여기저기 수소문해 봤는데 선배님 말씀을 들어서요. 모르는
사건이 없으시다면서요. 걸어 다니는 사건 기록이시라고..

노형사, 사진을 보다가 의자에 앉으려는 듯한 기색.
홍새, 재빨리 의자를 갖다가 노형사 뒤쪽에 대령한다. 의자에 앉아서
사진을 바라보며 기억을 떠올리던 노형사.

노형사 맞아. 그 사건이네. 58년, 6월. 시골 마을에서 어린 여자애가
         실종됐다가 발견됐는데 시체가 너무나 처참했지..

홍새 어땠는데요?

노형사 피죽도 못 얻어먹은 것처럼 바싹 비틀어져 말라 있는 데다가
         손가락 하나까지 잘려있었어.

문춘 산짐승이 훼손한 건가요?

노형사 아니.. 사람 짓이었어.

씬/26 D, 도서관 마이크로필름 자료실

계속해서 자료를 검색 중인 산영. '광천일보' 신문 자료 중 한 기사를 한자 사전
앱으로 확인 중이다. 기사 제목 '厭魅(염매)를 만든 非情(비정)한 巫堂(무당)'.

'1958년, 6월, 한 늙은 巫堂이 鄰近 지역의 女兒를 誘拐, 拉致하여 穀氣를
주지 않길 十七日이나 하였다. 굶주린 女兒에게 주먹밥을 大竹에 끼어
내민다. 이 女兒의 모든 精神力이 大竹을 잡으려 할 때 칼로 女兒를 쳐
죽인다. 그리고 그 女兒의 손가락을 身體로 삼는다'

산영, 한자 사전 앱과 기사를 믿지 않는 눈빛으로 번갈아 보다가..

산영 교수님. 이거 좀 봐주실래요. 아무래도 내용이 너무 이상해서..

해상, 산영 자리로 넘어와 기사를 확인하다가 빠르게 낯빛 굳는다.

해상 ..염매..

한자를 한글로 변환해 프린트한 기사를 읽어 내려가고 있는 산영.

산영   늦은 무당이 인근 지역 여아를 유괴 납치하며 곡기를 주지 않길
        십칠 일이나 하였다. 굶주린 여아에게 주먹밥을 대죽에 끼어
        내민다. 이 여아의 정신력이 대죽을 잡으려 할 때.. 칼로 여아를
        쳐 죽여 그 여아의 손가락을.. 신체로 삼는다..

믿기지 않는 눈빛으로 기사 내용을 내려다보던 산영.

산영   여아의 정신력이 대죽을 잡으려 할 때.. 칼로 여아를 쳐 죽여
        여아의 손가락을 신체로 삼는다.. 어린 아이를 죽였다는
        거잖아요. 이게 진짜 있었던 얘기라구요?

해상, 어두운 낯빛으로

해상   잔인하지만 실제로 행해졌던 주술입니다. 조선왕조실록에도
        염매를 만드는 행위를 엄히 금지했다는 기록들이 있어요.
        염매는 짚이나 나무로 인형을 만들어 누군가를 저주하는 행위를
        일컫기도 하고 실제로 어린아이를 굶겨 죽여서 귀신을 만드는
        걸 가리키기도 해요. 태자귀의 일종이죠.
산영   (뭔가 떠오른 듯) 태자귀..
해상   태자귀는 통상 어려서 죽은 원혼을 지칭해요. 마마나 천연두,
        굶주림으로 죽은 아이들을 뜻해요. 우리가 찾고 있는
        이목단이란 아이.. 태자귀가 됐을 가능성이 커요.
산영   그 귀신에 대해서 읽었어요.

가방 안에서 '민속학으로 바라본 귀신' 책을 꺼내는 산영.
페이지를 휘리릭 넘겨서 태자귀에 대해 적힌 부분을 찾아 보여주는 산영.

산영   봐요. 여기도 있구요.

다시 페이지를 넘기는 산영.
'태자귀의 일종으로 염매라는 것이 있다..'라는 발췌 부분을 찾다가
쪽 번호를 보고 멈칫한다.

산영   교수님..

해상, 의아한 눈빛으로 보는데.. 산영, 책의 쪽 번호를 가리키며

산영   이거요.

해상, 쪽 번호를 보고 멈칫.. '176' 페이지다.
산영, 다급히 아까 봤던 태자귀가 언급된 부분의 쪽 번호를 찾고는 놀란다.
'21' 페이지다. 해상 역시 놀라 산영을 바라본다.

산영   21.. 176.. 쪽 번호였어요.

산영에게서 책을 받아 두 부분을 다시 한번 살펴보는 해상.

'태자귀의 일종으로 염매라는 것이 있다.. 염매라는 것은 어린아이를
굶겨 죽여 만든 귀신을 지칭하기도 하지만 나무나 짚으로 만든 인형으로
누군가를 저주하는 행위를 뜻하기도 한다. 이런 인형을 잡신을 쫓는

의식과 연결시키기도 하는데 대표적인 예가 백차골 허제비놀이다.'

백차골이란 마을 이름을 비추는 화면.

해상   백차골..

씬/28   N, 백차골 일각

거친 파도가 치고 있는 바다가 보이는 작은 어촌마을. 비바람이 몰아치고
있다. '백차골 마을'이란 표지석. 귀청이 찢어질 듯한 매서운 바람 소리.
주민들 모두가 잠든 듯 어두운 마을. 한 집 창문 너머로 흐릿한 불빛이
새어 나오고 있다.

씬/29   N, 박씨 할머네네 집

어두운 집 안. 덜컹덜컹 흔들리는 창문들. 흐릿한 백열등 불빛 아래
거실에 우뚝 서서 믿기지 않는 듯 흔들리는 눈빛으로 현관문 쪽을
바라보고 있는 박씨 할머니(80대 초반, 여).
거센 비바람 소리와 뒤섞이며 현관문 밖에서 정희(20대 중반, 여)의
목소리가 들려온다.

(소리)   엄마. 나야. 문 열어줘..

'쿵쿵쿵' 문을 두드리는 누군가..

(소리)   엄마.. 엄마.. 내 목소리 안 들려? 문 좀 열어달라구!

비바람의 영향인 듯 깜박거리는 백열등 불빛. 현관문을 바라보고 있는 박씨 할머니의 뒷모습.
불투명한 현관 창문을 통해 문밖을 어른거리는 불길한 실루엣.

씬/30   D, 국도 일각

화창한 푸른 하늘 아래 국도를 달리고 있는 해상의 차. 진도씻김굿이 흐르고 있는데..
운전대를 잡은 산영. 조수석의 해상, 산영을 힐긋 보며

해상   근데 왜 갑자기 운전을 하겠다는 거예요?
산영   예? 아니.. 뭐.. 맨날 교수님이 운전하는 것도 그렇고.. 제가 또 대리 알바도 많이 뛰어봐서 운전도 잘하니까. 신경 쓰지 마시고 편하게 가세요.

운전에 집중하는 산영 바라보던 해상, 가만히 전면을 바라보는데

산영   근데요. 교수님 케이팝 같은 건 안 들으세요?
해상   네.
산영   ..아..

다시 대화가 끊기는 두 사람.

산영	차라리 드렁갱이가 나은 것 같아요.
해상	그래요?

해상, 조작하자 음악 드렁갱이 장단으로 바뀐다. 차 안에는 풍물굿
음악만이 흘러가는데..
순간 내비게이션 화면 뭔가 이상한 듯 도착 시간이 10분에서 30분,
50분, 1분으로 마구 바뀌고 지도에 떴던 안내선도 나타났다 사라졌다를
반복한다.

산영	어.. 이거 고장났나? 왜 이러죠?

해상, 역시 이상한 듯 보다가 내비게이션을 만져보지만 여전히 말을 듣지
않는다.
산영, 서서히 차를 멈추며 직접 기기를 설정하며

산영	제가 한번 해볼게요.

하지만 여전히 말을 듣지 않는 내비게이션.
해상, 시선을 들어 창밖을 보다가 저 앞쪽에 보이는 당산나무를 발견하고

해상	아. 저쪽으로 가면 돼요. 저 나무가 백차골 당산나무예요.

산영, 서서히 차를 출발시키며

산영	몇 년 전에 오셨다면서 길을 다 기억하시나 봐요.
해상	한 달 넘게 현지 조사를 했거든요. 백차골 당제는 워낙
	유명하니까요.

당산나무를 바라보는 산영. 눈빛 가라앉으며

산영   아빠도.. 여길 왔을까요?

해상, 그런 산영을 잠시 보다가

해상   이제부터 알아보죠. 모두 나이가 지긋하신 분들이니까 구강모 교수님을 기억하는 분이 계실 거예요.

씬/31   D, 당집 안

좁고 어두컴컴한 당집 안. 사방 벽면에는 사신도가 그려져 있고, 단상에는 가지런히 놓여있는 신위들이 적힌 위패들. 다른 쪽 벽면에는 짚을 엮어 만든 작은 허제비 인형 두 개가 나란히 놓여있다. 그 앞에 있는 낮은 나무판 위에 수수팥떡이 놓인 접시와 술잔을 내려놓는 주름진 손. 백차골 이장 (80대 초반, 남)이다.
잠시 허제비 인형들을 바라보다가 흰 종이에 불을 붙여 당집 안을 소지한다. 마지막 한 줌 재까지 태우고 서서히 사라지는 하얀 연기를 바라보다가 당집을 나가는 이장.
남겨진 허제비 인형 두 개로 다가가는 화면.

씬/32   D, 마을회관 건물 앞마당

'백차골 마을회관'이라는 간판 위로 '거기 거기', '잘 잡고!' 외치는 이장의 목소리. 당제를 준비 중인 듯, 커다란 깃발을 세우고 있는 두어 명의 마을 사람들, 모두 할아버지들이다.

그 옆에 선 이장, '좀 더 힘을 써봐. 아니 그쪽 말고' 열의에 찬 목소리로 지휘 중인데 순간 불어오는 거친 바람에 깃발이 휘청하고, 균형을 잃고 깃발을 놓치는 사람들. '어어어!', '잡아 잡아!!' 하지만 손 쓸 새 없이 바닥에 나뒹구는 깃발.

이장 지금 뭐 하는 거야? 몇백 년을 이어온 전통 있는 행사를 이렇게 대충할 거야?

지쳐 보이는 마을 사람들 중 양씨 할아버지, 감기에 걸린 듯 콜록콜록 기침을 하며 억울한 얼굴로

양씨 할아버지 아침부터 제사 지낸다고 이거 시키고 저거 시키고 몸도 안 좋은데 사람 부려먹는 것도 가지가지야.

이장 뭐 난 놀아? 아, 빨리 다시 세워. 해지기 전에.

마을 사람들, 구시렁거리면서 다시 깃발을 세우기 시작하는데 그때 마을회관 안에서 한 손에 부침개 뒤집개 들고 나오는 할머니1.

이장 제수 음식 만들다 말고 어디 가?

할머니1 어딜 가긴 어딜 가. 집에 가지. 아이고 삭신이야. 난 몰라. 이제 알아서들 해.

이장, 어이없이 바라보는데 뒤이어 회관에서 걸어 나오는 완고한 인상의 박씨 할머니.

이장 뭐야. 박씨 할머니도 가시게?

박씨 할머니	이장님. 우리 이런 거 그만합시다. 마을 주민들이라고 다 칠십 넘은 노인들뿐이잖아요. 그마저도 하나둘씩 죽어 나가는 통에 숫자도 줄고 있는데, 꼭 이런 힘든 행사를 해야겠어요.
이장	몰라서 그래요? 당제는 우리 마을의 자랑으로서..
박씨 할머니	(말 자르며) 그놈의 소리 좀 그만해요. 뭔 자랑이야 자랑은. 알아주는 사람 하나 없구만. 암튼 집어치워요. 다들 골병 나서 드러눕기 전에.

그때 마당으로 들어와 멈추는 해상의 차. 해상과 산영 내려서는데 이장, 해상을 보고 반가운 낯빛. 해상을 보는 박씨 할머니의 눈빛, 보일 듯 말 듯 가라앉는데..

이장	이게 누구야. 염 교수 아냐.
양씨 할아버지	(역시 반가운) 아이구 오랜만이야.

차에서 내려서서 주변을 둘러보던 해상, 눈빛 흔들리는데.. 이장, 눈치채지 못하고 다가와서

이장	이게 얼마 만이야. (하다가 산영 보며) 그쪽은 염 교수 제자?

산영, 뭐라고 할지 머뭇거리다가

산영	허제비놀이 보러 왔습니다!

이장, 순간 신난 얼굴로

이장	우리 당제 보러 왔구나!

이것저것 당제에 쓰일 물건들이 쌓여있는 사무실. 한 켠에 설치된
텔레비전에 틀어져 있는 당제 영상.

의상을 갖춰 입고 축문을 읽는 몇 년 전 이장의 모습. 신명 나게 장구를
치고 풍악을 울리는 마을 사람. 가장 마지막 허제비놀이가 시작된다.
농악대의 가락, 제관의 사설에 맞춰 남녀 두 개의 허제비 인형을 가지고
춤을 추는 신명꾼들. 허제비 인형에게 매질을 하기도 하다가 수수팥떡을
꿰어 화살을 쏘고 술잔을 엎어버린다.

마지막으로 칼을 들어 허제비 인형에 내리꽂는 신명꾼들.

영상을 보는 이장, 뿌듯한 얼굴로 '아이고 잘한다' 추임새를 넣기도
하는데.. 산영, 그런 영상을 신기한 듯 보다가

산영   이게 허제비놀이에요?

이장   (신통한) 아니 이렇게 젊은 처자가 어떻게 허제비놀이를 알아?

산영   (공부한 걸 떠올리는 듯) 객귀물림의 한 종류잖아요. '객귀
          들렸다, 집이 아니라 길거리에서 횡사한 객귀가 사람한테
          붙어서 아프게 하거나 안 좋은 일을 일으킨다.' 그런 객귀를
          없애는 거 맞죠?

이장   아이고 잘한다.

산영   특히 백차골 허제비놀이는 기원을 알기 힘들 정도로 오랜
          전통을 가졌다고 읽었습니다.

산영의 얘기를 듣던 이장, 화면이 흘러나오는 동영상을 보다가 씁쓸하게
웃으며

이장   다 끝났어..

동영상을 바라보는 이장의 눈빛이 헛헛하다.

이장　　우리가 마지막이겠지.. 당제도 허제비놀이도 우리가 죽으면
　　　　　누가 하겠어. 우리가 죽으면.. 당제도 이 마을도 다 끝이야..

동영상을 바라보는 이장의 눈가에 짙은 주름을 바라보는 산영.
해상, 두 사람이 얘기하는 동안 애써 불안한 기색을 감추는 눈빛으로
이곳저곳을 바라보다가..

해상　　그런데.. 요즘 마을은 어떤가요? 건강들은 괜찮으세요?
이장　　뭐 다 늙어빠진 늙은이들이 다 그렇지. 여기 쑤시고 저기
　　　　　아프고.. 근데 진짜 왜 왔어? 늙은이들 건강 물어보러 온 거야?

산영과 해상, 눈빛 마주치다가..

해상　　저 사실 여쭤볼 게 있어서 내려왔습니다.
이장　　그게 뭔데?
산영　　(긴장해서 보는)
해상　　혹시 구강모 교수님이라고 들어보셨나요? 여기 허제비놀이를
　　　　　취재하러 내려오셨을 거예요. 저 같은 민속학자셨어요.
이장　　(갸웃) 글쎄.. 난 잘 모르겠는데..

씬/34　　D, 골목 일각

단독 주택들이 위치한 골목을 두리번거리면서 걸어들어오고 있는
문춘과 홍새.

홍새, 불만이 가득한 얼굴로

홍새   아니 사건이 기괴한 건 알겠는데 벌써 60년도 더 된 기사잖아요.
뭘 더 조사하겠다는 건데요.

홍새의 말 들은 척도 안 하고 앞으로 나아가던 문춘, 찾던 집을 발견한 듯
다가 '띵똥' 초인종을 누른다.
잠시 뒤, 대문을 열고 나오는 고운 백발의 정순(70대, 여).

씬/35   D, 정순의 집

거실에 마주 앉은 문춘, 홍새, 정순.
정순, 문춘이 가지고 온 불에 탔다가 복원된 기사 사진을 바라보고 있다.

문춘   아버님이 쓰신 기사가 맞나요?
정순   ..(보다가) 맞아요. 우리 아버님이 쓴 기사예요.
문춘   그 기사에 대해서 혹시 아버님께 들은 얘기는 없으신가요?
범인의 신원이라던지 희생자의 가족이라던지요.
정순   (씁쓸한 미소로 과거를 회상하며) 아무것도 듣지 못했어요.. 그
기사가 나간 그날 아버님은 돌아가셨거든요..

문춘, 홍새 멈칫해서 바라보다가

문춘   어쩌다가..
정순   집 대들보에 목을 매셨어요.. 학교에서 돌아온 제가 처음
발견했죠.

문춘, 자살했다는 말에 눈빛 굳고.. 홍새, 그런 문춘을 힐긋 바라본다.

문춘   자살.. 하셨다구요..

정순   예.. 아직도 어제 일처럼 기억나요.. 그 모습이..

문춘, 품속에서 석란의 현장 사진 중 손목에 난 붉은 멍 자국이 있는
사진을 꺼내며

문춘   ..혹시.. 혹시 말입니다.

정순, 문춘을 의아한 듯 보는데 문춘, 사진을 건네며

문춘   혹시 손목에 이런.. 붉은 멍이 있진 않으셨나요?

홍새, 무슨 말도 안 되는 소릴.. 하면서 문춘을 바라보는데..
사진을 힐긋 보던 정순, 의아한 듯 고개 들어 바라보며

정순   ..어떻게 아셨어요?

문춘도 홍새도 놀라서 바라본다.

홍새   ..정말로.. 이런 붉은 멍이 손목에 있었다구요?

정순   예..

홍새도 문춘도 혼란스러워 어찌할 바를 모르는데..

정순   그런데 이 기사 사진은 그분한테 받으셨나요?

문춘	예?
정순	구..강모 교수님이었나? 1년 전쯤 와서 두 분처럼 이 기사에 대해서 물어보면서 제가 갖고 있던 기사 원본을 달라고 하셨거든요.

강모의 이름에 더더욱 혼란스러운 듯 시선 마주치는 문춘과 홍새.

씬/36　D, 정순의 집 앞

여전히 혼란스러운 얼굴로 걸어 나오는 문춘.
그 뒤를 따라 나오는 홍새 역시 뭐가 뭔지 모르겠다. 답답한 눈빛으로
문춘에게

홍새	이게 대체 뭡니까. 구산영, 구강모 교수. 붉은 멍 자국이 있는 자살 사건들. 뭐가 뭔지 모르겠지만.. 다 연관돼 있는 것 같아요.

문춘, 홍새의 말을 들으며 생각하다가..

문춘	..구강모 교수..

홍새를 뒤돌아보는 문춘.

문춘	구강모 교수에 대해 좀 더 파보자. 그 사람이 이 사건들의 중심에 있어..

제수 음식들로 한상을 차린 테이블. 해상과 산영, 식사를 하고 있으면
앞에 앉은 이장을 비롯한 할머니 몇 분과 양씨 할아버지, 두 사람을
반가운 듯 바라보고 있다.
해상은 먹는 둥 마는 둥 하고 있고.. 산영은 어르신들이 고마운 듯 열심히
먹고 있다. 이장, 잘 먹는 산영이 귀여운 듯

이장	입에는 좀 맞아?
산영	예. 너무 맛있어요.
양씨 할아버지	(콜록거리며 해상에게) 염 교수는 아직도 귀신이 보이고?

해상, 신경이 다른 곳에 가 있는 듯 가라앉은 얼굴로 식당 여기저기를
바라보고 있다. 산영, 그런 해상을 이상한 듯 보며

산영	네. 계속 보이신대요. 전 그래서 처음에 교수님 이상한 사람인 줄 알았어요.

웃음을 터뜨리는 어르신들. '우리 귀여운 아가씨가 염 교수 밑에서
고생하네' 산영도 어색하게 미소 짓는데.. 제일 멀리 떨어진 자리에 앉은
박씨 할머니는 경계하는 눈빛으로 가만히 바라본다. 해상, 그런 사람들
얘기가 들리지 않는 듯 진지한 얼굴로 이장을 바라보며

해상	어르신들.. 정말 괜찮으신 거죠?
이장	괜찮다니까 왜 자꾸 그래. (하다가) 아 맞다. 아까 누구라고 했지? 구 머시기?
산영	구강모 교수님이요.

이장	저 사람 아는 사람 있어? 염 교수, 그 사람 찾아왔다는데? 민속학자래. 그 사람도.

'잘 모르겠는데..', '아는 사람 있어?' 웅성거리는데.. 양씨 할아버지 기억을 떠올리려는 듯 고개 갸웃한다.

양씨 할아버지	(콜록대면서) 구 머시기에 민속학자면.. 그 사람 아닌가? 그 대나무집 이씨 딸이랑 결혼한 사람. 내가 바로 그 앞집 살았었거든.
산영	(멈칫) ..네?
양씨 할아버지	그 집 할머니한테 안 좋은 일이 있어서 기억이 나. 그 딸이 면사무소에서 일했었는데.. 이름이 경문이였나..

산영, 경문의 이름이 나오자 뜨악.

산영	윤경문이요?
양씨 할아버지	그래, 맞아. 윤경문이.

너무 놀라 입도 못 다물고 양씨 할아버지를 바라보는 산영.

씬/38   D, 마을회관 건물 앞마당

마당에 나와서 경문에게 전화를 걸고 있는 산영. 핸드폰 신호음만 계속 들려온다.
해상은 조금 떨어진 곳에서 그런 산영을 바라보고 있는데..

산영   왜 이렇게 전화를 안 받아.

끊고 다시 걸려는데 핸드폰 너머에서 들려오는 '어, 왜?' 하는 경문의 소리.

산영   엄마. 엄마 고향이 백차골이었어?

경문(소리)   ..뭐?

산영   엄마, 여기서 아빠랑 만나서 결혼한 거야? 나한텐 고향이
서울이었다며. 그것도 거짓말한 거야?

경문(소리)   너.. 그거 어떻게 알았어? 너 설마.. 거기 간 거야? 백차골에 간
거냐구?

산영   먼저 대답을 해봐.

경문(소리)   (산영 소리 자르듯) 당장 나와!!!

산영   뭐?

경문(소리)   거기서 당장 나오라구!

그때, 마을회관 안쪽에서 '왜 그래?', '괜찮아?', '여기 누구 없어요?' 하는
웅성거림.
해상, 그 소리에 바로 먼저 회관 안으로 들어가고..

산영   이따가 다시 전화할게.

산영도 전화 끊고 들어가는데..

씬/39   D, 마을회관 식당

이장을 비롯한 마을 사람들, 놀라서 바라보는 시선 쫓아가면 양씨

할아버지 숨을 못 쉬겠는 듯 바닥에 쓰러진 채 괴로워하고 있다.

뛰어 들어온 해상, 양씨 할아버지의 상태를 보다가 바로 119에 전화를
거는데..

뒤늦게 뛰어 들어온 산영. 모여있는 마을 사람들에게 다가가려다가 전신
거울에 비춰진 식당 안의 광경을 보고 놀라서 멈춰 선다.

모여있는 사람들 뒤편에 가만히 서서 양씨 할아버지를 내려다보고 있는
여자. 냉장고 뒤에 숨어있는 아이, 창밖에서 이 모습을 지켜보고 있는 남자.
창백한 낯빛의 귀신들이다.

씬/40   N, 마을회관 건물 앞마당

마당에 모여있는 박씨 할머니를 비롯한 마을 사람들. 흰 천에 덮힌 채
앰뷸런스로 실려가는 양씨 할아버지의 시신을 믿지 않는 시선으로
바라보고 있다. 가장 앞에 선 이장에게 사건 경위를 물어보고 있는 경찰.
그런 사람들과 조금 떨어진 곳에 서 있는 산영과 해상. 겁먹은 표정으로
손거울을 보지는 못하고 손에 쥐고만 있는 산영.

산영   아까 그거.. 뭐예요?
해상   객귀예요.
산영   저것 때문에 할아버지가 돌아가신 거예요?
해상   ..병이 갑자기 악화됐다면 객귀 때문일 가능성이 커요.

산영, 떨리는 손으로 슬쩍 손거울을 들어보면 자기 바로 뒤에 서 있는
누군가의 창백한 손.
산영, 겁먹고 바로 거울을 내려버리고는..

산영	더 있어요? 그 귀신들?
해상	여기에만 셋이나 더 있어요. 마을을 둘러봐야 알겠지만, 숫자가 엄청납니다.
산영	(불안한) 그럼.. 할머니, 할아버지들이 위험한 거 아니에요?

해상 역시 굳은 눈빛으로 보면, 마당 사람들 곳곳에 객귀들이 끼어있다. 조사가 끝난 듯 경례한 뒤 순찰차에 올라타서 출발하고.. 그 뒤를 이어 출발하는 앰뷸런스. 마을 사람들만 남자 더욱 낯빛 어두워지는 사람들.

할머니1	요즘 들어 계속 줄초상이네. 당제를 옮겨야 하는 거 아냐. 액이 꼈잖아.
박씨 할머니	옮길 게 아니라 아예 없애는 게 맞아요. 양씨 할아버지만 해도 그래요. 몸도 성하지 못한 분을 당제 한다고 생고생시키다가 저렇게 됐잖아요. 또 생사람 잡기 전에 그만해요.
이장	이 사람들이 진짜..

답답한 듯 마을 사람들 바라보던 이장, 해상에게

이장	염 교수. 뭐라고 좀 해봐.

해상, 점차 먹구름이 끼기 시작하는 하늘을 보다가 앞으로 나서며

해상	오늘은 어르신들 모두 집으로 돌아가시는 게 좋겠습니다.
이장	그게 무슨 소리야. 아직 당제 준비가 한참 남았구만.
해상	(이장 말 무시하며) 집으로 돌아가시는데 대신 꼭 지키셔야 할 게 있습니다. 절대 뒤는 돌아보지 마세요. 땅만 보고 걸으셔야 합니다. 집에 도착하시면 문을 꼭 걸어 잠그세요. 아셨죠?

해상을 가만히 바라보던 박씨 할머니, 성큼성큼 멀어지는데..
걸어가던 할머니, 마치 앞에 누가 있는 듯 약간 비껴서 걸어가고.. 그런
뒷모습을 문득 바라보는 해상. 웅성거리다가 하나둘씩 그 뒤를 따르기
시작하는 마을 사람들. 이장, 답답한 얼굴로 해상에게

이장　　아니, 염 교수까지 이러면 어떡해.

해상, 이장을 향해 낮은 목소리로

해상　　이장님. 마을에 객귀들이 있어요.
이장　　객귀? 귀신이 있다구? 정말이야?
해상　　예..
이장　　왜.. 우린 매년마다 지극정성으로 당제를 치러왔는데..

이장, 혼란스러운 듯 바라보다가..

이장　　그래서.. 뭘 어쩌라는 거야.

산영 역시 곁에서 혼란스러운 눈빛으로 해상을 바라보는데..

해상　　허제비 인형 지금 어디 있나요?

씬/41　N, 백차풀 일각 당집 밖/당집 안

마을 한 켠에 위치한 당집을 향해 다가가고 있는 이장. 그 뒤를 따르는
해상과 산영.

이장	허제비 인형으로 뭘 할려구?
해상	허제비놀이는 강력한 객귀물림입니다. 객귀들을 몰아내야죠.

당집 문을 열고 안으로 들어서던 세 사람. 가장 먼저 들어선 이장, 허제비 인형이 놓여있던 곳을 보고 놀란다.

수수팥떡과 술잔이 놓인 나무판은 그대로인데 그 뒤쪽에 놓여있던 허제비 인형들이 감쪽같이 사라져 있다.

이장	이.. 이게 어디 갔지?
산영	여기에 두신 게 확실해요?
이장	그럼. 내가 아침마다 새 수수떡이랑 술잔까지 바치면서 치성을 다 했는데. 오늘 아침 당집 청소할 때까지만 해도 여기 있었어.
산영	같이 청소하신 분이 가져가신 게 아닐까요?
이장	그걸 왜 가져가.
해상	혹시 모르니까 청소하신 분들한테 여쭤보죠.

씬/42   N, 박씨 할머니 집

집 안으로 들어서는 박씨 할머니. 열린 창문 아래 말려놓은 듯한 나물들이 바람에 여기저기 나뒹굴고 있다.

'아이고 내 정신 좀 봐' 급히 문을 열어놓고 뛰어 들어와 나물들을 그릇에 담기 시작하는데.. 열린 문 쪽을 비추는 화면.

창백한 낯빛의 20대 초반의 여자 귀신이 서서 박씨 할머니를 노려보고 있다.

씬/43   N, 당집 앞

연신 핸드폰으로 전화를 걸고 있는 이장.

이장   아니 왜 이렇게들 전화를 안 받아.

그런 이장을 불안한 얼굴로 바라보는 산영과 해상.

씬/44   N, 할머니1의 집

할머니1의 집 마당. 불어오는 바람에 마당에 쌓아놨던 소쿠리 몇 개가
날아가기 시작한다. 집 안에 있다가 신발을 신고 소쿠리를 주우러 나오는
할머니1. 집 안에 놔둔 할머니의 핸드폰이 울린다.

씬/45   N, 박씨 할머니 집

싱크대에서 찌개를 끓이고 있는 박씨 할머니. 저 멀리 둔 핸드폰이
울리지만 듣지 못한다.
조금 떨어진 곳에서 박씨 할머니를 바라보고 있는 여자 귀신.

씬/46   N, 할아버지1의 집

누워서 끙끙 앓고 있는 할아버지1, 핸드폰이 울리지만 받지 못한다.
그때 창문 너머에서 어른거리는 귀신의 그림자.

씬/47   N, 당집 앞

연신 전화를 해보지만 전화를 받지 않자 답답한 얼굴의 이장.
뒤따르면서 그런 이장을 보던 해상과 산영.

해상   저희가 직접 가볼게요. 어떤 분들을 찾아뵈면 되죠?

이장   박 씨랑 노 씨랑 김 씨가 당번이었으니까 그 집들 찾아가면
       되거든.

길을 가르쳐주는 듯 해상과 산영에게 손짓하는 이장의 모습에서..

씬/48   N, 몽타주

— 서로 흩어진 듯 혼자 떨어져서 이동하고 있는 산영, 해상, 이장의 모습.
— 길가, 할머니1, 소쿠리를 잡으러 가지만 바람에 점점 더 이동하는 소쿠리.
  길 너머 풀숲에 멈춰 선다. 길을 건너서 소쿠리를 잡는데 저만치에서
  달려오는 트럭 한 대.
— 박씨 할머니 집. 여전히 찌개를 끓이고 있는 박씨 할머니. 여자 귀신
  어느새 할머니 바로 등 뒤에 서 있다.

씬/49   N, 길가

소쿠리를 들고 트럭이 지나가기를 기다리고 있는 할머니1.
점차 할머니1에게 가까워져 오고 있는 트럭. 그때 창백한 손 하나가
할머니1의 등을 밀어버린다. 순간 휘청하는 할머니1, '빵빵' 클랙슨을

울리며 빠르게 핸들을 돌리는 트럭 기사. 속도를 줄이지 못하고 바로
할머니1을 치는 듯 하는데..
아슬아슬 할머니1을 잡아채서 길가 쪽으로 잡아끌고 함께 뒹구는 누군가.
산영이다.

산영 (놀라서 보며) 괜찮으세요? 어디 다친 데 없으세요?
할머니1 (역시 놀라서 정신을 못 차리다가) 괜찮아. 난 괜찮아.

씬/50 N, 할머니의 집 마당

집 툇마루에 앉아 숨을 돌리고 있는 할머니.
산영, 따뜻한 물 한 잔을 가지고 와서 할머니에게 건넨다.

산영 이것 좀 드세요.

할머니1, 물을 한 모금 마시고 숨을 돌린다.

산영 좀 괜찮으세요?
할머니1 누군지 모르겠는데 고마워서 어떡해.
산영 괜찮습니다. 그런데 오늘 아침 당집 청소, 할머니께서 하셨다구
이장님이 그러시던데 그때 혹시 허제비 인형 못 보셨나요?
할머니1 나 아침 청소 못 갔어. 허리가 안 좋아가지구. 김씨도 급한 일
생겨서 못 가구 박씨 할머니 혼자 했다 그러던데.

씬/51   N, 박씨 할머니네 집 밖

마당으로 다가오는 해상. 앞마당에 놓인 불을 땐 흔적이 남은 드럼통을
지나서 다가가다가 멈칫한다. 문이 활짝 열려있다. 불길한 눈빛으로 열린
문 너머로 천천히 들어가는 해상.

씬/52   N, 박씨 할머니네 집

'계세요', '어르신 계십니까?' 긴장한 눈빛으로 들어서는 해상.
한 걸음 두 걸음 들어서는데 저 앞쪽으로 박씨 할머니가 보인다. 상을
앞에 놓고 혼자 앉아 찌개에 식사를 하고 있는 박씨 할머니.
해상의 시선에서 보면 박씨 할머니의 맞은편에 여자 귀신이 앉아있다.
놀라는 해상.

해상   어르신. 조심하세요.

다가가려다가 순간 멈춰 선다. 상 위에 차려진 밥상 내려다보는데
여자 귀신 앞에도 밥그릇과 국그릇, 숟가락, 젓가락이 가지런히 놓여있다.

박씨 할머니   (밥을 먹으며) 왜 왔어?

해상, 뭔가 감이 온 듯, 눈빛 가라앉으며 박씨 할머니를 바라본다.

해상   ..어르신 눈에도 보이는군요.

— 인서트

— 40씬, 마을회관 건물 앞마당.

성큼성큼 건물에서 멀어지는 박씨 할머니. 해상의 시선으로 보면 박씨 할머니의 앞쪽에 객귀가 하나 서 있는데 걸어가던 할머니, 객귀를 피하는 듯 비껴서 걸어간다.

— 다시 박씨 할머니네로 돌아오면

고개 들어 해상을 바라보는 박씨 할머니.

박씨 할머니　그래. 나도 보여. 자네가 보이는 게.

해상　..그런데.. 왜 피하지 않으세요.

박씨 할머니　어떻게 피하겠어. 몇십 년 만에 집에 돌아온 딸을..

박씨 할머니, 맞은편 여자 귀신을 바라보는데 박씨 할머니의 눈에는 창백한 낯빛의 끔찍한 귀신이 아닌 20대의 고운 정희의 모습이다.

박씨 할머니　답답한 시골 마을 떠나서 도시로 나가겠다고 가출했었어.. 그런데 뭐가 그렇게 힘들었는지.. 자살해 버렸어.

해상　...

박씨 할머니　하루도 잊어본 적이 없는데 내가 왜 애를 피하겠어.

씬/53 　N, 백차풀 일각

마을회관으로 향해 가고 있는 산영.

가는 길이 헷갈리는 듯 주변을 둘러보다가 해상에게 전화를 걸려는 듯 핸드폰 꺼내고 고개를 들다가 얼어붙는다.

길가 한쪽에 설치된 반사경 너머로 보이는 창백한 낯빛의 귀신과 시선이

정면으로 마주친 것이다. 가만히 산영을 바라보는 귀신. 하나둘이 아니다.
그런데 다른 곳을 바라보고 있던 객귀들. 하나둘씩 천천히 뒤를 돌아
산영을 바라본다.
어두워지는 하늘 아래 자신만을 바라보고 있는 객귀들과 시선 마주친 채
얼어붙어서 움직이지도 못하는 산영.

씬/54   N, 박씨 할머니네 집

정희를 바라보다가 다시 밥을 먹기 시작하는 박씨 할머니.

박씨 할머니   객귀 들리면 들리라지. 오늘 죽어도 이상하지 않은 나이야.
차라리 애랑 같이 가는 게 나아.

해상, 그런 박씨 할머니를 바라보다가

해상   허제비 인형.. 할머니가 치우신 건가요. 객귀물림을 하면 따님이
사라지게 되니까..

박씨 할머니   그래.. 내가 치웠어. 태워버렸지..

놀라는 해상. 태연한 박씨 할머니를 바라보다가 집 밖으로 뛰어나간다.

씬/55   N, 박씨 할머니네 집 밖

뛰어나오는 해상. 아까 지나쳤던 드럼통으로 다급히 다가가 거꾸로 들어
안의 내용물들을 쏟고는 확인하는데 형체만 겨우 알아볼 수 있을 만큼

남은 채 시커멓게 타버린 허제비 인형.

떨리는 눈빛으로 그런 허제비 인형을 바라보는 해상.

씬/56 N, 박씨 할머니네 집 안

박씨 할머니, 맞은편에 앉아있는 정희 귀신을 바라보며 미소 짓는다.

박씨 할머니 이제 괜찮아.. 그 인형이 없어졌으니까 아무도 널 해칠 수 없어.

씬/57 N, 몽타주

― 46씬, 몸져누운 할아버지1. 더욱 병세가 깊어지는 듯 거친 숨을 내쉬는데
  누군가 밖에서 문을 열려는 듯 덜컥덜컥 문고리가 마구 흔들리고 있다.
― 마을회관 앞 세워진 깃발들. 거센 바람에 흔들리다가 쿵 바닥에 떨어지고..
― 점차 거세지는 바람에 위험하게 날아다니는 나뭇등걸들.
  바람 소리에 섞여 객귀들의 울음소리가 점점 크게 들려오기 시작하고..

씬/58 N, 백차풀 일각

얼어붙어서 반사경을 바라보고 있는 산영. 자신만을 뚫어지게 바라보는
객귀들을 보다가 순간 뒤돌아 마구 달리기 시작한다. 맨눈으로는
아무것도 보이지 않는다. 하지만 그게 더 공포스러운 듯 달리다가 발을
헛디뎌 넘어지는 산영.
어떡하지.. 벌써 따라붙었나. 겁에 질려 새파랗게 질린 낯빛으로 고개

드는데 저만치 앞에 폐업한 지 오래된 듯한 구멍가게. 깨지고 구멍 난 빛바랜 유리문 너머로 자신의 바로 옆에 선 객귀 하나가 얼핏 보인다. 놀라서 눈을 질끈 감고 고개를 숙였다가.. 순간 이상한 느낌에 천천히 눈을 뜨는 산영. 고개를 들고 유리문에 비친 객귀 모습을 확인하고 놀란다..

뭐지? 정말.. 내가 보고 있는 게 맞는 건가? 믿기지 않는 눈빛으로 천천히 일어서서 유리문을 바라본다. 유리문에 비춰져 흐릿하게 보이는 누군가.. 반백의 머리, 굵은 안경테. 강모의 귀신이다. 기억에서 지워진, 하지만 꼭 한 번이라도 보고 싶었던 아빠의 모습을 믿기지 않는 듯 바라보는 산영의 모습에서...

4부 끝.

악귀 1

5부

흉사가 있을 때마다 태자귀를 만들어왔어요.

믿었던 이웃, 가족들이 그 애를 죽인 거라구요.

씬/1   N, 백차골 전경

백차골 마을과 인접한 바다에 서서히 해무가 쌓이기 시작한다.

씬/2   N, 박씨 할머니네 집 밖

시커멓게 타버린 허제비 인형을 망연자실 바라보고 있는 해상.
더욱 거세게 불어오는 바람 소리에 섞여 객귀들의 찢어지는 듯한 비명
소리가 점점 커져 온다.
고개를 들어 주변을 바라보는 해상의 불안한 눈빛.

씬/3   N, 몽타주

— 4부, 57씬 몽타주의 몸져누운 할아버지1, 더욱 끙끙 앓고 있는데.. 밖에서
  들려오는 '쿵쿵쿵' 문 두드리는 소리.
— 할아버지1의 집 문밖. 불안한 눈빛으로 '김 씨! 안에 있어? 김 씨!' 연신 문을
  두드리고 있는 이장. 위쪽을 비추면 지붕 위에서 내려다보고 있는 객귀.
  이장, 계속해서 문을 열려고 '쾅쾅' 문을 잡아당기는데 순간 지붕 위에서
  후두둑 떨어지는 돌. 아슬아슬 돌을 피하는 이장. 놀라서 지붕 위를
  바라보는데 아무것도 없다. 불안한 눈빛으로 주변을 둘러보는 이장.
  불길하기 그지없는 하늘 아래 백차골 마을을 바라본다.

씬/4   N, 마을회관 사무실

과거, 당제를 지내던 모습이 담긴 비디오를 뚫어져라 바라보고 있는 해상.
그때 '쾅' 문 열리면서 이장이 다급히 들어선다.

이장   여기서 뭘 하는 거야. 한참을 찾았잖아.

말없이 계속 화면을 바라만 보고 있는 해상.

이장   아무래도 불길해. 염 교수 말처럼 뭔가가 이 마을에 있는 것
        같다고. 허제비 인형은 찾았어?
해상   허제비 인형은 없습니다. 박씨 할머니가 태워버렸어요.
이장   (놀라서) 뭐?
해상   그분이 이 마을에 객귀들을 불러들였어요. 객귀가 된 딸을 보고
        싶어서..
이장   (믿기지 않는다는 듯) 그게 무슨 소리야.. 귀신을 불러들여?
        어떻게..

해상, 당제의 비디오 영상을 뚫어져라 바라보며..

해상   그걸 알아내야 해요. 무슨 방법으로 객귀를 불러들였는지..

초조하게 화면을 훑어보던 해상. 화면 안의 뭔가를 보고 놀라서 일시
정지 버튼을 누른다. 오래되어 보이는 장승 앞에서 제사를 지내고 있는
사람들의 모습이다.
설마 하는 눈빛으로 화면 안의 장승을 바라보는 해상.

해상   장승..

— 인서트
— 4부, 30씬. 차 안. 갑자기 이상하게 변하기 시작하는 내비게이션.

— 다시 마을회관 사무실로 돌아오면
　일시 정지된 화면 속 장승을 바라보는 해상의 굳은 눈빛. 이장, 그런
　해상을 의아하게 바라보며

이장   장승이 왜?

해상   ..장승은 마을의 수호신 역할만 한 게 아니에요. 또 다른 중요한
　　　역할이 있었죠.

— 인서트
— 낮, 조선시대. 장승을 세우는 제사를 지내고 있는 사람들. 장승 앞
　한지에는 '東方靑帝逐鬼大將軍(동방청제축귀대장군)'이란 글귀.
— 또 다른 곳에 세워지는 나머지 세 방위의 장승들.
　한지에는 '西房白帝逐鬼大將軍(서방백제축귀대장군)',
　'南方赤帝逐鬼大將軍(남방적제축귀대장군)',
　'北方黑帝逐鬼大將軍(북방흑제축귀대장군)'이란 글귀들.

해상(소리) 마을의 동서남북 방위에 위치해 있는 장승은 당시 나그네들에게
　　　나침반 역할을 해줬습니다. 그뿐이 아니에요.

— 낮, 조선시대. 전 씬의 장승 중 하나로 다가오는 나그네. 장승에
　적힌 글귀를 확인한다. '自濟平官門 十里地名白叉 西距西海三十里
　東北距漢陽二百二十里'

* 자막 - 이곳은 제평의 관문에서 10리 못 미쳐 위치한 백차골이며,
서쪽으로 30리에는 서해가 있고, 동북쪽으로 220리는 한양이다.

해상(소리) 주요 목적지까지 거리를 표기한 노표 장승은 현재의 표지판
역할을 해줬죠. 쉽게 말하자면 장승은 현재의 내비게이션
역할을 했던 겁니다.

— 다시 마을회관 사무실로 돌아오면

해상 장승을 이용한 거예요. 사람 길이 아니라 귀신 길을 만든 거죠.

순간, 덜컹덜컹 흔들리던 창문. 쨍그랑 소리와 함께 깨진다.
창문 밖에 서 있는 수많은 객귀들. 놀라서 바라보는 이장과 해상.

씬/5   N, 백차골 일각

마을회관으로 향해 가고 있는 산영.
가는 길이 헷갈리는 듯 주변을 둘러보다가 해상에게 전화를 걸려는 듯
핸드폰 꺼내고 고개를 들다가 얼어붙는다.
길가 한쪽에 설치된 반사경 너머로 보이는 창백한 낯빛의 귀신과 시선이
정면으로 마주친 것이다. 가만히 산영을 바라보는 귀신. 하나둘이 아니다.
그런데 다른 곳을 바라보고 있던 객귀들. 하나둘씩 천천히 뒤를 돌아
산영을 바라본다.
어두워지는 하늘 아래 자신만을 바라보고 있는 객귀들과 시선 마주친 채
얼어붙어서 움직이지도 못하는 산영.
그때 마을회관 마이크를 통해 울려 퍼지기 시작하는 작년 허제비놀이 때

쓰였던 풍악 소리. 순간 객귀들 흥분한 듯 울음소리가 더더욱 커지는데..
놀라서 그런 객귀들을 바라보던 산영, 겁먹은 눈빛으로 도망치기
시작한다.

씬/6   N, 박씨 할머니네 집

들려오는 풍악 소리에 정희 귀신 역시 고개를 돌려 풍악 소리가 들려오는
곳을 바라본다.
역시 차가운 눈빛으로 고개를 드는 박씨 할머니.

씬/7   N, 마을회관 사무실

재생 중인 비디오 화면 앞에 방송용 마이크를 갖다 놓는 해상. 동영상
볼륨을 최대치로 올린다. 그런 모습을 바라보는 이장.

이장   뭘 하는 거야?

해상   진짜는 아니지만 저 안에는 당시 제사를 지냈던 많은 분들의
염원이 담겨있어요. 어느 정도 시간은 끌 수 있을 겁니다. 이
소리가 끊이지 않게 해주세요.

다급히 뛰어나가는 해상을 불안한 눈빛으로 바라보는 이장.

씬/8   N, 마을회관 창고

'쾅' 창고 문을 열어젖히는 해상. 창고 안에 쌓여있는 여러 집기들 중
커다란 도끼를 집어 들고 내려다본다.

해상(소리) 귀신들이 다니는 귀문은 동북쪽. 해가 들지 않는 북쪽의 장승일
가능성이 크다.

도끼를 들고 뛰어나가는 해상.

씬/9   N, 몽타주

— 마을회관, 사무실. 플레이되고 있는 동영상을 불안한 눈빛으로 바라보고
있는 이장. 동영상 화면 안, 신나게 풍악을 울리고 있는 신명꾼들.
그 주변에 모인 마을 사람들. 두 손을 비비면서 마을의 안녕을 빌며
'비나이다', '비나이다' 비손을 하고 있다. 점점 거세게 몰아치는 풍악 소리.
— 북쪽 장승을 찾아 빠르게 이동하는 해상.

씬/10   N, 백차골 일각

겁에 질려 뛰어가던 산영. 발을 헛디며 '쾅' 넘어진다.
다급히 일어나려 새파랗게 질린 낯빛으로 고개 드는데 저만치 앞에
폐업한 지 오래된 듯한 구멍가게. 깨지고 구멍 난 빛바랜 유리문 너머로
자신의 바로 옆에 선 객귀 하나가 얼핏 보인다. 놀라서 눈을 질끈 감고
고개를 숙였다가.. 순간 이상한 느낌에 천천히 눈을 뜨는 산영.

고개를 들고 유리문에 비친 객귀 모습을 확인하고 놀란다.. 뭐지? 정말..
내가 보고 있는 게 맞는 건가? 믿기지 않는 눈빛으로 천천히 일어서서
유리문을 바라본다.
내리는 빗속에 서서 산영을 바라보고 있는 강모의 귀신이다. 떨리는
눈빛으로 강모를 바라보는 산영.

씬/11   N, 백차꼴 북쪽 절벽 위

바닷가에 면한 절벽 위 나무숲 안에 위치한 '북방흑제축귀대장군'이라고
적혀있는 북쪽 장승을 향해 헉헉 거친 숨을 내쉬면서 뛰어오던
해상. 뭔가를 발견하고 눈빛 굳어진다. 해상의 눈에만 보이는 북쪽
장승의 모습. 몸 전체에 빼곡하게 적힌 작은 글씨들. 붉은 피로 적힌
'남방적제축귀대장군'이란 글씨들이다. 방금 적힌 듯 핏물이 흘러내리고
있는 글씨들을 놀라서 바라보는 해상의 모습에서..

― 인서트
― 겨울, 낮, 장승 앞에 음식을 바치며 기원을 하는 박씨 할머니. 정성을 다해
   비손을 한 뒤 가지고 온 작은 칼로 손끝을 찔러 피를 내고, 그 손가락으로
   장승에 남방적제축귀대장군이란 글씨를 쓰기 시작한다.
― 여름, 낮, 그 전에 쓴 글씨는 붉은 흔적만 남기고 사라졌는데.. 또다시 손에
   피를 내서 장승에 '남방적제축귀대장군'을 쓰고 있는 박씨 할머니.
― 가을, 낮, 동장소. 장승에 꽤 많이 남아있는 붉은 흔적들. 또다시 피로
   글씨들을 쓰고 있는 박씨 할머니.
― 겨울, 낮, 지치지도 않는 듯 광기 어린 눈빛으로 또다시 글을 남기고 있는
   박씨 할머니.

— 다시 현재로 돌아오면

장승에 남겨진 박씨 할머니의 글씨들을 바라보고 있는 해상.

해상(소리) 북쪽을 남쪽으로 바꿔버렸어.

해상, 핸드폰을 꺼내 나침반 기능을 열어본다. 빙글빙글 돌고 있는 나침반.

해상(소리) 북쪽의 귀문, 저승길을 막아 귀신들을 가둔 거야.

씬/12   N, 백차골 일각

유리에 비친 강모 귀신을 바라보는 산영. 강모 역시 유리에 비친 산영을
말없이 바라보고 있다.
강모를 바라보는 산영의 눈빛 더욱 떨려온다.

산영 아빠.. 나 산영이에요..

씬/13   N, 백차골 북쪽 절벽 위

'쿵' 도끼를 들어올려 장승을 찍어버리는 해상.
순간, 출렁하는 바다 위에 가득한 해무.

유리창 너머에 비친 강모를 바라보는 산영.

산영   아빠.. 나 알아보겠어요?

강모, 산영을 바라보다가 천천히 입을 연다.

강모   ..내가 아냐..

이게 무슨 말이지? 멈칫해서 강모를 바라보는 산영.

씬/15   N, 백차풀 북쪽 절벽 위

'쿵' 다시 한번 도끼로 장승을 찍어버리는 해상.
끼이익.. 계속되는 타격에 장승이 조금씩 휘기 시작한다.

씬/16   N, 몽타주

— 백차골 전경. 바다에 머물던 해무가 서서히 백차골을 향하기 시작한다.
— 마을 입구 쪽에 있던 객귀들, 해무가 다가오자 두려운 눈빛으로
  뒷걸음질을 치기 시작하고..
— 또 다른 마을 입구에 있던 객귀 한 마리, 예상치 못한 방향에서 다가오는
  해무에 닿자 '끼아아악' 비명 소리와 함께 서서히 사라지기 시작한다.

씬/17 N, 백차골 일각

혼란스러운 얼굴로 강모를 바라보는 산영.

산영 그게 무슨 말씀이세요? 내가 아니라뇨..

그때 연이어 들려오는 객귀들의 '끼아아악' 비명 소리들. 산영, 불안한
눈빛으로 소리가 들려온 쪽을 바라보는데..

씬/18 N, 백차골 북쪽 절벽 위

또다시 도끼를 치켜들고 장승을 내려치려는 해상. 순간, 해상의 뒤에서
돌로 머리를 가격하는 손. 쓰러지는 해상의 뒤를 비추면 박씨 할머니다.

박씨 할머니 누구도.. 내 딸을 해칠 순 없어..

피를 흘리면서 천천히 몸을 일으키는 해상.

해상 그만하세요. 따님은 벌써 죽었습니다.
박씨 할머니 죽지 않았어! (해상의 등 뒤쪽을 바라보며) 저렇게 버젓이
살아있다고..

박씨 할머니의 시선 쫓아가보면 조금 떨어진 절벽 쪽에 서 있는 정희의 귀신.
해상, 답답한 눈빛으로

해상 마을 사람들이 다 죽기를 바라는 겁니까?

박씨 할머니 (눈빛 흔들린다)

해상 난 막아야겠으니까 맘대로 하세요.

해상, 다시 도끼를 들고 장승에게 다가가 장승을 내려친다. 멀리서
들려오는 객귀들의 비명 소리.
광기 어린 눈빛으로 해상을 바라보는 박씨 할머니.

씬/19   N, 백차골 일각

연신 들려오는 비명 소리. 불안해지는 산영, 다시 강모를 바라보는데..
다시 무겁게 입을 여는 강모.

강모 미안하다.. 나도 어쩔 수 없었어..

혼란스러운 눈빛으로 강모를 바라보는 산영.

씬/20   N, 백차골 북쪽 절벽 일각

또다시 장승을 내려치려는 해상. 그런 모습을 지켜보던 박씨 할머니의
돌을 든 손이 부르르 떨려온다. 해상을 다시 내려치려는 듯 보다가..
장승을 내려치려는 해상의 앞에 엎드리고 빌기 시작한다.

박씨 할머니 내가 잘못했어.. 하루만.. 하루만 더 딸이랑 있게 해줘.

해상 (안타깝긴 하지만 단호한 눈빛으로) 비키세요.

박씨 할머니 제발..

해상   비키라구요!

박씨 할머니, 엎드려 빌다가 해상을 바라보려 고개를 드는데 뭔가를 보고
눈빛이 굳는다. 절벽 쪽에서 할머니를 바라보던 정희 귀신에게 다가오고
있는 해무다.
해무가 닿으면서 서서히 사라지기 시작하는 정희. 박씨 할머니, 놀라서
'안 돼!!' 외치면서 달려가 보지만 이내 사라져 버리는 정희. 차가운 해무만
남은 허공을 덧없이 바라보다가 울음을 터뜨리는 박씨 할머니.
해상, 그런 박씨 할머니를 가라앉은 눈빛으로 바라본다.

씬/21   N, 백차골 일각

여전히 혼란스러운 눈빛으로 강모를 바라보고 있는 산영.

산영   뭐가 어쩔 수 없었다는 건데요?

산영, 이해할 수 없는 얼굴로 강모를 바라보는데 그 위로 들려오는 '쿵'
하는 소리.

씬/22   N, 백차골 북쪽 일각

도끼로 장승을 내려치고 있는 해상. 아직도 버티고 있는 장승.
마지막 다시 한번 도끼를 치켜들어 내리꽂자, 드디어 '끼이익' 장승이
옆으로 쓰러지기 시작한다. '쿵' 소리와 함께 땅으로 쓰러지는 장승을 거친
숨을 내쉬며 바라보는 해상.

씬/23　N, 백차골 전경

빠른 속도로 백차골을 덮치기 시작하는 해무. 화면 위로 더욱 거세게
들려오는 객귀들의 비명 소리들.

씬/24　N, 백차골 일각

산영과 강모 주변으로도 빠르게 다가오는 해무.

강모　　미안하다..

그 말을 끝으로 서서히 사라지기 시작하는 강모.
산영, 그 모습에 놀라서 뒤돌아선다. 차가운 안개만 꼈을 뿐 아무것도
보이지 않는다. 당황해서 다시 유리창을 보지만 그 어느 곳에도
보이지 않는 강모. 산영, 다급히 떨리는 손으로 거울을 꺼내서 주변을
두리번거리며 어찌할 바를 모르는

산영　　안 돼요.. 아빠.. 나 진짜.. 할 말이 많은데.. 나 아직 못한 말이
많아요.. 나 묻고 싶은 게 진짜 많다구요..

서서히 눈물이 차오르는 산영. 가득히 낀 안개 사이에서 강모를 찾는데
순간, 시야가 암흑으로 변했다가 다시 돌아온다.
이게 뭐지? 눈을 깜박깜박.. 정신을 차리려고 하는데 다시 시야, 암흑으로
변하면서 몰려오는 어지러움. '툭' 힘이 빠지는 듯 쓰러지는 산영.
더욱 짙어지는 안개 사이 서서히 눈이 감기는 산영의 시선으로 암전되는
화면.

정신을 잃고 침상 위에 누워있는 산영. 순간 정신이 드는 듯 눈을 번쩍 뜨면서

산영   아빠..

침상 옆에 치료를 받은 듯 이마에 거즈를 붙인 채 앉아있던 해상.

해상   괜찮아요?

산영, 여기가 어디지? 정신을 차리다가 벌떡 일어선다.

해상   잠깐만요. 의사 불러올게요.

일어나려는 해상을 붙잡는 산영.

산영   아빠를 만났어요..
해상   (멈칫 바라보는) 그게 무슨 말이에요?
산영   아빠가 거기 있었다구요.
해상   객귀로 나타나셨다구요? 교수님이 확실해요?
산영   ..내가 아니라고 하셨어요. 미안하다고 어쩔 수 없었다고.. 그리고 사라지셨어요..

해상, 놀란 눈빛으로 산영을 바라보는데..
파티션 밖에서 들려오는 경문과 실랑이하는 병원 직원의 목소리.

직원(소리)　보호자는 한 분만 들어오실 수 있습니다.

경문(소리)　내가 보호자라구요. 구산영 보호자!

그 소리에 파티션 걷고 나가는 해상. 경문에게 인사하며

해상　오셨어요.

경문　(열받은 얼굴로 보는) 그쪽 뭐예요? 왜 자꾸 산영이랑 얽히는 거예요?

해상　맥박, 혈압 모두 정상수치랍니다. 그래도 혹시 모르니 큰 병원에서 정밀검사를 받아보시는 게..

경문　(말 끊으며) 왜 그쪽이 우리 딸을 신경 써요. 검사를 받건 말건 내가 알아서 할 테니까 다시는 산영이한테 연락하지 말아요.

파티션 걷으며 들려오는 산영의 목소리.

산영　그만해 엄마.

경문　(화난) 너 뭐야. 뭘하고 다니다가 이러고 있냐구.

산영　(링거 주사 빼려고 하며) 저 퇴원할게요.

씬/26　병원 건물 복도

굳은 얼굴의 산영이 먼저 걸어 나오고 경문, 그 뒤쪽에서 쫓아나오며

경문　너 뭐야? 화난 거야? 지금 화낼 사람이 누군데?

산영　(멈춰 서서 돌아보며) 대체 어디까지가 거짓말인 거야?

경문, 말문이 막히는 듯 보는

뒤늦게 복도 쪽으로 걸어 나오던 해상. 두 사람이 다투는 소리에 더 이상
다가오지 못하고 복도 끝 쪽에 멈춰 서는데..

산영	멀쩡히 살아있는 아빠를 죽었다고 하더니 고향은 또 왜 숨긴 거야?
경문	그만해.
산영	여기서 무슨 일이 있었던 거야. 여기서 왜 나가라고 한 거냐구?
경문	그만하라니까!

경문을 바라보는 산영의 화난 눈빛에서

— 인서트
4부, 13씬. 화원재 경문의 방에 놓여있던 출산 예정일이 표시된 탁상용
달력.

— 다시 현재 병원 건물 앞으로 돌아오면

산영　　내가 다섯 살 때 2월 25일.. 그날 뭐야..

경문의 낯빛, 삽시간에 굳어진다.

산영　　출산 예정일이라고 적혀있었어. 그날 뭐냐구.

경문, 모든 걸 체념한 듯 눈빛 가라앉는다.

경문　　네.. 동생이야.. 여기서 죽은..

놀라서 바라보는 산영,

복도 끝 쪽에서 두 사람의 대화를 듣던 해상도 멈칫해서 바라보는데..

씬/27 N, 과거, 2002년, 화원재 방 안

4부 13씬에 나온 방 안. 2002년에 머문 탁상용 달력에서 빠지면 현재와
비슷한 분위기지만 한 켠에 켜진 스탠드 불빛, 책상 위에 놓인 경문의
화장품들. 바닥 여기저기에 놓인 동화책들 등 사람의 온기가 느껴지는
여러 소품들로 더욱 따뜻해 보인다.

바닥에 펼쳐진 포근한 이부자리에 누워 잠들어 있는 다섯 살의 어린 산영.
그 옆에서 지금까지 산영을 재운 듯 모로 누워 산영을 조용히 다독이고
있는 30대 후반의 강모. 여전히 두꺼운 안경을 쓴 강모, 무뚝뚝 해보이는
인상이지만 잠든 산영을 바라보고 있는 눈빛에는 깊은 애정이 담겨있다.

문 열리며 세수를 한 듯 들어서는 30대 초반의 경문. 7, 8개월에 들어선
듯 배가 꽤 불러있는데.. 강모, 잠든 산영이 깰까 봐 바로 돌아보며
조용하라는 듯 입에 손가락을 갖다 댄다.

경문, 바로 조심히 문 닫으며

경문　(작은 목소리로) 산영이 자요?

강모, 입가에 엷은 미소로 고개 끄덕이며 다시 산영이 쪽으로 고개
돌리고.. 탁상용 달력이 놓인 책상으로 다가와 앉는 경문. 책상 위에 작은
거울을 바라보며 화장품을 바르다가 탁상용 달력을 보고 미소 지으며

경문　우리 둘째, 딱 두 달 있으면 나오겠다..

경문, 들뜬 얼굴로 달력을 바라보며

경문   아들일까요. 딸일까요. 산영이 똑 닮은 딸이었으면 좋겠는데..
(배를 만지며) 움직이는 게 산영이 때랑 다른 게 사내아이
같기도 하고..

경문, 흐뭇하게 미소 짓는데 바로 옆에서 들려오는 차가운 강모의 목소리.

강모(소리)   둘째는 죽어.

놀라서 바라보는 경문. 어느새 바로 옆에서 경문을 내려다보고 있는
차가운 눈빛의 강모다.
경문, 너무 놀라서 말도 못 하고 바라보는데..

강모   내가 죽일 거야.

경문, 너무 놀라서 벌떡 일어서다가 책상 의자가 '쾅' 넘어지고.. 산영 깬 듯
울음을 터뜨리는데..
그 소리에 제정신으로 돌아오는 듯한 강모. 겁먹은 얼굴로 자신을
바라보는 경문과 울고 있는 산영을 보다가 자신도 겁이 나는 듯 당황한
얼굴로 섰다가 '쾅' 문을 열고 나가버린다.
그런 강모를 겁먹은 얼굴로 바라보는 경문.

씬/28   D, 과거, 2002년, 백차골 인근 도로

백차골 입구를 지키는 표지석을 지나는 버스 안, 자리에 앉아 창밖을

바라보고 있는 경문. 눈가에는 여전히 불안감이 엿보인다.

씬/29 D, 과거, 2002년, 경문 모의 집 마당

마을에서 조금 벗어난 외진 곳에 위치한 경문 모의 집 마당.

경문 모, 닭 모이를 주고 있는데 저 멀리에서 들려오는 '엄마!' 소리.

고개 드는 경문 모. 저 멀리에서 짐을 들고 다가오고 있는 경문을 놀라서

바라본다.

— 시간 경과되면

툇마루에 앉아서 따뜻한 차를 마시고 있는 경문.

경문 모   (놀라서) 뭐? 여기서 둘째를 낳겠다구?

경문   응. 엄마랑 있으면 맘두 편하구..

경문 모   산영이는?

경문   (불안한) 데리고 오고 싶었는데 친할머니가 워낙 반대가
심하셔서.. 몸만 풀면 바로 가서 데리고 올 거야.

경문 모   (기가막혀 보는) 시골구석 싫다구 바락바락 우겨서 서울 남자랑
결혼한 것도 모자라서 산영이 낳구 코빼기두 잘 안 비치던 게
갑자기 왜 이래?

경문   (말없이 차 마신다)

경문 모   (싫지는 않은 눈치) 구 서방은? 그러라 그러디?

경문, 강모 얘기가 나오자 순간 눈빛 어두워지면서 고개 떨군다.

경문 모   왜?

경문	...
경문 모	왜 그러는데? 얘기 좀 해봐.

경문, 순간 울상이 되며

경문	모르겠어.. 너무.. 무서워..

씬/30   N, 과거, 2002년, 경문 모의 집 작은방

잠자리에 누운 경문. 그 옆에서 내심 걱정스럽지만 애써 아무렇지 않은 척 잠자리를 봐주고 있는 경문 모.

경문 모	니가 잘못 들은 걸 거야.
경문	..그럴까?
경문 모	그럼. 어떻게 애비가 지 애를 두고 그런 말을 하겠어. 산영이두 그렇게 이뻐한다며.
경문	그렇긴 하지..
경문 모	오늘은 좀 푹 쉬어.

경문, 고개 끄덕인 뒤 눈을 감자 경문 모 불을 끄고 방을 나선다. 창문 너머로 들어서는 은은한 달빛만이 비추는 방 안.
경문, 잠이 오는 듯 눈을 감는데.. 창문 너머로 서서히 다가서고 있는 머리를 풀어헤친 그림자. 경문, 눈치채지 못하고 잠에 빠지는데.. 그런 경문을 비추던 화면 안으로 천천히 들어서는 발.
위를 비추면 차갑게 경문을 내려다보고 있는 강모다.

강모　　　..둘째는 죽어야 해.

순간, 꿈에서 깨어나는 듯 '쾅' 몸을 일으키는 경문. 주변을 둘러보면
어느새 사라진 강모.
경문, 꿈인가.. 거친 숨을 내쉬는데 순간 극심한 복통을 느끼고 배를
만지는데 촉감이 이상하다. 손을 들어 보면 온통 피.
놀라서 이불을 걷는데 이불 밑이 온통 붉은 피로 물들어 있다. '안 돼.. 안
돼..' 애절한 경문의 비명 소리 울려 퍼지는데..

씬/31　Ｄ, 과거, 2002년, 병원 병실

1인용 병실에 멍하니 누워있는 경문. 그 옆에서 죽이 담긴 그릇에서 죽을
퍼서 경문에게 내밀고 있는 경문 모.

경문 모　　좀 뭐라도 먹어야 기운을 차리지. 죽은 애기야 딱하지만 넌
　　　　　살아야 할 거 아냐. 산영이 생각은 안 할 거야?

그러나 여전히 멍하니 창밖만 바라보는 경문.
경문 모, 딱하게 보다가 옆 협탁에 죽그릇 내려놓고 한숨을 내쉬는데
낯빛이 어두워진다. 가만히 생각하다가

경문 모　　니 말이 맞았어.. 그날.. 구 서방이 왔었어.
경문　　　...(보는)

— 인서트 컷
— 밤, 경문의 집. 경문의 비명소리에 경문 모, 방에서 툇마루로 뛰쳐나오는데

경문의 방 앞에 서 있는 강모의 뒷모습.

경문 모 ..구 서방?

그때 천천히 뒤돌아서서 경문 모를 바라보는 강모. 그런데 입가에 싸늘한
미소가 걸려있다.

— 다시 병실로 돌아오면
그때 생각을 하고 싶지도 않은 경문 모의 모습. 경문 역시 충격을 받은
눈빛으로 보다가

경문 ..정말.. 확실해요?

경문 모 너 때문에 놀라서 119에 연락하고 정신이 없었는데.. 정신 차려
보니까 없어졌더라구.

경문 ...

경문 모 너 병원 실려 온 다음에 연락을 해봤는데 집에도 없대. 너 이렇게
됐다구 얘기도 해놨는데 아직까지 코빼기도 안 보이잖아.

경문, 그저 혼란스럽다.

경문 모 내가 이래서 이 결혼 반대한 거다. 민속학자니 뭐니 귀신만
쫓아다녔잖아. 사람이 음침하고 밝은 구석이 없었어..

경문 ..엄마.. 나 무서워.. 산영이까지 어떻게 되는 거 아니겠지?

경문 모 일단은 내가 올라가서 산영이 데리고 오마. 몸 좀 추스르고 그때
가서 좀 더 생각해 보자.

그런 두 사람의 모습에서 서서히 병실 문을 비추는 화면.

병실 문이 소리 없이 열렸다가 닫히고 있다.

씬/32   D, 과거, 2002년, 병실 밖 복도

두 사람의 대화를 엿들은 듯 무표정한 얼굴로 서 있는 강모다.

씬/33   N, 과거, 2002년, 병원 병실

째깍째깍 흘러가는 시계를 바라보고 있는 경문.
초조한 듯 보다가 핸드폰을 들어 경문 모에게 전화를 걸지만 받지 않는다.
계속해서 전화를 걸어보지만 아무도 받지 않자 답답한 듯 다시 한번
시계를 초조한 시선으로 바라보던 경문. 링거 주사를 빼기 시작한다.

씬/34   N, 과거, 2002년, 경문 모의 집 밖

불이 모두 꺼진 채 어둠에 휩싸인 불길해 보이는 경문 모의 집.
불편한 몸을 이끌고 집으로 다가오고 있는 경문. 불안한 눈빛으로 다가오며

경문   엄마! 엄마!!

신발 벗고 툇마루로 올라가며

경문   산영이는? 데리고 왔어요?!

그때, 뒤뜰 쪽에서 들려오는 절박한 경문 모의 외침.

경문 모(소리) 오지 마!! 도망가!!

그 소리에 놀라서 다시 뒤뜰 쪽으로 달려가는 경문.

씬/35 N, 과거, 2002년, 경문 모의 집 뒤뜰

경문, 뒤뜰로 들어서다가 놀라서 바라본다.
뒤뜰 우물가. 마치 우물 담장을 잡고 버티는 듯 바들바들 떨며 서 있는
경문 모다. 경문 모의 손목에는 선명한 붉은 손자국.

경문 엄마.. 뭐 하는..

경문, 다가가려는데

경문 모 오지 말라니까!

경문 모의 외침에 불안한 눈빛으로 어찌할 바를 모르는 경문.

경문 엄마.. 왜 그래..

경문 모, 공포에 질려 바들바들 떨면서

경문 모 산영이 데리고 그 집에서 나와.. 다신 돌아가지 마..

그 말을 끝으로 '쾅' 우물 안으로 몸을 던져버리는 경문 모.
'아아악!' 놀라서 비명을 지르며 우물로 뛰어가는 경문. '엄마!! 아아악!!'
우물 안을 바라보며 울부짖는 경문의 모습에서

씬/36   D, 과거, 2002년, 버스 안

잠든 산영을 꼭 안고 어디론가 향하고 있는 경문. 눈에선 하염없이 눈물이
흘러내린다.

경문(소리)   네 외할머니 그렇게 돌아가시고 나서 바로 널 데리고 도망치듯
            떠났어. 그게 마지막이었어..

씬/37   D, 현재, 버스 안

함께 버스에 탄 채 집으로 올라가고 있는 산영과 경문. 말없이 창밖만
바라보고 있는 산영. 경문 역시 말없이 멍하니 앉아있다. 산영, 문득 고개
돌려 경문을 안쓰럽게 바라본다.

씬/38   D, 백차골 일각

무성한 잡초를 헤치면서 안내하고 있는 이장의 뒤를 쫓고 있는 해상.

이장   북쪽 장승은 마을 예산으로 다시 세우기로 했어. 이번에 지내지
        못한 당제도 다시 날을 잡기로 했고. 죽을 때 죽더라도 해볼

때까지는 해봐야지.

미소 지으면서 해상을 뒤돌아보는 이장.

이장   우리가 지금까지 해왔던 수고가 헛되지 않았다는 걸 알려줘서
             고마워.

미소로 해상을 바라보던 이장, 다시 뒤돌아 걸어가다가

이장   아, 저기네. 염 교수가 찾는 집. 그 구강모 교순가 하는 사람
             처갓집 말야.

해상, 이장이 가리키는 곳을 바라보면 무성한 잡초 사이에 남아있는 폐가다.

씬/39 D, 경문 모의 집 폐가

폐가로 다가와 둘러보는 해상. 그 뒤에서 따라오며 설명하는 이장.

이장   집주인 할머니가 옛날에 여기서 자살을 했대. 그리고 어디
             회사에서 부지를 매입했다는데 아직까지 아무것도 들어서지
             않아서 이렇게 남아있대.

순간, 잡초 사이로 보이는 땅에 조금 튀어 올라 있는 새끼줄에 발이 걸려
넘어질 뻔한 이장.

이장   뭐 이런 데 새끼줄이 있어..

먼저 걸어가던 해상, 힐긋 그런 이장과 새끼줄을 한번 보다가 다시
고개 돌려 건물을 둘러본다. 아무것도 보이지 않는다. 집을 둘러보는
혼란스러운 눈빛의 해상의 모습 위로

해상(소리) 왜 여기서 이런 일이 벌어졌는지 모르겠지만.. 확실한 건 하나..
구강모 교수님도..

씬/40 D, 버스 안

전 씬의 해상의 모습과 오버랩되는 창밖을 바라보는 어두운 눈빛의 산영.

산영(소리) 아빠도.. 나와 똑같은 악귀에 씌어있었다..

씬/41 D, 경문 모의 집 폐가 일각

폐가를 둘러보는 답답한 얼굴의 해상.

해상(소리) 왜 어쩌다가 악귀에 씌게 된 거지.. 구강모 교수님한테 무슨
일이 있었던 거야..

씬/42 D, 광천서 건물 밖

주차장에 차를 세운 홍새, 못마땅한 얼굴로 건물을 올려다본다.

씬/43   D, 광천서 건물 지하 복도

파일철들을 들고 광천서 형사와 함께 이동 중인 홍새.

광천서 형사   며칠 동안 창고에서 뭘 그렇게 찾으시는지 모르겠어.
홍새   창고에 뭐가 있는데요?
광천서 형사   광천서 설립 이래 쌓인 모든 쓰레기들이라고나 할까?
   전산화하면서 많이 버리긴 했는데, 뭐가 뭔지 모를 수사자료들
   싹 다 모아놓은 데야.
홍새   (깊은 한숨)
광천서 형사   저기야.

광천서 형사 가리키는 곳. 지하에서도 제일 외딴 곳에 위치한 팻말도 없는
철문이다.

씬/44   D, 광천서 창고

닫힌 문을 열고 들어서던 홍새, 창고 안을 가득 메운 먼지에 콜록콜록.
손사래를 치며 안을 보면 여기저기 쌓여진 철제 선반에 아무렇게나
쌓여진 박스들.
그 사이에 주저앉아서 돋보기를 쓰고 박스 안의 문서들을 확인 중인 문춘.
이미 꽤 시간이 지난 듯 여러 개의 박스들이 옆에 쌓여있는데..

홍새   여기서 뭘 하시는 거예요?
문춘   내가 놓친 거 찾고 있어.
홍새   놓친 거요?

문춘	그동안 벌어진 피멍이 든 자살 사건들 다 찾았다고 생각했는데 아니었어. 아무래도 그 장진리부터 다시 시작해 봐야겠어.

홍새, 고개도 들지 않고 계속 박스 안의 서류들을 확인하며 대답하는
문춘에게 다가가며

홍새	이런 거 다 헛수고라니까요. 그 옛날 옛적 기록들이 남아있겠어요.
문춘	할 때까진 해봐야지.

홍새, 보다가 문춘 옆에 주저앉으며 파일들 내놓는다.
2부, 54씬에서 문춘이 홍새에게 건넨 자살 케이스들이다.

문춘	이건 왜?
홍새	이상한 게 있어서요. 이 사건들에 최근에 발견된 단서를 대입해봤거든요.
문춘	새로운 단서?
홍새	구강모 교수요.

문춘, 의아한 듯 바라보는데 홍새, 파일철 중에 '2000년, 강남 남부 횟집
자살 사건' 파일을 꺼내 보여주며

홍새	2000년, 강남 횟집 화장실에서 자살한 변사자 이름은 서상훈. 꽤 권위 있는 국문과 교수였는데 기고하던 전문가 칼럼에 이런 글을 썼더라구요.

핸드폰에서 서상훈의 전문가 칼럼을 찾아서 보여주는 홍새.

1부 23씬의 '대학교수의 논문 수준, 이대로 괜찮은가'라는 칼럼이다.

홍새   알아봤더니 변사자가 구강모 교수를 꽤나 싫어했대요. 교수가
아니라 사이비 사기꾼이라고 불렀다 그러더라구요.

홍새, 파일에서 '2002년, 서해 백차골 자살 사건'을 보여준다.

홍새   이 변사자도 구강모 교수와 관계가 있는 사람이었습니다.
변사자 이름 '이옥자' 구강모 교수, 전처의 어머님. 그러니까
구강모 교수의 장모였던 거죠.

문춘, 믿기지 않는다는 듯 사진을 본다.

홍새   이혼을 해서 신상 정보에 뜨지 않았으니 선배님은 눈치채지
못하셨겠죠. 그뿐만이 아닙니다.

'2007년, 경기 북부 저수지 자살 사건' 파일을 꺼내 드는 홍새

홍새   이 사건의 변사자는 문체부 소속 공무원, 황차희. 구강모 교수가
재직했던 동운대 경제학과 출신이었습니다. 그런데 알아보니까
민속학과를 복수전공했더라구요. 구강모 교수의 제자였던 거죠.

문춘, 굳은 얼굴로 홍새의 얘기를 듣다가 마지막 '2022년, 강북아파트
자살 사건' 파일을 가리키며

문춘   이건? 이것도 알아봤어?
홍새   아뇨. 아직.. 하지만 좀 더 알아보면 뭔가 나올 겁니다.

문춘   대단해. 경찰대 수석다워.

홍새   (으쓱) 아니.. 뭐..

문춘   (철제 선반 위의 박스들 가리키며) 저것들 아직 확인 못 했거든.
　　　　손목에 붉은 멍이 든 자살 사건들 위주로 마저 조사 좀 해줘.

홍새   (어이없다) 네? 저걸 제가요?

문춘   역시 경찰대 수석은 달라.

　　　　파일들 가지고 문서고를 나가버리는 문춘을 어이없이 바라보는 홍새.

씬/45   D, 산영의 집 외경

씬/46   D, 산영의 집 경문의 방

　　　　화장대에서 우울한 얼굴로 앉아있는 경문. '똑똑' 노크 소리와 함께
　　　　들어서는 산영. 물컵과 약 봉투가 담긴 쟁반을 들고 들어서서 경문 앞에
　　　　내려놓는다.

산영   약 또 안 먹었더라. 규칙적으로 먹어야 한다니까.

경문   내가 알아서 먹을 테니까 나가.

　　　　산영, 아직도 기분이 안 좋은 경문을 보다가 뒤쪽에 숨겨서 가지고 온
　　　　듯한 강모가 쓴 책을 천천히 꺼내서 경문 앞에 놓는다.

산영	이 책 기억나?

경문, 낯빛 또다시 굳으며..

경문	아빠 얘기 하지 말랬지.
산영	엄마.. 나 엄마 딸이기도 하지만 아빠 딸이기도 해.
경문	...
산영	지금까지 내가 알던 거 다 거짓말이었던 거잖아. 이제 나 알아야겠어. 아빠에 대해서..
경문	...
산영	얘기해줘. 아빠 어떤 사람이었어?

경문, 그런 산영을 보며 한숨을 내쉬다가..

경문	..내 얘기를 잘 들어주는 사람이었어.. 너네 아빠..

씬/47　D, 과거, 1998년, 몽타주

— 낮, 백차골 면사무소. 한적한 사무실 안으로 들어서는 30대 중반의 강모. 책상에서 졸고 있던 30대 초반의 경문에게 다가가 '동운대학교 민속학과 교수 구강모' 명함과 함께 인사를 건네는 모습 위로

경문(소리)	면사무소에서 일할 때 지역조사를 도와달라고 너네 아빠가 찾아왔었어.

농가 주택. 툇마루에 앉은 백발이 성성한 할아버지를 강모에게 소개하고

있는 경문. 대화가 잘 통하지 않는 듯 경문이 사이에서 얘기를 전달하고
그 얘기를 노트에 적고 있는 강모.
백차골 일각, 바닷가를 함께 걷고 있는 두 사람. 마을 쪽을 가리키며 뭔가
얘기하고 있는 경문. 그런 경문의 얘기를 노트에 적어가면서 경청하고
있는 강모.

경문(소리)　이상한 사람이었지. 아무도 신경 쓰지 않는 할머니의
　　　　　할머니들의 얘기. 고리타분하다고 넘기던 옛날 얘기들.. 내가
　　　　　알고 있던 얘기들에 귀를 기울여 줬어.

씬/48　D, 현재, 산영의 집

과거를 회상하는 경문을 바라보는 산영.

경문　난 내가 좋아서 그런 줄 알았는데.. 나중에 알고 보니까
　　　　민속학자들이 하는 일이 그렇더라구.
산영　그래서? 더 얘기해 줘봐.

과거를 회상하던 경문, 낯빛 서서히 굳어지며

경문　옛날 얘긴 그만하자.
산영　왜? 해준 김에 좀 더 해주면 안 돼?

경문, 낯빛이 무겁게 가라앉으며..

경문　..못 하겠어..무서워서..

산영	..왜 그래?
경문	그때는 몰랐었는데 그 얘기가 계속 맘에 걸렸어.. 둘째는 죽어야
	된다는 말.. 그 마을 얘기랑 똑같았어..
산영	무슨 소리야?
경문	..장진리라는 마을.. 거기에서도 계속 둘째가 죽었다고 했어..

장진리라는 지명에 산영, 멈칫해서 경문을 바라보는데..

| 산영 | 장진리..? |

씬/49 N, 해상의 집 서재

책상에 앉아 벽면에 붙은 강모의 논문들을 뚫어져라 바라보고 있는 해상.

'새소리를 내는 어린 소녀가 머리를 풀어헤친 그림자를 어깨에 얹고 있었다.'
'머리를 풀어헤친 그림자는 사람의 욕구를 채워주며 점점 더 커져간다.'
'귀신에 씌게 되는 경로는 여러 가지가 있는데 대표적인 것은 두 가지다.
좋지 않은 장소에 갔다가 나쁜 기운에 휩싸이는 것이 첫 번째이고, 귀신에
씐 물건과 접촉하는 것이 두 번째이다. 음한 기운이 강한 악귀의 경우는 두
번째일 경우가 많다.'
'머리를 푼 악귀의 기운이 서린 물건은 죽임을 당한 자의 기운으로만 누를
수 있다.'

해상(소리)	구강모 교수님.. 악귀에 대해 잘 알고 있다고만 생각했는데..

악귀에 씌었던 거였어..

그때 울리는 초인종 소리. 인터폰으로 다가가는 해상. 인터폰 화면에 뜬 문춘을 확인하고는 열림 버튼을 누른다.

씬/50 오미트

씬/51 N, 해상의 집 거실

거실로 들어서는 해상과 문춘.

해상 연락도 없이 무슨 일이세요?

문춘, 말없이 거실 테이블 위에 가방 안에서 꺼낸 사건 파일들을 '쿵' 내려놓는다.

해상 이게 뭡니까?
문춘 엄 교수 어머님과 같은 케이스들이야. 손목에 붉은 멍 자국이 남은 채 자살한 변사자들이지.

얘기를 이어나가며 사건 파일들을 하나하나 가리키는 문춘.
'2000년, 강남 남부 횟집 자살 사건', '2002년, 서해 백차골 자살 사건' '2007년, 경기 북부 저수지 자살 사건' 파일이다.

문춘 2000년, 구강모 교수의 동료 교수, 그 다음은 장모, 그 교수의 제자가 연달아 죽었어.

'2022년, 강북 아파트 자살 사건' 파일을 가리키는 문춘.

문춘   이 변사자는 도서관 사서였는데 동료들 증언으론 죽기 전날
            구강모 교수를 만났었대.

문춘, 그리고 옆에 놓였던 강모의 사건과 석란 사건의 파일들을 위에
던지듯 올려놓는다.

문춘   그리고 마지막이 구강모 교수 본인, 그리고 친어머니였지.

해상, 문춘의 말에 멈칫하며

해상   구강모 교수님도 그렇게 돌아가셨다구요?

의아한 얼굴로 강모의 사건 파일을 넘기려다가 사건 파일 사이로
튀어나와 있는 강모의 유언장 사진을 보고 이제 뭐지? 꺼내서 바라본다.

해상   ..이게 뭐죠? 구강모 교수님 유언장인가요?
문춘   맞아. 현장에 남아있었다고 들었어.

해상의 시선 쫓아가보면 평범한 종이 위에 붉은 볼펜으로 꾹꾹 눌러쓴 글씨.

내 딸 산영이한테 책상 위에 놓여진 록카상자 안의 멩기를 물려주세요.
꼭 부탁합니다.
                                    구 강 모

유언장을 바라보던 해상. 믿을 수 없다는 듯

해상   일부러 댕기를 물려준 거야.. 대체 왜..

해상, 문득 뭔가가 생각난 듯 거실 테이블 서랍 안에서 강모가 자신에게
보낸 편지를 꺼내 비교하듯 내려놓는다.

해상   처음부터 이상했어요.
문춘   무슨 얘기야?
해상   민속학자는 금기를 깨는 걸 싫어해요. 게다가 붉은색으로
이름을 쓰는 건 일반인들도 꺼려 하는 미신인데.. 왜 구강모
교수님은 두 장 모두 붉은 볼펜으로 쓴 걸까요.
문춘   좀 섬뜩하긴 하지만.. 주변에 붉은 볼펜밖에 없었나 보지.

혼란스러운 눈빛의 해상, 문득 생각나는 산영의 얘기.

— 인서트
5부, 25씬. 병원 응급실에서 해상에게 얘기하던 산영.

산영   아빠를 만났어요..
..내가 아니라고 하셨어요.

— 다시 해상의 집으로 돌아오면
해상, 설마.. 눈빛이 떨려온다.

해상   내가 아냐.. 구강모 교수님이.. 아니었던 거야..

— 인서트

— 낮, 서재. 평소의 강모가 아닌 차가운 낯빛으로 해상에게 편지를 쓰고
있는 강모에게 씐 악귀. 왼손에 쥐어진 붉은 볼펜으로 편지지에 적어
내려가고 있다.

— 밤, 1부 4씬에 이어지는.. '쾅' 책상 위에 올려지는 강모의 손. 어떡하든
저항해 보려 부들부들 떨고 있는 강모. 그러나 강모의 손을 누군가 강하게
끌고 있는 듯 손목에는 붉은 멍 자국이 들어있다. 떨리는 손으로 책상
위에 놓인 종이에 유언장을 쓰기 시작한다.
산영이의 이름을 적으면서 절망감에 눈에서 한 줄기 눈물이 흘러내리는
강모.

— 다시 해상의 집으로 돌아오면
충격에 휩싸여서 흔들리는 해상의 눈빛.

해상   ..교수님이 아니라.. 악귀였다면..

문춘   그게 무슨 소리야?

그때, 또다시 울리는 초인종 소리.
인터폰으로 확인해 보면 불안해 보이는 산영이다.

문춘   누구야?

해상, 화면을 보다가 문 열림 버튼을 누른 뒤 테이블로 다가와 문춘이
가져온 사건 파일들을 다시 가방 안에 넣고, 강모가 해상에게 보낸 편지도
주머니에 넣으며

해상   제가 다시 연락드릴 테니까, 오늘은 그만 돌아가 주세요.

문춘	..또 그 여자야?
해상	뭐라도 단서가 나오면 형사님도 연락주세요.

문춘, 해상을 마뜩치 않은 표정으로 보다가 가방을 들고 현관 쪽으로 걸어가는데 들어서던 산영과 마주친다. 산영, 문춘을 여기서 만날 줄 몰랐던 듯 멈칫 바라본다. 문춘, 그런 산영을 한 번 보고는 나가는데.. 산영, 해상에게

산영	저분 형사님 아니세요? 두 분이 친한 사이셨어요?

산영을 바라보는 해상의 눈빛에는 보일 듯 말 듯 경계심이 엿보인다. 잠시 시선 움직여 산영의 그림자를 본다. 머리를 풀어헤친 악귀다.

산영	교수님?
해상	(최대한 감정을 숨기며) 예. 형사님이랑은 인연이 좀 있어서요. 들어오세요.

해상, 앞장서서 테이블 쪽으로 걸어가자, 산영 불안한 얼굴로 그 뒤를 따라 자리에 앉는다.

해상	뭐 마실 거라도 줄까요?
산영	아뇨. 드릴 말씀이 있어서 왔어요. 장진리요.
해상	그 마을은 왜요?
산영	아빠가 엄마를 처음 만났을 때 장진리에 대한 얘기를 해줬대요.

씬/52 D, 과거, 1998년, 백차골 인근 바닷가

바닷가 바위에 걸터앉아 잠시 휴식을 취하고 있던 듯한 강모와 경문.

강모 장진리란 마을에서는 큰 흉사가 있을 때마다 태자귀를
만들어왔어요. 액을 막고 풍요를 가져다주는 마을의 수호신으로
삼은 거죠. 그 태자귀를 만들기 위해 희생당하는 애는 꼭
둘째여야 했습니다. 당시 유교 관습상 장자를.. 첫째를 보호해야
했으니까요.

씬/53 N, 현재, 해상의 집

끔찍하다는 듯 소름 끼치는 얼굴로 해상에게 얘기를 이어가는 산영.

산영 우리가 봤던 기사 기억나죠. 목단이 얘기예요..
해상 ...
산영 그저 미친 무당한테 살해당했다고 생각했는데.. 더 끔찍한 일을
당한 거예요. 믿었던 이웃.. 가족들이 그 애를 죽인 거라구요.

— 인서트
— 4부, 18씬에 이어지는..
시골길 사이를 뛰던 목단, 어느새 초가집들이 사라지고 울창한 산길
초입이 가까워진다. 마을이 끝나는 길에 서 있는 아름드리 당산나무. 목단,
우뚝 멈춰 섰다가 다시 돌아가려고 하는데.. 당산나무 너머 저 멀리에서
흐릿하게 보이는 쪽을 진 여자가 이리 오라는 듯 손을 흔들고 있다. 목단,
마을 안쪽과 그 여자를 번갈아 보다가.. 여자를 향해 뛰어가기 시작한다.

서서히 멀어지는 목단의 뒷모습에서 화면 다시 마을 쪽을 비추면 한 명 두 명씩 나타나는 마을 사람들. 무표정한 눈빛으로 멀어지는 목단이를 바라만 본다.

― 다시 해상의 집으로 돌아오면

산영　　너무 끔찍해요. 어떻게 그런 악습이 있을 수 있죠. 그 애가 너무 불쌍해요..

해상　　..안타깝지만 인신공양은 전세계적으로 발견되는 풍습이에요.

산영, 힘든 낯빛으로 생각하다가

산영　　이목단.. 그 아이가 악귀가 분명해요. 나라도 그런 일을 겪었다면.. 악귀가 돼서라도 사람들한테 복수하고 싶었을 거예요.

해상　　...

산영　　악귀의 정체를 알아내야 한다고 했죠? 이제 다음은 뭘 알아내야 하죠?

해상, 말없이 산영을.. 산영의 뒤쪽에 드리운 그림자를 바라본다.

해상(소리)　저 안에 있는 악귀는 무슨 생각일까.. 무슨 생각으로 댕기를 물려주고.. 무슨 생각으로 날 끌어들인 거지..

산영, 대답이 없는 해상을 바라보며

산영　　교수님. 이제 어떡하면 되냐구요.

해상, 혼란스러운 기색을 감추고 산영을 바라보며

해상   일단 돌아가 있어요. 내가 다시 연락할게요.

산영, 답답한 얼굴로 뭐라고 더 한마디를 하려는데 울리는 카톡음.
뒤돌아서 카톡창을 확인한 산영. 뭔가 생각하다가

산영   알겠어요.

현관쪽으로 멀어지려던 산영, 문득 돌아보며

산영   교수님은요? 뭐 더 알아내신 건 없나요?

해상, 가만히 산영을 바라보다가

해상   아뇨.. 없습니다.

산영, 다시 돌아서서 멀어진다. 그런 산영을 바라보는 해상의 시선
쫓아가면 산영이 지나가려는 현관 옆에 우진이 고개를 숙이고 서 있다.
전혀 우진을 알아보지 못하고 나가버리는 산영.

우진   ..저 여자 날 못 보네.
해상   당연하지. 거울이 없으니까.

우진, 천천히 고개를 드는데 눈이 마치 실핏줄이 터진 듯 붉게 충혈되기
시작하는데 순간, 창문 쪽에서 들려오는 '탁탁탁' 충돌음.
커다란 날벌레들이 하나둘씩 창문에 부딪치기 시작한다.

해상   산영 씨 젊음이 탐나니? ..죽어서도 아귀의 습성을 못 버리는구나.

더욱 붉게 충혈되는 우진의 눈빛. 창밖에서 날뛰는 날벌레들의 숫자가 급격히 늘어난다.

해상   아귀다툼이라는 말이 있지. 너무 탐욕스러워 남의 것을 마구 탐하면서도 끝까지 만족하지 못하는 아귀. 가져도 가져도 그 갈증은 사라지지 않을 거야. 그렇게 살았던 네 업을 받는 거다.

우진, 냉소적으로 웃으며..

우진   잊었어? 날 이렇게 만든 사람이 너야..

서재로 걸어가던 해상, 멈춰 선다. 낯빛이 어두워지는데..

씬/54   N, 해상의 집 건물 밖

건물을 나오는 산영. 그때 울리는 핸드폰 벨소리. 발신인 '세미'다. 받지 않고 가만히 내려다보는 산영. 핸드폰 벨소리가 끝나고 원래 화면으로 돌아오는데 부재중 전화가 5통. 그리고 떠 있는 카톡 문자들. '산영아, 왜 이렇게 연락이 안 돼! 전화 좀 줘!', '산영아! 나 이번 필기시험 합격했어!', '우리 합격하면 제일 먼저 얘기하자고 했잖아. 전화 좀 줘~'.

씬/55　N, 결혼식장 건물 밖

정장 차림으로 신나서 산영에게 카톡을 날리고 있는 세미.
'오늘 윤정이 결혼식, 일부러 안 온 거니? 사진 찍어달라고 바짓가랑이
잡길래 난 왔다. 끝나고 뒤풀이 장소가 호텔 와인 바래. 뒤풀이라도 꼭
와라. 거기서 기분 내면서 파티하자!! 부어라 마셔라!!'.

씬/56　N, 호텔 레스토랑

즐거운 웃음소리가 가득한 고급 호텔 레스토랑.
오픈된 주방 안에서 불꽃쇼를 벌이면서 스테이크를 굽고 있는 셰프.
화려한 접시 위에 다 구워진 스테이크를 놓고 플레이팅을 하면 접시를
들고 홀로 나가는 웨이터. 서울 야경이 한눈에 보이는 창가 자리 테이블
위에 놓는다.
이미 스테이크 말고도 샐러드 등 여러 음식들과 고급스런 와인이
놓여있는 테이블에 앉아있는 20대 초반 미모의 여자1. 옷이며 액세서리며
걸친 모든 것이 최고급 명품이다.
스테이크까지 놓이자 핸드폰을 들고 테이블과 야경이 나오게 셀카를
찍으려다가 '아..' 깜박한 듯 옆자리에 놓아둔 신상 명품 백을 사진에
나오게 다시 배치한 뒤 셀카를 찍고 '오랜만에 혼밥'이란 글과 함께
인스타에 올리자, 바로 하나둘씩 뜨기 시작하는 댓글들.
'여기 요즘 완전 핫플', '언니 가방 넘 이뻐요', '여기 코스요리가
50만 원이라는 그곳' 흐뭇하게 핸드폰을 바라보는 여자1.

씬/57   N, 호텔 레스토랑 밖 복도

식사를 끝낸 듯 가방을 들고 레스토랑을 나서는 여자1. 저 앞쪽에
레스토랑과 같은 층의 고급 와인 바 앞에서 핸드폰으로 카톡 남기고 있는
정장 차림의 세미가 보인다.
핸드폰으로 산영에게 '야, 바빠? 왜 안 와?' 카톡을 남기고 있는 세미를
스치듯 지나 화장실로 향하는 여자1. 세미, 문득 고개 들어 화장실로
향하는 여자1의 고급스런 뒷모습을 물끄러미 바라본다.

씬/58   N, 호텔 화장실

아무도 없는 화장실 안으로 들어서는 여자1, 세면대 위에 가방을 놓고
거울로 외모를 확인하다가 가방 안에서 립스틱을 꺼내 바르는데 순간
얼굴 앞을 휙 지나가는 날벌레. 뭐지? 놀라서 주변을 둘러보는 여자1.
화장실 한 켠에 설치된 창문이 열려있다. 바로 다가가서 불쾌한 얼굴로
창문을 닫아버리는 여자1.

여자1   뭔 호텔에 벌레가 있어..

돌아서서 멀어지려는데 창문 쪽에서 연속적으로 들려오는 '딱딱딱'
충돌음. 여자1, 그 소리에 돌아보면 창문 밖에서 하나둘씩 날라와서
부딪치기 시작하는 날벌레들. 그 숫자가 점점 늘어난다. 여자1, 불안한
얼굴로 뒷걸음질을 치기 시작하는데 그 뒤쪽에 서 있는 긴 머리를
늘어뜨린 흐릿한 여자의 실루엣.
인기척을 느낀 듯 뒤돌아보는 여자1, 헉 놀라서 커지는 눈빛. '타타타타탁'
더욱 거세게 창문에 부딪치는 날벌레들의 날갯짓 소리.

벽면에 붙은 강모의 논문들을 골똘히 바라보고 있는 해상.
글귀들을 보면서 생각에 잠긴 해상의 모습에서

해상(소리) 구강모 교수님은 악귀에 들려있었어.. 누구보다 악귀에 대해 잘
알고 있던 사람.. 저 안에 분명히 악귀를 없앨 단서가 있을 텐데..

글귀들을 바라보는 해상의 시선 움직이다가..
'머리를 푼 악귀의 기운이 서린 물건은 죽임을 당한 자의 기운으로만 누를
수 있다'는 글귀에 멈춘다.
뭔가가 뇌리를 스친 듯 다가가 그 글귀를 바라보는 해상.

해상 죽임을 당한 자의 기운..

— 인서트
— 35씬. 손목이 붉게 물든 경문 모, 우물 안으로 몸을 던져버린다.
— 38씬, 폐가가 된 경문 모의 집을 가리키는 이장.

이장 아, 저기네. 엄 교수가 찾는 집. 그 구강모 교순가 하는 사람
처갓집 말야.

— 39씬, 해상을 따라오며 설명하는 이장.

이장 집주인 할머니가 옛날에 여기서 자살을 했대.

— 다시 현재 서재로 돌아오면

글귀를 뚫어지게 바라보고 있는 해상.

해상(소리) 죽임을 당한 자의 기운.. 악귀 때문에 누군가 죽은 장소..

— 인서트
— 39씬, 잡초 사이 땅 사이로 조금 튀어 올라 있는 새끼줄에 발이 걸려
   넘어질 뻔한 이장.

이장 뭐 이런 데 새끼줄이 있어..

— 다시 현재 해상의 집 서재로 돌아오면
   해상, 눈빛 굳으며

해상 새끼줄..

씬/60 N, 해상의 집 건물 밖

'쾅' 문 열리면서 외출복 차림으로 나서는 해상. 이장과 통화를 하며 차를
향해 다가간다.

해상 그 새끼줄이 왼쪽으로 꼬여있다구요?
이장(소리) 응. 왼쪽이었어.
해상 확실합니까?
이장(소리) 염 교수 전화받구 내가 직접 가서 확인했다니까. 확실히 왼쪽이야.
해상 감사합니다.

전화를 끊고 차에 올라타는 해상. 핸드폰을 조수석에 던져놓고 차를
출발시키는 모습 위로

해상(소리) 보통 새끼줄은 오른쪽으로 꼬여있다. 왼쪽으로 꼬는 경우는
　　　　　금줄.. 귀신을 막을 때다..

긴장한 얼굴로 차를 운전하는 해상의 모습에서 조수석 비추면 무음으로
돼 있는 해상의 핸드폰. 문자가 도착한다.
'OO백화점 명품관'에서 사용된 카드 내역이다. 눈치채지 못하고 운전에
집중하는 해상.

씬/61　N, 몽타주

― 명품관, 카운터의 직원에게 카드를 내미는 손. 카드에 적힌 영문명
　'염해상'이다. 직원, 예의 바르게 계산하고 영수증과 함께 내미는데 가격이
　몇백만 원이다.
― 화려한 구두를 신는 발.
― 다른 매장. 옷걸이에 걸린 화려한 재킷을 잡는 손.
― 또다시 긁어지는 몇백만 원의 가격.
― 고급 헤어샵. 고급스럽게 세팅되고 있는 머리.

씬/62　N, 호텔 와인 바

세미, 윤정, 윤정 남편을 비롯한 열댓 명의 사람들, 와인 바 테이블에
모여서 뒤풀이 중이다. 웃고 떠드는 사람들 사이 윤정 남편 손목의 명품

시계 힐긋 보이고..

윤정은 음식과 술이 나올 때마다 각도 잘 잡아서 인스타에 올릴 사진을 찍기에 바쁘다. '잔 좀 우아하게 들어봐' 온 친구들한테 주문도 하고.. 친구들 귀찮긴 하지만 최대한 미소 지으면서 브이자. 윤정, 다른쪽 테이블도 찍으려고 돌아서는데 그쪽 테이블에서 수다를 떨고 있는 세미. 윤정, 세미가 얄미운 듯 안 찍고 돌아서고.. 세미는 눈치도 못 채고 계속 수다 중이다.

여자1　　필기시험 합격했다구? 야, 그럼 끝난 거네. 면접이야 그냥 패스
　　　　　아냐?

세미　　（자랑하고 싶어 죽겠다） 뭐 그렇다고 볼 수 있지.

그때 문 열리면서 들어서는 홍새 보고 반색하며 일어서서 손 흔드는 세미.

세미　　오빠~ 저 공무원 필기시험 합격했어요.

홍새　　（뭐지? 세미 보다가） 어 그래 축하해.

홍새, 바로 고개 돌려 윤정이 남편, 비어있는 옆자리에 앉는데

윤정 남편　　야, 넌 이제야 오면 어떡하냐.

홍새　　（자기 잔에 술 따르며） 아 미안 미안. 일이 있어서.

세미, 그런 홍새 보며 어색해진 손 내리면서 무안한 듯 앉으면서 주변에 있는 여자친구들한테 왠지 어색한 듯 '합격한 기념으로 한잔하자' 술잔 들고.. 홍새 쪽을 힐긋 보는 세미.

맞은편에 앉은 윤정 남편. '이 새끼는 암튼 맨날 일이야' 타박하는데 윤정 남편 친구 중 한 명 '그런데 그 웨딩홀 인기가 많아서 잡기 힘들었을 텐데

어떻게 잡았어?' 하고 묻는다.

씬/63 N, 호텔 로비

로비 안으로 또각또각 걸어들어오는 화려한 구두. 곁을 지나가는 남자들.
힐끔 쳐다본다.

씬/64 N, 호텔 와인 바

여전히 여자친구들과 앉아서 수다를 떨고 있는 세미.
다른 곳에 앉아있던 여자친구 한 명 술잔을 들고 이쪽으로 이동해서 세미
근처 의자에 앉으려다가 멈칫. 의자 위에 놓여져 있는 56씬, 여자1의
명품 가방. 'L.J.R.'이란 이니셜이 얼핏 보이고.. '이거 누구 거야?' 다들,
의아하게 바라보고.. '와 이거 완전 신상인데' 근처에 앉아있던 홍새를
비롯한 사람들, 바라보지만 아무도 주인으로 나서지 않는다. 세미,
웃음기가 가시면서 그 가방을 바라보는데..
그때 '쾅' 문 열리는 소리.
사람들, 소리를 따라 바라보면 열린 와인 바 문으로 들어서는 화려한
구두. 또각또각 걸어들어오는 누군가에게 꽂히는 사람들의 시선.
화려한 명품 정장 차림에 명품 가방, 명품 구두, 풀 메이크업에 세팅된
헤어스타일의 산영이다. 평소와 다른 모습처럼 눈빛도 평소와 달리
흥분과 광기가 뒤섞여 있다.

산영   안녕. 잘들 지냈어요?

홍새, 뭐지? 놀라서 산영을 바라보고, 멀리 앉은 세미 역시 놀라서 산영을
바라본다. 와인 잔을 들고 인사하고 있던 윤정 역시 놀라서 바라보는데
산영, 아무렇지도 않게 남자들 사이 빈 자리에 코트를 벗어 의자에
걸치고는 앉는다.

산영   여기 앉아도 되죠?

주변에 남자들, 놀라서 보다가 '그럼', '야, 거기 와인 잔 좀 줘봐' 산영 앞에
빈 와인 잔이 놓이고 친절하게 와인을 따라주는 남2. 왼손으로 와인을
받는 산영. 받은 와인을 벌컥벌컥 원샷하고 내려놓는다. 세미, 놀라서
다가와 귓속말로

세미   야, 너 왜 이래?

산영   뭐가? 부어라 마셔라 즐겨보자며. (와인 잔 내밀며) 한 잔 더
       주세요.

― 시간 경과되면

웃음을 터뜨리고 있는 산영. 웃으면서 옆자리에 앉은 남2와 하이파이브를
하기도 하면서 술자리를 맘껏 만끽하고 있다.
조금 떨어진 곳에서 관찰하듯 그런 산영을 바라보던 홍새. 잠시 산영의
옆자리가 비자 그곳으로 자리를 옮겨 앉으며

홍새   너 진짜 무슨 일 있냐? 괜찮아?

산영   (장난스럽게 보다가) ..나한테 듣고 싶은 말 있죠?

홍새 산영을 보는데... 산영 마치 키스할 듯이 홍새의 얼굴에 천천히
다가가 귓속말을 하기 시작한다.

산영	내가.. 그 사람들 다 죽였어요.

놀라서 산영 보는 홍새. 산영, 그런 홍새를 보다가 웃긴 듯 또다시 웃음을
터뜨리다가 삐끗하는 척 홍새의 어깨에 손을 얹는다.
반대편 쪽에 앉은 세미, 그런 산영의 모습에 정신이 팔리다가 와인 잔을
엎고 만다. '죄송합니다' 세미, 냅킨으로 와인을 닦으려는데 옆에서
내밀어지는 냅킨. 보면 윤정이다.

세미	어.. 고마워.
윤정	(테이블에 흘린 와인 보며) 이거 한 병에 삼십만 원 짜린데.. 이 정도면 한 오만 원 정도 버린 거네. 아깝게..
세미	(낯빛 굳으며) ..미안해. 일부러 그런 건 아냐.
윤정	합격 자랑은 끝났어?
세미	뭐?
윤정	7급도 아니고 고작 9급, 그것도 최종도 아니고 필기시험 하나 붙은 거 가지구 동네방네 자랑하는 거 좀 쪽팔리지 않니?

반대편에 앉아있던 산영과 홍새를 비롯한 사람들. 서서히 조용해지면서
세미와 윤정을 주시하는데..

윤정	여기 내 결혼식 뒤풀이지 니 합격 파티가 아니잖아. 축의금 달랑 오만 원 낸 주제에 너무 먹어대는 거 아니니?

순간, 맞은편의 산영, 일어나서 윤정의 얼굴에 와인 잔을 부어버린다.
'악!' 비명을 지르는 윤정. 놀라서 쳐다보는 사람들.

윤정	뭐 하는 짓이야?

산영	(차가운) 결혼사진 찍어줄 친구 하나 없다구 찌질하게 빌빌거린
	년이 얻다 대고 지랄이야.
윤정	..너 지금 이 옷이 얼마짜린 줄 알고..

산영, 들고 온 가방을 윤정의 얼굴에 집어던진다.

산영	이거 먹고 꺼져.

헉, 다들 놀라서 산영을 바라보는데.. 세미, 믿기지 않는 눈빛으로 산영을
보다가

세미	산영아 너..
산영	(차가운 시선으로 세미를 보며) 너 그지니?
세미	..뭐?
산영	저딴 년 돈 처바른 데서 이러고 싶냐고.
세미	산영아..
산영	그렇게 합격한 거 떠벌리고 싶었어? 재수 없게..

세미, 너무 놀라서 상처받은 눈빛으로 눈물이 핑 도는데..
순간, 산영 정신이 돌아오는 듯 눈빛이 평소의 선한 눈빛으로 돌아온다.
자기가 입은 낯선 옷. 와인 바 안, 모든 사람들이 바라보는 놀란 눈빛.
눈물이 고인 눈빛으로 자신을 바라보는 세미.

산영	세미야.. 여기가..

산영, 세미의 손을 잡으려는데 세미, 상처받은 얼굴로 그 손을 내치며
뒷걸음질 친다. 그런 세미를 바라보던 산영, 어찌할 바를 모르고 주변을

둘러보다가 이 모든 상황이 감당이 안 되는 듯 패닉에 빠져 와인 바를
뛰어나가 버린다. 홍새, 그런 산영을 보다가 산영이 의자에 걸쳐놓은
코트를 들고 그 뒤를 따르고..

씬/65   N, 호텔 밖 거리

튕겨 나오듯 호텔 건물을 뛰어나오는 산영. 불야성을 이룬 도시를 보다가
자기도 모르게 얼굴에 손이 가는데 붉은 립스틱이 묻어나온다. 그런
산영을 이상한 듯 보고 지나가는 행인들.
산영, 그런 사람들을 보다가 뛰어서 멀어지기 시작한다.

씬/66   N, 한강 다리 위

힘없이 다리 위로 다가오는 산영. 다리 중간쯤에 멈춰 서서 난간을 잡고
강물을 내려다본다.
와인 바에서 자신을 바라보던 세미와 사람들의 눈빛. 전혀 자신과
어울리지 않는 옷차림새. 내가 무슨 일을 한 거지? 혼란스러운 눈빛의
산영의 귓가에 들려오는 악귀의 목소리.

악귀(소리) 다 너가 원한 거야..

산영, 더 이상 듣고 싶지 않은 듯 허공에 대고

산영   그만해.. 그만해!!

또다시 악귀의 소리가 들려올까 봐 두려운 눈빛으로 허공을 바라보는
산영. 다리 위를 지나는 자동차 소리 외에는 아무 소리도 들려오지 않는다.
도심의 소음 속에 서 있던 산영, 기운이 빠지는 듯 난간에 기대어
주저앉는다.

씬/67 N, 백차풀 경문 모의 폐가 인근 도로/폐가

칠흑 같은 어둠을 밝히는 자동차의 라이트. 멈춰 서는 자동차에서
내려서는 해상. 플래시를 들고 잡초 사이를 헤치면서 경문 모의 폐가로
다가간다.
보면 미리 연락을 받은 듯한 이장이 플래시를 들고 기다리고 있다.

해상 어떻게 됐습니까?
이장 염 교수가 직접 봐봐. 난 뭐가 뭔지 모르겠어.

해상, 다가가서 플래시를 비추면 새끼줄이 있던 곳을 이장이 판 듯
구덩이가 파여있다.

이장 염 교수가 부탁한 대로 파봤더니 저런 게 있더라고.

구덩이 안에서 뭔가를 꺼내는 해상.
작은 칼이 꽂힌 금줄로 꽁꽁
묶여있는 작은 푸른 옹기
조각이다.
혼란스러운 눈빛으로 푸른
옹기 조각을 내려다보는 해상.

— 인서트

— 2부, 56씬. 밤, 산길에 세워진 자동차.

　　조수석에 있던 해상, 여전히 고열에 시달리는 듯 겨우 의식을 차리고
　　창밖을 보는데.. 맨손으로 커다란 고목 아래, 무언가를 묻으려는 듯 땅을
　　파고 있는 해상 모. 그 옆에 놓인 푸른 옹기 조각.

— 다시 경문 모의 폐가로 돌아오면
　　푸른 옹기 조각을 혼란스럽게 바라보는 해상

해상(소리) 　어머님이 묻고 있던 물건.. 이게 왜 여기에 있는 거지..

　　순간 옹기 조각을 감싸고 있던 금줄이 삭은 듯 끊어지면서 바닥으로 툭
　　떨어지는 옹기 조각.

씬/68　N, 한강 다리 위

　　다리 난간에 기대 주저앉아 고개를 떨구고 있는 산영.
　　그 옆, 가로등에 비춰져 길게 드리워진 머리를 풀어헤친 그림자가 순간,
　　더욱 짙어지는데..
　　고개를 드는 산영. 눈빛이 서늘하다. 입가에 씨익 감도는 차가운 미소.

산영　　..찾았다..

　　5부 끝.

6부

그런데 뭔가를 원하지 않는 사람이 있을까요?

사람들은 누구나 더 행복해지고 싶어해요.

씬/1   N, 호텔 건물 외경

늦은 밤, 고급스런 호텔 건물.

씬/2   N, 호텔 건물 복도

5부, 56씬의 복도. 불이 꺼진 와인 바 문을 열고 나오는 여자 매니저.
와인 바 문을 잠그고 돌아서려는데 사람 하나 없는 적막한 복도 어디선가
들려오는 핸드폰 벨소리.
뭐지? 두리번거리며 소리가 들려오는 쪽을 향해 다가가는데 뚝 끊기는
벨소리. 잘못 들었나? 갸웃하고 돌아서서 걸어가려는데 다시 들려오는
벨소리. 뒤돌아서 바라본다. 화장실 쪽이다.

씬/3   N, 호텔 화장실

텅 빈 화장실 안에 울려 퍼지고 있는 핸드폰 벨소리. 여자 매니저, 의아한
눈빛으로 들어서다가 하나둘씩 칸막이 문을 열어 확인하기 시작한다.
마지막 칸막이 문을 열려는데 안에 있는 뭔가에 걸린 듯 잘 열리지 않는데
매니저, 문 사이로 뭔가를 발견하고 놀라서 '아아아악' 비명을 지르면서
뒷걸음질 친다.
문 사이 틈으로 보이는 여자1의 시신. 눈을 부릅뜨고 숨져 있는데 두 눈이
온통 충혈로 시뻘겋다.

난간에 기대어 물끄러미 강물을 바라보고 있는 산영의 어깨 위로 툭

걸쳐지는 코트.

그제야 정신이 드는 듯 산영, 놀라서 돌아보면 홍새다.

홍새   이런 데밖에 갈 데가 없냐? 추워 죽겠네..

산영   (코트 보며) 이거 뭐예요.. 제 옷이에요?

홍새   그럼 내 옷이겠냐.

산영, 이것까지 산 거야.. 어두운 얼굴로 한숨 내쉬는데..

홍새   그런데 너 아까..

산영   (보면)

홍새   나한테 자수한 거냐?

산영   제가 뭐라고 했는데요?

— 인서트

— 5부, 64씬. 옆자리에 앉은 홍새에게

산영   (장난스럽게 보다가) ..나한테 듣고 싶은 말 있죠?

홍새 산영을 보는데.. 산영 마치 키스할 듯이 홍새의 얼굴에 천천히

다가가 귓속말을 하기 시작한다.

산영   내가.. 그 사람들 다 죽였어요.

— 다시 한강 다리 위로 돌아오면

하.. 답답하고 미치겠는 산영.

산영   제가.. 그랬다구요?

홍새   응.

산영, 어디서부터 어떻게 설명해야 할지 모르겠다. 깊은 한숨을 내쉬다가

산영   그게.. 제가 그런 거 아니에요.

홍새   ..나도 그렇게 생각해.

산영   (멈칫해서 바라보는)

홍새   보이스 피싱 당해서 전 재산 다 날렸어도 쌍욕하고 끝낼 애지.
           사람까지 죽일 애는 아니라고 생각해.

산영   ...(이상하게 바라보는데)

홍새   그런데.. 정말 만에 하나 니가 그런 거면 나한테 와.

산영   ..네?

홍새   ..모르는 사이도 아니고 조서 이쁘게 잘 써줄 테니까 나한테
           오라고.

산영   (더 깊은 한숨) ..제가 아니라 귀신이 그랬다면 믿어줄 거예요?

홍새   (가만히 산영을 보다가) 뭔 소리야?

산영, 그런 홍새의 반응에 쓴웃음을 지으며

산영   제 얘기 못 믿는 거 아는데요. 다 사실이에요. 그럼 전 이만
           가보겠습니다. 코트 가져다주셔서 감사해요.

뒤돌아 멀어지는 산영을 뭐지? 바라보는 홍새.

걸어가다가 추위가 느껴지는 듯 코트에 팔 끼고 주머니에 손 넣던 산영.
주머니 안에 뭔가가 잡히는 듯 꺼내 보면 해상의 카드와 오늘 쓴 카드
영수증들. 영수증 금액 보고 '헉' 놀라서 미치겠는 얼굴이 되는 산영.

씬/5   오미트

씬/6   N, 거리 일각

한산한 밤거리를 달리고 있는 해상의 차.
운전석의 해상, 굳은 눈빛으로 조수석에 놓인 푸른 옹기 조각과 작은 칼이
박힌 금줄을 힐긋 바라보며 블루투스로 누군가와 통화를 하고 있다.

해상   교수님, 늦은 시간에 죄송합니다. 작은 칼이 박혀진 금줄을
         찾았어요.

교수(소리) (경상도 사투리) 작은 칼이면 경남지방에서 만들었다는 금줄
         말야? 그거 굉장히 보기 드문 건데 어떻게 찾았어?

해상   전화로 길게 말씀드리긴 힘들구요. 이 금줄을 만든 사람을 찾고
         싶어서 연락드렸습니다.

교수(소리) 금줄을 만들 만한 사람이라면 무속과 관련된 사람일 거야.
         경쟁이나 무당이나.. 그쪽을 한번 알아보고 연락하지.

해상   감사합니다.

전화 끊는 해상, 다시 조수석의 푸른 옹기를 바라보다가 액셀을 밟는다.

씬/7 　　N, 고급주택가 일각

으리으리한 주택들을 지나 길가 끝 쪽에 위치한 거대한 주택 담장 앞에서
멈추는 해상의 차. 정문 옆에 서 있던 인이어를 낀 사설 경호관, 경계하며
다가오다가 차에서 내리는 해상을 알아보고 가볍게 목례.

씬/8 　　N, 해상의 본가 정원

정원으로 천천히 들어서는 해상. 정원 가장자리 곳곳에도 서 있는 사설
경호관들. 곳곳을 비추고 있는 씨씨티브이 카메라들. 해상, 건물 쪽으로
걸어들어오다가 잠시 멈춰 서서 정원을 둘러보는데...

— 인서트
2부, 56씬. 낮, 해상의 집 정원, 잘 가꿔진 정원에서 캐치볼을 하고 있는
어린 해상과 해상 부. 한쪽 옆에 설치된 베란다에서 그 모습을 지켜보고
있는 친할머니, 정원 한쪽에서 가위로 정원수를 관리하고 있는 사람 좋아
보이는 30대 중반의 치원. 반짝이는 햇살, 부유해 보이는 집. 모든 게
완벽해 보이는 해상의 가족들.

— 다시 현재 정원으로 돌아오면
예전의 따스함 대신 차가운 정적만이 감돌고 있는데.. 그때 본채 현관문
열리면서 걸어 나오는 60대 초반의 치원. 주름도 늘고 검은 머리도
백발이 됐지만 젊었을 때보다 훨씬 더 당당하고 럭셔리한 차림.
환한 미소로 해상을 맞는다.

치원　　연락도 없이 웬일이야?

해상	할머님, 아직 안 주무시죠?
치원	아직 서재에 계셔. 할머니 뵈러 온 거야?
해상	예.
치원	건강은 어때?
해상	괜찮습니다.
치원	집은 불편하지 않고? 더 좋은 집 더 알아봐 줄까?
해상	제 일은 제가 알아서 할게요. 신경 안 쓰셔도 됩니다.
치원	한 명뿐인 후계잔데 어떻게 신경을 안 써. 할머니도 걱정 많이 하셔.
해상	(눈빛 씁쓸해지는) 할머니가 제 걱정을 하신다구요..
치원	..겉으론 정정해 보이셔도 예전 같지 않으셔. 이제 그만 회사로 돌아오는 게 어때?
해상	아시잖아요. 전 회사에 관심 없습니다.

씬/9 N, 해상의 본가 거실

거실로 들어서는 해상과 치원. 각 방문 앞, 창문 등 문이란 문마다 설치돼 있는 씨씨티브이 카메라들. 오래된 건물이지만 그래서 더 예스러워 보이는 실내.

치원, 먼저 앞장서고 해상 그 뒤를 따르다가 문득 고개 돌려 거실을 둘러본다. 그런 해상의 눈빛에서

씬/10 D, 과거, 동장소

전 씬, 현재의 거실에서 95년 거실로 오버랩되는 화면. 거실에 앉아 책을 보고 있는 친할머니(이하, 병희로 칭함).

그런 병희가 두려운 듯 저만치에서 가만히 바라만 보고 있는 어린 해상.

병희, 책에서 눈도 떼지 않으며 차가운 목소리로

병희   할 말 있으면 빨리 해. 병든 개새끼처럼 눈치만 보지 말고.

머뭇거리다가 용기를 내서 다가가는 해상.

해상   엄마가 돌아가시기 전에 이상한 물건들을 묻고 계셨어요..

병희   ..(고개 들어 해상을 보는) 또 그 붉은 댕기 얘기니? 얘기했잖아.
          니 엄마가 죽은 곳에 그딴 건 발견되지 않았어.

해상   왜 날 데리고 그런 데까지 가신 거예요? 엄마는 왜.. 돌아가신
          거예요?

천천히 일어나서 해상을 향해 다가와 위압적으로 내려보는 병희.

병희   그걸 왜 나한테 묻니. 니 엄마랑 같이 있었던 건 너잖아.

해상, 두려운 눈빛으로 병희를 보다가..

해상   그때부터 자꾸 이상한 게 보여요.. 처음엔 거울에서만
          보였는데.. 이젠 그냥도 보여요.. 너무 무서워요..

병희   (눈빛 더욱 차가워지며) 닥쳐. 정신병원에 들어가고 싶어? 그딴
          소리 앞으로 입 밖에도 내지 마.

차가운 병희의 기세에 두려운 얼굴로 입을 다물고 울음을 참는 어린 해상.

똑똑 들려오는 노크 소리. 잠시 뒤 서재 안에 있던 병희의 '들어와' 소리에
고풍스런 서재 문을 열고 들어서는 치원과 해상.
한쪽 벽면에는 해상의 증조부 중원, 조부 승옥, 아버지 재우의 커다란
사진이 걸려있고, 그 아래쪽으로는 작은 액자에 넣어진 젊은 시절의
병희와 승옥이 함께 찍은 흑백사진.
치원, 90도로 인사하며

치원   도련님 오셨습니다.

치원의 시선 향하는 곳, 서재 책상 앞, 휠체어에 앉아있는 병희다. 80대의
나이답게 겉모습은 확연히 늙어졌지만 눈빛만은 형형하다.
정중하게 인사하고 나가는 치원. 해상, 병희의 앞쪽에 놓인 의자에 앉으며

해상   잘 지내셨어요?
병희   그딴 게 궁금해서 기어 들어오진 않았을 거고.. 얘기해 봐라. 왜
         온 거니?

해상, 병희를 가만히 보다가 가방 안에서 푸른 옹기 조각을 꺼내서 탁자
위에 내려놓는다. 순간, 병희의 눈빛 공포로 보일 듯 말듯 얼어붙는다.

해상   이거.. 어머니가 갖고 계시던 물건들이에요.

─ 인서트
─ 2부, 56씬. 밤, 산길에 세워진 자동차.
   조수석에 있던 해상, 여전히 고열에 시달리는 듯 겨우 의식을 차리고

창밖을 보는데.. 맨손으로 커다란 고목 아래, 푸른 옹기 조각을 묻고 있는 해상 모.

해상(소리) 어렸을 때라 정신이 없어서 어디에 묻으셨는지 기억은 안 나지만 돌아가시기 전에 이 옹기 조각을 묻고 계셨어요.

— 다시 서재로 돌아오면
해상의 소리가 들리지 않는 듯 병희의 시선, 옹기 조각에 멈춰있는데 해상, 또다시 주머니 안에서 붉은 댕기를 꺼내서 옆에 내려놓는다.

해상 이건 돌아가시기 직전까지 가지고 계시던 댕기예요. 이것들에 대해 정말 아시는 게 없으세요?

눈도 깜박이지 않고 붉은 댕기와 옹기 조각을 바라보던 병희, 천천히 입을 연다.

병희 ..나가..
해상 (고개 들어 보는)
병희 (해상의 얼굴 바라보며) 내 집에서 당장 나가라구.

해상, 병희의 반응에 멈칫 바라보는데..

병희 (문밖에 대고 소리치는) 손님 나가신다!

병희의 목소리에 다급히 들어서는 치원, 서재 안 이상한 공기와 탁자 위 댕기와 옹기 조각을 의아하게 바라보는데..

병희   뭐하고 섰어! 빨리 데리고 나가지 않고!

씬/12   N, 해상의 본가 건물 밖

건물 밖으로 나오는 치원, 그 뒤를 따라 혼란스러운 눈빛으로 걸어
나오는 해상.

치원   대체 무슨 말씀을 드렸길래, 저러시는 거야?

해상, 굳은 얼굴로 치원의 뒤를 따르다가 우뚝 멈춰 선다. 치원, 돌아보면

해상   아무래도 안 되겠어요. 좀 더 여쭤보고 올게요.

돌아서서 다시 건물 쪽으로 향하려는 해상을 잡는 치원.

치원   오늘은 그만하고 돌아가. 알잖아. 할머님 성격.

해상, 답답한 얼굴로 뭐라고 더 얘기하려는데

치원   우진이 기일에 올 거지?

해상, 우진의 얘기가 나오자 눈빛 가라앉는다.

치원   그날 보자. 그때 보고 얘기해.

해상, 낯빛 어두워지는..

해상   ..예. 알겠습니다. 날씨도 추운데 들어가세요.

돌아서서 멀어지는 해상을 바라보는 치원.

씬/13   N, 해상의 본가 치원의 방

서재나 거실에 비해 아담하고 정갈한 느낌의 치원의 방. 문 열리며
들어서는 치원, 겉옷을 벗어 옷걸이에 걸고 난 뒤 어딘가를 바라본다.
한쪽에 놓인 장식장 위 액자에 담긴 사진들이 진열되어 있다. 고등학생인
우진과 또래인 해상의 사진. 그 우진과 치원이 함께 찍은 사진. 사진 속의
우진을 그리운 눈빛으로 바라보는 치원.

씬/14   N, 산영의 집 거실

삐꺽, 조용히 문 열리면서 조심스레 들어서는 산영. 주변을
두리번거리는데 경문이 보이지 않는다. 신고 온 하이힐을 다급히 양손에
들고 빠르게 방으로 향하려다가 뭔가를 발견하고 놀라서 멈춰 선다.
거실 테이블 위에 놓인 임대차 계약서와 통장, 인감도장. 저게 뭐지? 산영,
다가가서 확인해 보는데 경문의 이름으로 된 임대차 계약서다. 헉.. 불길한
생각이 드는 산영, 다급히 옆에 놓인 통장을 확인하는데 '구산영' 이름으로
된 3억 정도의 거액이 입금돼 있다. 믿기지 않은 불길한 눈빛으로 통장을
바라보고 있는데..
세안 후 영양 크림을 바른 듯 뺨을 두드리면서 나오던 경문, 산영을
발견하고 허걱 놀라

경문　　너 뭐야.. 그 얼굴.. 머리..

　　　　　경문의 말이 귀에 들어오지 않는 듯, 임대차 계약서 가리키는 산영.

산영　　이거 뭐야?
경문　　(말문 막히다가) 아니 너 이 옷 어디서 났냐구?
산영　　(임대차 계약서 들어 보이며) 이거 뭐냐구?!
경문　　(찔리긴 하지만) 지하철역 앞에 옷가게 작은 거 하나 계약했어.
산영　　뭐? 무슨 돈으로?

　　　　　경문, 눈빛 가라앉으며 망설이다가

경문　　할머니 유산 받았다.

　　　　　산영, 뭔가에 얻어맞은 눈빛으로 얼어붙는다.

경문　　나두 그 집 꺼 하나두 받고 싶지 않아. 근데, 물려준다는데 굳이
　　　　　그걸 안 받는 것도 이상하잖아. 그리구 나 이혼하고 너 혼자
　　　　　키우면서 양육비 한 푼 안 받았어. 우리 이 정도는 받을 자격 있다.

　　　　　더욱 떨려오는 산영의 눈빛에서 빠르게 교차되는 화면

　　　─ 인서트
　　　─ 2부, 44씬. 대문을 여는 석란. 문밖에 서 있는 가로등 불빛을 받아 어두운
　　　　 그림자가 내려앉아 있는 산영의 눈빛.
　　　─ 2부, 46씬. 석란의 뒤를 따라 화원재 본채 건물 안으로 들어가는 악귀의 시선.
　　　─ 2부, 52씬. 화원재 본채.

악귀의 시선으로 보여지는 공포에 질린 석란, 바들바들 떨리는 손으로
매듭을 매고 있다. 손목에 서서히 올라오는 붉은 멍.

― 다시 산영의 집 거실로 돌아오면
점점 충격으로 차갑게 식는 산영. 경문, 그런 산영 눈치 보다가

경문   그 집하고 예금까지 해서 자그마치 13억이래. 그 돈이면 너 이제
          고생 안 해도 돼.
산영   ..그만해..
경문   네 말처럼 우리 잘살 수 있다구.
산영   제발 좀 그만하라구!!

버럭, 소리 지르는 산영을 놀라서 바라보는 경문.
서로 말없이 바라보는데 순간 산영의 귓가에 들려오는 소리.

악귀(소리) 죽여줄까?

산영, 소스라치게 놀라서 새파랗게 질리는 눈빛. 겁에 질려 뒷걸음질을 친다.
산영이 유산 때문에 저 정도로 반응을 하나 싶은 경문.

경문   너 진짜 왜 이래. 이게 그렇게 화낼 일이니? 내가 혼자 잘살자고
          이래?

산영, 경문의 목소리가 귀에 들어오지 않는다. 겁먹은 얼굴로 '쾅' 방문을
닫고 들어간다.

씬/15   N, 산영의 방

방문을 잠가버리는 산영. 그런데 밖에서 문을 두드리는 경문.

경문(소리) 야, 나와봐. 구산영!

산영, 경문의 목소리가 듣기 두려운 듯 귀를 막다가 주변을 둘러본다. 책상
쪽으로 가서 서랍에서 청테이프를 찾아드는 산영. '찌익', '찌익' 미친 듯이
테이프를 붙여서 문을 막아버린다. 여전히 밖에서 들려오는 경문의 목소리.

경문(소리) 산영아! 산영아!!

산영, 어떻게든 그 소리를 듣고 싶지 않은 듯 이불을 뒤집어써 버린다.
'쿵쿵' 문 두드리는 소리. '철컥철컥' 문고리 돌리는 소리, 산영의 이름을
부르는 경문의 목소리 서서히 멀어지기 시작하는데..

씬/16   D, 동장소

어느새 아침이 된 듯 밝은 햇살이 가득한 산영의 방 안.
어제 이불을 뒤집어쓴 채 잠이 든 듯한 산영, 눈부신 햇살에 천천히 눈을
뜬다. 잠시 정신을 차리며 눈을 깜박거리다가 어제의 기억이 돌아온 듯
벌떡 일어서는 순간, 놀라서 굳어버린다. 산영의 시선을 쫓아 방문을
비추는 화면. 방 안에서 누군가 뜯어버린 듯 마구 찢겨있는 청테이프들.
두려움에 휩싸여서 방문을 바라보는 산영.

씬/17 D, 산영의 집 거실/경문의 방

아무 일도 없었던 듯 조용하고 깔끔하게 정리된 거실.
천천히 고개 돌려 닫힌 경문의 방문을 불안한 듯 바라보던 산영. 한 발 두 발
다가가서 방문 문고리를 잡는데 불안감이 더욱 몰려오는 듯 손이 떨려온다.
심호흡을 한 뒤 천천히 방문을 여는데 문틈 사이로 서서히 보이기
시작하는 방 안. 마치 바닥에 쓰러져 있는 듯한 경문의 팔. 놀라서 '쾅'
문을 열고 들어서는 산영.
보면 잠버릇 때문인 듯 이부자리에서 옆으로 튀어나와 자고 있는 경문,
낮게 코고는 소리가 들려온다. 휴.. 가슴을 쓸어내리는 산영. 자고 있는
경문 위에 이불을 제대로 덮어준 뒤 잠시 경문의 얼굴을 내려다본다.

씬/18 D, 산영의 방

다시 방으로 돌아오는 산영. 뜯겨진 청테이프를 두려운 듯 보다가
돌아서다가 멈칫. 어느새 책상 위에 가지런히 놓인 산영 이름으로 된
통장과 인감. 가만히 통장을 바라보는 산영의 흔들리는 눈빛에서..

씬/19 D, 해상의 집 서재

화이트보드판 중앙에 '배씨댕기', '푸른 옹기 조각' 글자를 써 내려가는 해상.

해상 이 물건들을 처음 갖고 있었던 건 어머니야.

댕기와 옹기 조각 글씨에서 어느 지점으로 선을 긋고 '95년, 동해 민박집,

어머니'라고 적는 해상.

해상   95년, 동해 민박집에서 돌아가시기 전에 저 물건들을 묻고
계셨어. (우진을 바라보며) 악귀를 없애려고 하셨던 거야.

해상, 벽면에 붙어있는 강모의 논문 중 '머리를 푼 악귀의 기운이 서린
물건은 죽임을 당한 자의 기운으로만 누를 수 있다' 구절에 줄을 친다.

해상   이거였어. 이게 악귀를 없애는 방법이었던 거야. 배씨댕기도
푸른 옹기 조각도 어린 여자아이와 관련이 있는 물건이었어.
태자귀가 되어 죽은 이목단이란 아이의 물건이었겠지. 그
물건들을 악귀가 누군가를 죽인 장소에 금줄로 봉인하는 거지.
우진   ..다 니 추측일 뿐이야. 게다가 그 구강모 교수, 악귀에
씌어있었다며. 그 사람이 남긴 글을 믿는 거야?
해상   악귀에 대해 가장 잘 알고 있는 사람은 구강모 교수였어.

우진, 해상을 가라앉은 눈빛으로 바라보다가

우진   난 그게 더 궁금한데.. 유언장.. 편지. 악귀는 왜 굳이 널
끌어들인 걸까.
해상   ..지금은 그것보다 악귀를 없애는 게 먼저야.
우진   해상아. 여기서 그만해. 너도 너네 어머님처럼 위험해질 수 있어.
해상   아니. 이제 겨우 실마리를 잡았어. 여기서 그만둘 순 없어.

해상, 우진을 바라보는데.. 그때 들려오는 '띵동' 초인종 소리.

씬/20 D, 해상의 집 건물 밖

대문 밖. 가라앉은 표정의 산영이 서 있다.

씬/21 D, 해상의 집 거실

거실에 마주 앉은 산영과 해상.
산영, 미안한 얼굴로 해상의 카드를 내민다.

산영   정말 죄송해요.

해상, 의아한 얼굴로 카드를 들어 확인하다가

해상   이거 언제 가져간 거예요?

갸웃하며 산영을 보던 해상, 그제야 핸드폰을 꺼내 결제 문자들을
확인하다가 놀라서 산영을 본다.

해상   이 돈을 다 산영 씨가 썼다구요?

산영, 창피하고 미안한 눈빛으로 보다가 가지고 온 종이봉투를 해상에게
내민다.

산영   그때 빌렸던 오백만 원이랑 어제 쓴 카드값. 이자까지 계산해서
넣었어요.

해상, 가만히 종이봉투를 보다가

해상   이 돈 어디서 났어요?

산영, 눈빛 더욱 가라앉는다. 그런 산영을 수상한 듯 바라보는 해상.

해상   어제 무슨 일이 있었던 거예요?
산영   ..사실..

해상, 산영을 바라보는데.
산영, 시선을 피하며 망설이다가..

산영   ..아뇨.. 아무 일도 없었어요.

— 시간 경과되면
창문 너머로 마당을 지나 멀어지는 산영을 바라보는 해상.

해상   분명히.. 뭔가를 숨기고 있어..

멀어지는 산영을 바라보던 해상, 외출 준비를 하는 듯 겉옷을 입는다.

우진   어디 가려구?
해상   어제 산영 씨한테 무슨 일이 있었는지 알아봐야겠어.
우진   어디서 뭘 했는지도 모르면서 뭘 알아봐.
해상   카드 내역을 뒤져보면 뭐라도 나오겠지.

해상, 거실을 나서려는데..

우진	어제 집에 갔을 때..
해상	(돌아보면)
우진	아버지는 만났어? 잘 계셔?
해상	(보다가) 그렇게 걱정되면 니가 직접 찾아가봐.

해상, 거실을 나가버리고 홀로 남는 우진.

우진	..바보 같은 새끼.. 그 집엔 절대 가기 싫다니까..

씬/22 D, 해상의 본가 외경

씬/23 D, 해상의 본가 서재

아침임에도 불구하고 창문을 가로막은 두꺼운 커튼 덕분에 어둡기 그지없는 실내. 한 켠에 켜놓은 스탠드 불빛에 마네킹처럼 표정 없이 휠체어에 앉아있는 병희에게 90도로 인사하고 있는 양복 차림의 치원.

치원	부르셨습니까.
병희	..해상이 뒤 좀 캐봐.
치원	예?
병희	요즘 뭘하고 다니는지 누굴 만나고 다니는지 알아보라구.

씬/24　D, 거리 일과/중현캐피탈 건물 앞

빌딩이 밀집한 도심. 거리를 달리고 있는 고급스런 승용차.
역사가 오래되어 보이지만 관리가 잘 된 깔끔해 보이는 '중현
캐피탈'이라고 적힌 건물 앞에 멈춰 선다.
현관을 지키던 안전요원 다가와 차 문을 열면 내려서는 치원.

씬/25　D, 중현캐피탈 부사장실

깔끔하게 정리된 부사장실로 들어와서 책상에 앉는 치원.
그 뒤를 따라 들어서는 김비서(30대, 남).

김비서	도련님 최근 행적에 관해 지시하신 부분은 조치를 취해놨습니다.
치원	(잠시 생각하다가) 그때 그 형사는? 아직도 해상이랑 만나나?
김비서	예. 자주는 아니지만 계속 관계를 유지하고 있는 걸로 알고 있습니다.
치원	그 형사 주변에 사람 좀 심어봐.
김비서	알겠습니다.

인사하고 사무실을 나가는 김비서. 생각에 잠기는 치원.

씬/26　D, 지방청 건물 외경

출근하는 듯 사무실로 들어서는 홍새. 다른 팀 자리의 형사1과 홍새의
동기 신입 형사1, 책상에 앉아서 얘기 중이고 문춘은 외출 준비를 하는 듯
자기 자리에서 겉옷을 입고 있는데..
홍새, 다른 팀 형사들에게 '안녕하세요', '좋은 아침' 인사하며 문춘 쪽으로
다가와

홍새   선배님! 어젯밤에 무슨 일이 있었는지 아세요?

문춘   (화난 얼굴로 말 끊으며) 그래. 어젯밤에 무슨 일이 있었는데
하라는 일은 다 내팽개치고 내뺀 거야?

홍새   ..아니 ..그게..

문춘   창고 다 뒤져서라도 단서 찾으라고 했어. 안 했어.

홍새   찾아보긴 했는데요. 뭐 다 이상한 서류들밖에 없고..

문춘   그리고 남의 관할서 창고 문을 잠그지도 않고 가버렸다며?

홍새   죄송합니다. 그런데 제가 약속에 좀 늦어서 서두르다가..

문춘   약속 같은 소리하고 있네. 형사한테 약속이 어딨어.

문춘이 계속 몰아붙이자, 홍새 울컥하는 얼굴로

홍새   지금까지 선배님이 하자는 거, 시키는 거 다 했잖아요. 집에도
못 들어가고 뭣 빠지게 개고생했는데 그거 잠깐 비웠다구
너무하시는 거 아니에요?

문춘   그 잠깐 비웠을 때 범인 나타나면 어떡할 건데?

홍새   선배님이 쫓는 사건에 범인이 있긴 있어요? 다 자살이라는데
혼자 타살이라고 박박 우기는 거잖아요.

문춘   너 지금 선배한테 개기냐?

홍새	선배님이니까 생각해서 드리는 얘깁니다. 남들이 선배님 뭐라고 부르는지 아세요? 강력계 선무당.

옆에서 회의 중이던 형사들, 두 사람 목소리가 높아지자 바라보는

홍새	나 같은 인재가 옆에 있으면 뭐해. 써먹지도 못하는데. 창고에서 단서를 찾아요? 그딴 쓰레기장에서 뭘 찾습니까?
문춘	인재 좋아하네. 너 경찰대 입학은 수석으로 했는데 졸업은 꼴찌로 했다며.
홍새	와 씨 누가 그래요?

뒤쪽에 있던 형사들 다가와서 '야, 이홍새 그만해라' 말리고
홍새, '이거 놔봐' 뿌리치는데

문춘	이 경찰대 꼴찌 놈아. 귀 파고 잘 들어. 니가 찾을 생각이 없으니까 단서가 안 보인 거야. 니가 승진 생각하는 것만큼 절실하게 찾았어야지.
홍새	거기서 승진 얘기가 왜 나옵..
문춘	(말 자르며) 닥치고 들으라고. 너는 형사야. 죽은 피해자들의 원한을 대신 풀어주는 사람이라고. 그만큼 사명감을 가지고 일해야지.
홍새	글로벌 시대에 뭔 원한이에요. 우린 객관적인 인과관계를 토대로 죄지은 새끼 잡아서 법대로 처벌하는 사람들입니다.
문춘	됐어. 이 글로벌 같은 새끼야. 단서 내 손으로 직접 찾는다.

문춘, 화난 얼굴로 가방 챙겨서 사무실을 나가버리고..
형사들 중 선배로 보이는 형사1, 문춘의 화를 풀어주려는 듯 '선배님

화푸세요' 따라나가고..

신입 형사1, 홍새 힐긋 보다가 자기 자리로 돌아가는데, 홍새 그런 신입
형사1 따라가며

홍새   너냐?

신입 형사1   (찔리는 듯) 뭔 소리야.

홍새   내가 승진에 눈멀었다, 경찰대 꼴찌다. 그거 니가 다 얘기하고
다녔냐구.

신입 형사1   (말 얼버무리듯) 그거 모르는 사람이 어딨냐.

홍새   뭐?

신입 형사1   (딱 잡아떼는) 암튼 난 아냐.

홍새, 식식거리다가 신입 형사1의 자리에 있는 손도 안 댄 테이크아웃
커피 잔의 커피를 시원하게 원샷한다.

신입 형사1   아, 진짜 그거 내 껀데..

홍새, 커피 마시다가 신입 형사1의 책상 위에 있는 현장 사진들을 보고 멈칫.
6부, 1씬의 호텔 화장실과 같은 층, 와인 바가 있는 복도를 찍은 사진이다.

홍새   뭐야? 이거? 살인 사건?

신입 형사1   남의 팀 일에 관심 꺼라.

홍새   나 어젯밤에 여기 갔었는데.

신입 형사1   진짜야?

홍새   내가 왜 거짓말을 해. 여기 와인 바에 있었다니까.

어두운 비상계단에서, 화장실에서 발견된 여자1의 시신이 찍힌 사진을
바라보고 있는 홍새. 그 곁에서 낮은 목소리로 얘기 중인 신입 형사1.

신입 형사1 어젯밤. 그 와인 바가 있었던 같은 층 여자 화장실에서
발견됐어.

홍새 사인은?

신입 형사1 부검 결과가 나와봐야 알겠지만 검안의 얘기론 심장마비에 의한
돌연사로 추정된대.

홍새 돌연사? 그럼 타살이 아냐?

신입 형사1 그런데 좀 이상한 점이 있어. 누군가 시신을 칸막이 안까지 끌고
간 흔적이 있어.

홍새 시신을 은폐한 건가? 그럼 살인 사건이잖아.

신입 형사1 또 하나 이상한 점이 더 있어. 피해자 소지품 중에서 고가의 명품
백이 사라졌어.

신입 형사1, 핸드폰에서 같은 상품 사진을 찾아서 홍새에게 보여주며

신입 형사1 명품사에서도 한정판으로 나온 건데 피해자의 이름 이니셜
'L.J.R.'이 적혀있었대.

홍새, 눈빛 흔들린다.

― 인서트
― 5부, 64씬. 의자 위에 놓여있는 56씬, 여자1의 명품 가방. 'L.J.R.'이란
이니셜.

— 다시 비상계단으로 돌아오면

가만히 가방 사진을 바라보는 홍새를 툭 치는 신입 형사1.

신입 형사1 야, 뭐해?

홍새 (그제야 사진에서 눈 떼며 아무렇지 않은 듯) 뭘 뭐해?

신입 형사1 어젯밤에 와인 바에 있었다며. 뭐 이상한 거 본 거 없어?

홍새, 다시 한번 가방 사진을 내려다보다가..

홍새 아니. 없는데.

신입 형사1 (수상한 듯 보는) 정말이야?

홍새 (천연덕스럽게) 응.

씬/29 D, 강수대 사무실 밖 복도

복도를 걸어 나오는 홍새.

홍새(소리) 남들은 모르고 나만 아는 단서. 하늘이 내려준 기회다.

더욱 빨라지는 홍새의 발걸음. 흥분된 눈빛.

홍새(소리) 이 사건 해결하고 글로벌하게 승진 간다.

씬/30   D, 산영의 집 거실/산영의 방

이제야 잠이 깬 듯 하품을 하면서 방문 열고 나오는 경문.
물을 마시려는 듯 식탁 쪽으로 다가오다가 식탁 위에 놓인 산영이 남긴
쪽지를 발견한다.
'나 당분간 혼자 있고 싶으니까 연락하지 마'.

씬/31   D, 화원재 마당

달칵 정문이 열리면서 여행용 캐리어를 든 산영이 마당으로 들어선다.
사람의 손길이 닿지 않은 건물은 그새 차갑고 적막하기만 하다. 건물을
올려다보다가 가방을 끌고 툇마루에 주저앉는다.
어두운 눈빛으로 멍하니 차갑고 적막한 화원재를 바라보고 있는데..
순간 하늘 위 구름이 걷히면서 따뜻한 햇볕이 서서히 비추면서 아까까지
차갑게만 보이던 화원재의 풍경이 변하기 시작한다. 곳곳에 정성스레
심어진 정원수들. 푸른 하늘과 맞닿은 처마. 불어오는 미풍에 딸랑거리는
풍경. 스며드는 햇볕에 드러나는 정겨운 툇마루의 무늬.
가만히 툇마루를 쓰다듬던 산영, 순간 눈물이 한 방울 떨어지며 울음이
터진다.

산영   ..할머니.. 죄송해요.. 제가 이 돈 받을 자격 없는 거 아는데..
          살면서 처음이에요.. 이런 기분.. 처음이에요.

— 인서트
— 아침, 두려운 눈빛으로 은행 창구에 앉아있는 산영.
   찾을 금액란에 숫자를 써 내려가는데 처음 찾는 거액에 손이 벌벌

떨려온다. 상냥한 미소로 산영의 통장과 용지를 받아 출금을 해주는 직원.

— 아침, 거리. 돈이 든 봉투를 소중하게 꼭 껴안고 사람들을 경계하며 걷고
있는 산영. 그러다가 지나가던 부동산의 게시판에 멈춰 서서 주변 집값들
시세를 가만히 바라본다. 산영의 돈으로 살 수 있는 집들을 실감이 안
나는 듯 조금은 두렵고 조금은 설레는 눈빛으로 보는..

— 다시 화원재 툇마루로 돌아오면
울음을 터뜨리던 산영. 어느 정도 진정이 된 듯 고개를 들다가 툇마루를
쓰다듬던 손으로 얼굴을 닦으려다가 멈칫. 더러워진 손 보다가

산영　　먼지가 왜 이렇게 많아..

씬/32　D, 몽타주

— 본채와 별채 건물 곳곳에 내려져 있는 덧문들을 열어젖히는 산영. 내부로
쏟아져 들어오는 햇빛들.
— 긴 복도를 걸레질하는 산영.
— 정원, 경문의 방에 펴져있던 이부자리들을 빨랫대에 널고 먼지를 터는 산영.
— 청소를 하는 중간중간, 핸드폰을 들어 세미에게 카톡을 보내는 산영.
카톡창을 보면 이미 읽었지만 답변이 없는 산영의 카톡들. '세미야.. 우리
만나자. 만나서 얘기할게', '세미야, 연락줘'. 카톡창을 보다가 한숨 내쉬는 산영.
— 본채, 거실, 테이블을 닦던 산영. 한쪽 트레이 안에 정리된 약들을
바라본다. '김석란' 이름으로 된 혈압약, 영양제들. 놓인 가장 안쪽에
놓여있는 OO대학병원 지퍼백에 담겨있는 알약병. 담당의 'OPH 배희철',
환자 이름 '구강모'다. 산영, 할머니와 아버지 생각이 나는 듯 가만히
내려다보는 모습에서..

씬/33 D, 화원재 경문의 방

걸레질을 끝낸 산영. 창밖에서 들어오는 햇빛을 받으며 바닥에 대자로
드러눕는다. 피곤한 듯 심호흡을 한 뒤 눈을 감는다..

씬/33-1 N, 동장소

어느새 어두워진 주변. 잠이 들었던 산영, 잠이 깨는 듯 눈을 뜨다가
주변이 낯선 듯 둘러본다.
아.. 화원재였지.. 정신을 가다듬고 일어서서 스위치를 눌러 불을 켜는데
손에 검댕이 묻어있다. 뭐지? 이상한 듯 바라보다 바닥에 떨어져 있는
걸레를 들어 다시 걸레질을 하기 시작하며

산영　　닦아두 닦아두 때가 나와..

여기저기를 갸웃하며 다시 걸레질을 하는데.. 순간, 귓가에 들려오는 목소리.

악귀(소리)　화장대 세 번째 서랍.

놀라서 벌떡 일어서는 산영. 두려움에 자기도 모르게 일어서서 허공에 대고

산영　　대체 왜 이래! 나한테 왜 이러냐구!

하지만 아무 소리도 들려오지 않는다. 산영, '쾅' 방문을 열고 나가려다가..
우뚝 멈춰 선다. 천천히 뒤돌아 어딘가를 바라본다. 경문의 화장대다.
산영, 망설이다가 천천히 화장대로 다가가서 조심스럽게 세 번째 서랍을

여는데 안은 텅 비어있다. 휴.. 자기도 모르게 안도의 한숨을 내쉬는..

씬/34   N, 화원재 안채

안채 거실. 산영, 거실 바닥을 모두 닦은 걸레들을 한데 모아 나가려는데
거실 한 켠에 놓인 석란의 화장대가 시야에 들어온다. 불안한 눈빛으로
화장대를 바라보던 산영.
천천히 다가가서 화장대의 세 번째 서랍을 연다. 서서히 보여지는 서랍
안. 덩그러니 놓여있는 오래전 현상된 듯 빛바랜 봉투에 든 필름이다.
불안한 눈빛으로 내려다보는 산영.

씬/35   N, 사진관

필름을 확인하는 사진관 주인.

주인   야.. 이 필름 오랜만에 보네. 되게 옛날 껀데 어디서 났어요?
산영   언제쯤 될까요?
주인   인화는 내일쯤 되구요. 스캔 파일은 얼마 안 걸릴 거예요.

— 시간 경과되면
스캔 파일을 확인할 수 있는 컴퓨터 앞에 앉아서 파일을 클릭 클릭하고
있는 산영. 하나둘씩 사진들이 뜨기 시작하는 컴퓨터 화면. 숲속에 자리
잡은 공장 건물, 도심에 자리 잡은 단층 건물, 숲속에 자리 잡은 사찰 건물
등 의미 없는 장소들을 찍은 사진들 보여진다. 몇몇 장은 스캔이 잘못된
듯 흐릿하거나 검게 변해있는데..

건물 사진들 중 사찰 내부에 그려져 있는 각양각색의 아귀도를 찍은
사진들. 산영, 눈에 띄는 아귀도 사진을 바라보다가 사진을 복사해서
인터넷에 검색해보는데 '餓鬼道(아귀도)'란 제목 아래에 설명이 적혀있다.

산영　　배고픔과 목마름에 항상 남의 것을 갈구하는 아귀는 우리들의
　　　　탐욕이 만들어 낸 세계다..

산영, 다시 한번 불길한 눈빛으로 끔찍한 형상의 아귀들을 바라보다가

산영　　..아귀..

씬/36　　N, 쎄미네 집

어제 와인을 흘린 정장 셔츠를 손세탁을 한 듯 탁탁 털어 옷걸이에 거는
쎄미. 하지만 아직도 흐리게 와인 얼룩이 남아있다.

세미　　진짜 구질구질하다. 면접이 내일 모렌데 어떻게 세컨 정장 하나
　　　　없냐.

휴.. 한숨 내쉬고 핸드폰 들어 확인하는데 윤정의 인스타에 새 글이
올라와 있다. '남편이 넘 잘나가서 문제. 직장에서 놔주지 않아 신행은
미루기로.. 칸쿤 기다려'라는 멘트 위로 고급스런 식기에 담긴 2인용 식사
테이블. 아파트에서 내려다본 서울 야경 등 사진이 올려져 있다.
가만히 핸드폰을 내려다보는 무표정한 세미.

세미　　..좋겠다.. 너는..

그런 세미에서 서서히 화면 옆으로 팬하면 'L.J.R.' 이니셜이 찍힌 명품 가방.

씬/37 N, 호텔 건물 밖

호텔 앞에 멈춰 서는 해상의 자동차. 다가오는 발렛 직원.
핸드폰 카드내역을 확인하면서 내리던 해상, 로비 한 켠에 세워진
경찰차를 보고 멈칫. 다가오는 발렛 직원에게

해상　(순찰차 가리키며) 여기, 무슨 일 있었어요?

씬/38 N, 호텔 복도

'띵' 엘리베이터가 멈춰 서고 내리는 해상. 텅 빈 복도, 화장실로 향하는
곳에 폴리스 라인이 그어져 있다.

씬/39 N, 호텔 화장실

화장실 안으로 은밀하게 들어서는 해상.
감식팀이 쓸고 간 듯 아무것도 남지 않은 듯 텅 빈 화장실 안을 빠르게
훑어보기 시작한다. 칸막이 하나하나 꼼꼼히 확인해 보던 해상. 시신이 발견된
마지막 칸막이 안을 살펴보다가 멈칫.. 구석 안에 숨겨있는 벌레의 시체다.
해상, 가만히 보다가 칸막이 밖으로 나와 창밖 난간을 보는데 거기도 똑같은
벌레의 시체들. 순간, 해상의 뒤쪽에서 들려오는 홍새의 목소리.

홍새   무슨 일이십니까?

놀라서 뒤돌아보는 해상. 지금 도착한 듯 들어서서 해상을 수상한
눈빛으로 탐색하듯 바라보고 있는 홍새다.

홍새   여기 출입금지 구역입니다.

해상, 그런 홍새 보다가

해상   우리 어디서 보지 않았어요?

홍새도 해상 보다가 감이 온다. 해상 계속 기억을 떠올리다가

해상   광천시, 서문춘 형사님하고 봤었죠?
홍새   그래서 여긴 왜 왔냐구요?
해상   여기서 누가 죽었죠? 죽은 사람 눈에 핏줄이 터져있었을 거예요.
홍새   (순간 눈빛 날카로워지면서 바라본다) 그 얘긴 어디서 들었어요?
해상   아귀예요.
홍새   뭐요?
해상   귀신이라구요.

그때 밖에서 둘의 얘기 소리를 들은 듯 들어서는 경찰들.
홍새, 경찰들에게 해상 가리키며

홍새   이 사건하고 관련이 없는 분입니다. 내보내시죠.

경찰들, 해상에게 '나가시죠' 다가오고. 해상, 홍새를 바라보며

해상　아귀에 씐 사람은 탐욕을 채울 때까지 계속해서 사람들을 해칩니다. 비슷한 사건들이 또 터질 거예요.

　　　홍새, 어이없이 보고.. 경찰들 '빨리 나가시죠'.
　　　결국 경찰들에게 이끌려 화장실을 나가는 해상.

홍새　헛소리도 전염인가. 구산영이랑 똑같네..

씬/40　N, 호텔 와인 바

　　　한적한 와인 바, 지배인과 얘기를 나누고 있는 홍새.

홍새　매장 내 씨씨티브이 영상이 없다구요?
지배인　예. 우리 매장뿐만이 아니에요. 이 층 모든 매장 씨씨티브이, 호텔 정문, 뒷문 할 거 없이 싹 다 가져갔어요.

　　　홍새, 초조한 얼굴로 돌아서다가..

홍새(소리)　형사들은 범인이 와인 바에 있다는 걸 아직까지 몰라.. 아직 시간이 있어.

　　　홍새, 시선을 돌려 어젯밤, 윤정의 뒤풀이가 있었던 자리를 바라본다. 그곳에서 웃고 마시고 있는 어젯밤의 홍새를 비롯한 일행들.

홍새(소리)　범행 현장은 여자 화장실. 범행 추정시각은 7시에서 10시. 통행인구가 많아 남자가 여자 화장실에서 범행을 저지르기엔

심리적 거부감이 큰 시간대. 여자가 범인일 가능성이 높다.

뒤풀이 인원들의 모습에서 서서히 남자들이 사라지고, 여자들만 남는다.
그중에 산영이를 바라보는 홍새.

홍새(소리)   구산영은 아니다. 먼저 자리를 떴을 때 가방을 가지고 있지
않았으니까.

산영이 사라지고 남아있는 여자들의 모습.

홍새(소리)   범인은 저 중에 한 명. 불특정 다수가 이용하는 공간.
면식범이라면 이런 오픈된 장소를 선택했을 가능성이 낮다.
명품 가방을 노린 우발적인 범행. 충동적인 성품이거나 최근
스트레스를 받을 만한 주변 상황이 있었을 수 있다.

웃고 떠들고 있던 여자들을 바라보는 홍새.

씬/41   N, 강수대 사무실

텅 빈 사무실에 들어오는 홍새.
들어서서 앉으며 비어있는 문춘의 책상을 힐긋 보다가.. 미안한 감정이
눈빛에 엿보이지만 애써 그런 감정을 떨쳐버리고 자기 자리에 앉는다.
킥스 프로그램에 접속해서 최근 1년 간, 절도 건으로 신고가 들어온
사건들을 검색하기 시작한다. 간략한 사건 개요들을 하나둘씩 확인해
내려가는 홍새의 시선에서

홍새(소리) 이런 절도 사건의 경우 초범이 아닐 가능성이 높다. 비슷한
사건들을 찾다 보면 저 중에 용의자를 좁혀나갈 수 있어.

씬/42   N, 광천서 창고

여전히 창고 안에서 박스 안의 서류 쪼가리들을 하나하나 확인하고 있는
문춘. 눈이 침침한 듯 눈을 찌푸리고, 콜록거리는데..
빼꼼 문 열리면서 고개 들이미는 광천서 형사.

광천서 형사 선배님. 아직도 이러고 계세요? 그 꼬마애는요?
문춘 꼬마애가 뭐야. 걔 꽤 쓸 만한 형사야.. (가보라는 듯 손짓하며)
신경 쓰지 말고 빨리 가서 쉬어.
광천서 형사 그럼 가보겠습니다!

광천서 형사 나가고 여전히 서류 더미에 파묻혀있는 문춘.
힘든 듯 한숨 내쉬다가 다시 서류 박스에서 하나둘씩 꺼내서 훑어본다.

씬/43   N, 강수대 사무실

여전히 절도 사건들을 확인해 보고 있는 홍새. 하지만 쉽게 나타나지
않는 듯 답답한 얼굴인데.. 다시 다음 사건으로 넘어가려다가 문득
해상의 말이 떠오른다.

해상(소리) 아귀에 씐 사람은 탐욕을 채울 때까지 계속해서 사람들을
해칩니다. 비슷한 사건들이 또 터질 거예요.

홍새, 가만히 컴퓨터 화면을 바라보다가 설마 하는 눈빛으로 신고 사건 검색란에 '절도'를 지우고 '변사' 사건을 친다. 검색 결과에 하나둘씩 뜨기 시작하는 변사 사건들. 하나하나 사건 개요들을 확인해서 내려가던 순간, 놀라서 멈칫하는 홍새의 눈빛.
컴퓨터 화면에 뜬 신고 사건들 문구와 인서트 화면 교차되면서 보여진다.
'강남 OO빌딩, 변호사 돌연사 사건'

— 인서트
— 밤, 강남, 유흥업소 남자 화장실. 종업원, 날아다니는 벌레를 손으로 쫓으며 들어서다가 놀라서 멈춰 선다. 바닥에 쓰러져 있는 1부 28씬의 건물주. 역시 눈이 충혈된 채 숨져있다.

— 다시 강수대 사무실로 돌아오면
믿기지 않는 듯 컴퓨터 화면을 바라보는 홍새.

홍새   ..심장마비.. 충혈.. 똑같아.

홍새, 다시 커서를 내려서 계속 변사 사건들을 살펴보며 내려가다가
또다시 한 사건에서 멈춘다. 'OO 골목길 변사 사건'

— 인서트
— 밤, 인적이 드문 골목 일각. 핸드폰 화면을 보면서 귀가하고 있는 여대생. 저 앞쪽 샛길에서 나와 가로등 너머로 사라지고 있는 후드티를 뒤집어쓴 여자의 실루엣. 한쪽 손에 눈에 띄는 색깔의 고급스런 구두를 들고 있다. 핸드폰 화면을 보느라 후드티를 보지 못한 여대생, 코너를 돌아 샛길로 들어서다가 저 앞쪽 바닥에 쓰러져 있는 여자를 발견하고 놀라서 비명을 지른다. 역시 눈이 충혈된 채 쓰러져 숨져있는 맨발의 여자.

— 다시 강수대 사무실로 돌아오면

　　놀란 눈빛으로 계속 커서를 내려 다른 사건들을 확인하는 홍새. '한강
　　둔치, 20대 여, 시신 발견'

— 인서트

— 밤, 한강 둔치, 조깅 코스에 역시 충혈된 채 숨져있는 20대 여자

— 다시 강수대 사무실로 돌아오면

　　놀라서 컴퓨터 화면을 바라보고 있는 믿기지 않는 눈빛으로 바라보는 홍새.

홍새(소리) 관할이 다른 곳에서 벌어져서 형사들도 눈치채지 못했을 텐데..
그 사람 대체 어떻게 안 거지..

씬/44 　D, 해상의 집 외경

이른 아침, 외경 위로 들려오는 초인종 소리.

씬/45 　D, 해상의 집 거실

거실 문을 여는 해상. 거실 밖에는 산영이 서 있다.
해상, 버릇처럼 산영의 그림자를 살펴보고는

해상 　무슨 일이에요?
산영 　..드릴 말씀이 있어서요.
해상 　급한 일인가요? 먼저 온 손님이 계셔서..

그때, 안쪽 테이블에서 들려오는 목소리.

홍새(소리) 구산영이에요?

산영, 놀라서 소리가 들려온 쪽을 보면 먼저 온 듯 테이블에 앉아있다가
일어서는 홍새다.

산영 선배님이 여기 웬일이세요?
해상 (두 사람 보며) 아는 사이였어요?
홍새 (해상 보며) 고등학교 후뱁니다. 같이 얘기해도 상관없어요.
(산영에게) 안 그래도 물어볼 게 있어서 연락하려고 했는데 잘
됐네. 앉아.

해상, 산영을 잠시 보다가 홍새의 맞은편에 와서 앉고
산영도 머뭇거리며 테이블로 걸어오다가 문득 유리창을 보다가 멈칫..
뒤돌아보다가 다시 유리창을 보다가 갸웃. 다시 다가와 해상의 옆에 앉는다.

홍새 (해상을 보며) 그 아귀찜인가 아귄가 하는 귀신 얘기 계속하죠.

산영, 아귀란 소리에 흠칫 놀라서 두 사람을 바라보는데..

해상 아귀는 말 그대로 굶주린 귀신입니다. 걸신들렸다는 말의
걸신. 혹은 걸귀라고도 하는데 조선 중기 문신인 유몽인이 쓴
어우야담에 등장할 정도로 민간에 익숙한 잡신이었죠.
홍새 (여전히 못 미더운 날카로운 눈빛) 그 조선시대 귀신이 사람들을
죽이고 있다구요?

두 사람의 얘기를 듣던 산영, 놀라서

산영   누가 죽은 거예요?

홍새, 잠시 산영을 보다가

홍새   윤정이 결혼식 뒤풀이했던 날, 같은 층 여자 화장실에서 변사 사건이 있었어. 그런데.. (해상 가리키며) 저분은 그게 귀신이 그런 거래.

산영, 불안한 눈빛으로 해상을 보며

산영   아까 말씀하신 아귀예요?
해상   맞아요.
홍새   (어이없이 보다가) 아주 쿵짝이 맞는구만. (산영에게) 그날, 뭐 이상한 거 본 거 없어? 아무래도 우리 테이블에 있었던 사람들 중에 범인이 있는 것 같아.

산영, 믿기지 않는 듯 놀라서 바라보는데..

해상   용의자가 있는 겁니까? 사진 있어요?
홍새   사진이 있으면요. 누가 범인인지 알아낼 수 있어요?
해상   예. 귀신이 씌면 사진으로도 알아볼 수 있습니다.

홍새, 가만히 해상 보다가 산영에게

홍새   그날 사진 있어? 윤정이 결혼식 뒤풀이 때.

산영, 핸드폰 꺼내서 찾으며

산영   윤정이 인스타에 올라온 사진들이에요.

해상, 핸드폰을 들어 한 장 한 장 사진을 넘기기 시작한다.

해상   이 중에 용의자가 있습니까?
홍새   (여전히 못 미더운) 거기 있는 여자애들 중에 범인이 있을
확률이 커요.

해상, 인스타 사진들을 하나하나씩 넘기면서 확인하기 시작하고, 그
옆에서 굳은 얼굴로 같이 사진을 확인하는 산영. 홍새는 맞은편에 팔짱
끼고 앉아 이게 뭐 하는 짓인가 반신반의하는 표정.
해상, 사진 넘기는데 진한 메이크업에 남자 선배와 러브샷을 하고 있는 산영.
해상 뭐지? 옆에 있는 산영을 바라보고.. 산영, 순간 얼굴이 달아오르긴
하지만

산영   빨리 다음 사진 확인해 보죠.

해상, 다시 시선 돌려 윤정의 인스타 사진들을 넘겨보는데.. 마지막
사진까지 보고 난 뒤

해상   이 안에는 없습니다.

그럴 줄 알았다는 듯 홍새, 한숨 내쉬며 일어서는데,
산영은 뭔가 이상하다는 듯 해상의 손에서 핸드폰을 가져와 다시 한번
빠르게 사진들을 확인한다.

| 홍새 | 그러시겠죠. (산영에게) 뭐라도 그날 이상한 게 생각나면 바로 연락해라. |

홍새, 뒤돌아서 걸어가려는데..
혼란스러운 눈빛으로 인스타 사진을 찾아보던 산영.

| 산영 | 우리 테이블에 범인이 있었던 게 확실해요? |

홍새, 멈칫해서 뒤돌아보는

홍새	그건 왜?
산영	..두 명이 보이지 않아요.
해상	네?
산영	그날 있던 사람들 중에 윤정이랑.. 세미가 사진에 없어요..

홍새, 멈칫해서 본다. 해상 역시 산영을 바라보는..

씬/46 　 D, 거리 일각

'L.J.R.' 이니셜이 박힌 명품 백을 어깨에 메고 어디론가 걸어가고 있는
무표정한 세미.

씬/47 　 D, 해상의 집 거실

산영을 바라보는 해상과 홍새.

해상	그 사람들 사진 있어요?
산영	(핸드폰 사진함 찾기 시작하며) 윤정인 몰라도 세미는 있어요.
해상	최근 사진이어야 합니다.
산영	(멈칫) ..요즘에 너무 바빠서.. 찍은 사진이 없어요. (하다가) 근데 세미는 아니에요. 세미, 그럴 애가 아니에요.

해상, 말없이 산영을 바라보는데.. 산영, '쾅' 다급히 일어서서 나가려는..

해상	어디 가려구요?
산영	세미 만나러요.

해상, 역시 일어서서 겉옷을 챙긴다.

해상	나도 같이 가요. (홍새 보며) 같이 가실래요?
홍새	..아뇨. 전 좀 더 이성적인 수사를 해봐야겠습니다.

씬/48   D, 경찰서 일각

경찰서 로비에서 강남 변호사 사건 담당 형사를 만나고 있는 홍새. 그 사건 서류를 건네받으면서 당시 현장 사진을 보고 있다.

형사	그 화장실에서 죽은 변호사? 돌연사로 다 종결된 걸 왜?
홍새	그냥 단순 돌연사인가요? 변사자 물건 중에 혹시 없어진 건 없었어요?
형사	(보다가) 누구한테 들었어?
홍새	예?

형사	꽤 비싼 명품 시계가 사라졌어. 그래서 우리도 절도 사건으로 수사를 하려고 했는데 유가족들 증언으론 변사자가 술 취하면 시계를 벗어놓는 버릇이 있었대. 그날도 꽤 만취 상태였고. 게다가 거액의 현금이 있는 돈지갑은 말짱했거든. 그래서 단순 분실로 처리됐어.

씬/49 D, 달동네 일각, 세미의 집 앞

세미네 집 앞으로 뛰어오는 산영. 그 뒤를 쫓아 달려오는 해상.
먼저 도착한 산영. '세미야!!' 문을 두드려 보지만 아무도 나오지 않는다.
답답한 마음에 창문도 두드려 보는데, 역시 반응이 없다.

산영	(초조한) 집에 없나 봐요.

씬/50 D, 카페 안

가방을 맨 세미, 안으로 들어서서 주변을 두리번거리는데
통 유리창 옆에 앉아있는 윤정을 보고 미소 지으면서 다가간다.

세미	왔어?

윤정, 짜증 섞인 눈빛으로 세미 바라보는데
세미, 윤정이 걸친 세련된 정장을 보고 눈빛 반짝.

세미	그 옷 진짜 이쁘다.

달동네 한 켠의 편의점 앞에서 기다리고 있는 해상. 문 열리며 나오는
초조한 얼굴의 산영.

산영   여기 알바 안 나온 지 꽤 됐대요.

해상   전화는요? 계속 안 받아요?

힘없이 끄덕끄덕하다가.. 산영 불안한 얼굴로

산영   아귀도 없앨 수 있는 거죠?

해상   ...

산영   나한테 붙은 악귀도 없앨 수 있으니까, 그것도 그런 거죠?

해상   ..악귀는 누군가에게 깊은 원한을 가진 귀신입니다. 그 원한을
          풀어주면 없앨 수 있는 거예요. 하지만 굶주린 아귀는 다릅니다.
          자신의 내면에서 자란 욕망 때문에 생긴 거라 없앨 수 없어요..

산영   그럼.. 아귀에 씐 사람은 어떻게 되는 거예요?

해상   ..내가 알던 친구는.. 끊임 없이 다른 사람의 것을 탐하다가 그런
          자기 자신을 견디지 못하고 자살해 버렸어요.

더욱 불안해지는 산영.

산영   ..악귀가 나한테 아귀도를 보여줬어요. 아까 그걸 말씀드리려고
          찾아갔던 거예요..

해상   (놀라서 보는) ..언제.. 왜요?

산영   이유를 모르겠어요.. 그래서 더 불안해요..

산영도 해상도 혼란스럽기만 하다.. 해상, 잠시 생각하다가

해상   일단 친구분을 찾아봐요.

산영   ..어디 갔는지 모르겠어요..

해상   그 친구가 어디를 자주 다녔는지 찬찬히 생각해 봐요.

산영, 해상의 말을 듣고 생각해 내려고 애쓰다가 문득 자신의 손에 들린 핸드폰을 보고

산영   ..핸드폰..

해상   예?

산영   우리끼리 위치를 알 수 있는 위치 공유앱을 깔았어요. 정확한 위치까진 몰라도 핸드폰을 켜놨으면 어딘지 알 수 있을 거예요.

산영, 핸드폰 앱을 키고 잠시 기다리는데, 핸드폰 지도 위에 반짝 위치가 뜬다.

씬/52   D, 또 다른 경찰서, 휴게실

한강 둔치에서 숨진 조깅녀의 사진을 바라보고 있는 담당 형사2와 홍새.

형사2   하.. 참 맘이 안 좋은 사건이었어. 변사자가 한참 때 나이였거든. 결혼식이 코앞이었다는데 안됐지..

홍새   변사자 소지품 중에 분실된 건 없었나요?

형사2   (잠시 생각하다가) 그런 건 없었는데.

씬/53   D, 경찰서 건물 주차장

주차장에 주차된 차 안에서 지금까지 발생한 'OO동 골목 사건', '강남 유흥주점 변호사 사건', '한강 둔치 사건', '호텔 화장실 사건' 사건 서류들을 확인해 보는 홍새.

홍새(소리)   구두, 가방, 시계. 다른 사건들에선 다 사라진 물건이 있었는데 (한강 둔치 사건을 보며) 왜 이때는 아무것도 없었던 거지..

홍새, 가만히 내려다보다가.. 뭔가 생각나는 듯 눈빛이 굳는다.

홍새   결혼..

씬/54   D, 카페 안

마주 앉아서 얘기 중인 세미와 윤정. 'L.J.R.' 가방은 윤정 앞쪽에 놓여있는데..

윤정   (어이없다는 듯 세미 보며) 뭐? 정장을 빌려줘?
세미   (자존심 상하지만 꾹 참고 미소 지으며) 곱게 입고 세탁해서 돌려줄게. 면접이 코앞이라 사러 다닐 시간도 없고 해서.. 한 번만 좀 부탁할게.
윤정   말은 바로 해야지. 시간이 없는 게 아니라 돈이 없는 거잖아.

세미, 눈빛 점점 차가워지는데..
순간, '붕' 소리와 함께 두 사람 사이를 날아다니기 시작하는 벌레.

씬/55   D, 카페 인근 거리 일각

거리로 뛰어 들어오는 산영과 해상. 핸드폰을 확인하는 산영.

산영   이 블록 안에 있어요. 난 이쪽으로 갈 테니까, 교수님은 저쪽을
       좀 찾아주세요.

씬/56   D, 윤정의 집

가만히 맞은편을 보면서 얘기하고 있는 홍새.

홍새   사건 수사 때문에 너네 결혼한 웨딩홀에 갔었거든. 거기 꽤 인기가
       많더라. 내년까지 예약이 꽉 찼었다면서. 그런데 거기서 결혼식을
       올릴 예정이던 커플 중에 신부가 갑자기 사망했다면서? 그래서
       너네가 결혼식을 올릴 수 있었다고 들었어.

       서서히 화면 빠지면 이삿짐을 싸고 있던 듯 휑한 거실에서 윤정 남편과
       마주 앉아 얘기하고 있는 홍새다.

윤정 남편 운이 좋았지. 아니.. 운이 나빴던 건가? 보다시피 거기서 식을
       올릴 형편이 아니었거든. 윤정이 아버님 사업이 안 좋아서 이
       집도 내놓기로 했어.

       홍새, 가만히 집안을 둘러본다.

윤정 남편 청첩장 파티도 그렇고 뒤풀이도 그렇고 그런 데서 하지 말자고

그렇게 얘기했는데 윤정이가 다른 애들한테 얕잡아 보이기
싫다고 고집을 부리더라구.

홍새의 시선 한쪽 테이블에 올려진 윤정 남편이 끼고 있던 남성용 명품
시계를 바라본다.

홍새　　　저건 예물이야?
윤정 남편　응. 윤정이가 억지로 채워주더라.

씬/57　　D, 카페 인근 거리 일각

세미를 찾아 두리번거리면서 뛰고 있는 산영.
그때 저 앞쪽, 브런치 카페 통유리창 너머로 윤정과 얘기 중인 세미가
보인다. 뛰어가려다가 산영, 설마 하는 불안한 눈빛으로 멈춰 선다. 가방
안에서 거울을 꺼내 들어 세미 쪽을 비춰보다가 놀라는 산영.

씬/58　　D, 카페

맞은편을 차가운 눈빛으로 바라보고 있는 세미.
그런 세미의 얼굴 위로 날아다니는 벌레. 들려오는 윤정의 목소리.

윤정(소리)　이 가방만 해도 그래. 신혼여행 때 들고 가려고 새로 산 거를
　　　　　　맘대로 가져가 버리면 어떡하니? 내가 전화 안 했으면 그냥 니가
　　　　　　가졌을 거 아냐.

세미를 비추던 화면 서서히 맞은편 윤정을 비추면 윤정의 눈빛,
빨갛게 충혈되어 있다. 세미의 시선으로 보면 그저 멀쩡해 보이는 윤정.

세미　　몇 번을 말하냐. 주인이 안 보이길래 챙겨줄려고 가져왔다구.

순간, 윤정 세미의 뒤쪽 바라보는데 명품 시계를 찬 여자3, 화장실로
향하고 있다. 순간 말도 없이 일어나 화장실로 향하는 윤정.
세미, 어이없이 바라보는

세미　　뭐야. 어디가? (어이없는 듯 한숨 내쉬며) 아 진짜 정장 하나
　　　　빌려 입기 드럽게 힘드네.

대답 없이 멀어지는 윤정이 어이없는 세미. 또다시 날아다니는 벌레를
손으로 콱 눌러 잡으며

세미　　이 벌레 새낀 왜 아까부터 날라다녀.

그때, '쾅' 문 열리며 들어서는 산영. 세미에게 달려와 세미를 꽉 껴안는다.

산영　　세미야. 괜찮아? (팔을 풀고 세미 살펴보며) 다친 데 없어?
세미　　(밀어내며) 너 뭐야. 너 나 여깄는지 어떻게 알고 왔어?
산영　　윤정인? 어디 갔어?

씬/59　D, 카페 화장실

화장실 세면대에서 손을 씻고 있는 여자3. 그때 화장실 문 열리면서

들어서는 43씬, 몽타주에 후드티 여자가 들고 갔던 고급스런 구두를 신은
윤정의 발.

창밖에서 '탁탁탁' 유리창에 부딪치기 시작하는 벌레들. 실내에도 한두
마리가 들어서서 날아다니기 시작하고.. 여자3, 의아한 듯 고개 드는데
바로 코앞에서 자신을 바라보고 있는 윤정이다.

순간, 숨이 막히는 듯 컥컥 목을 잡으면서 뒤로 물러서는 여자3의 눈빛도
서서히 충혈되기 시작한다. 뒷걸음질 치는 여자3, 그런 여자3에게 더욱더
다가가는 빨간 눈의 윤정.

순간, 화장실로 들어서던 산영, 그 모습을 보고 다급히 둘러보다가
꽃이 담긴 화병을 발견. 꽃을 뽑아버리고 화병 안의 물을 윤정을 향해
뿌려버린다. '악' 비명을 지르면서 고개를 돌리는 윤정. 여자3, 숨이
돌아오는 듯 기침을 하며 주저앉고.. 산영, 그런 여자3에게 다가가
'괜찮아요?' 살펴보는데..

윤정, '이게 뭐 하는 짓이야!' 보다가 순간 거울 속 자신을 발견한다. 붉게
충혈된 괴물 같아 보이는 자신을 바라보다가 비명을 지르고 시선 돌리며

윤정   ..아냐.. 아냐..

'쾅' 화장실을 뛰쳐나가는 윤정. 놀라서 바라보는 산영.

씬/60   D, 카페/카페 밖 거리

화장실을 뛰쳐나와 카페 문을 향해 뛰어가는 윤정. 세미를 비롯한 카페
안 손님들 뭐지 바라보는데.. '쾅' 문을 열고 카페를 나온 윤정, 차도로
달려오고 있는 승용차를 향해 한 치의 망설임도 없이 돌진한다.
산영의 연락을 받은 듯 카페를 향해 뛰어오던 해상, 놀라서 바라보는데..

말릴 틈도 없이 '쾅' 승용차와 부딪치며 허공으로 인형처럼 튕겨져 나가는 윤정.

카페 안의 세미와 사람들, 화장실에서 윤정을 따라 나온 산영, 해상 모두가 아연실색해서 피투성이가 되어 바닥에 나뒹구는 윤정을 바라본다.

씬/61   D, 강수대 사무실

신입 형사1, 선배 형사들이 볼 수 있도록 컴퓨터 화면을 클릭하고 있다. 와인 바 내부가 찍힌 씨씨티브이 화면이다. 화장실을 다녀온 듯 들어서고 있는 윤정. 한 손에 보일 듯 말 듯 'L.J.R.' 이니셜이 새겨진 명품 가방을 들고 있다.

선배 형사   저 여자 신원은 확인됐어?

신입 형사1   예약자 명단 통해서 신원이 확인되긴 했는데.. 그게 지금 병원에 있답니다. 자살 시도를 했나 봐요.

선배 형사   일단 담당 의사 만나보고 상태 체크해 봐.

얘기 이어가던 선배 형사, 컴퓨터 화면 속 뭔가를 보고 멈칫.

선배 형사   근데 저거 뭐야. 이홍새 아냐.

씨씨티브이 화면. 윤정이 있는 테이블에 앉아서 술을 마시기 시작하는 홍새가 보인다. 멀지 않은 곳에 놓여져 있는 'L.J.R.' 가방.

선배 형사   저거 알면서도 일부러 얘기 안 한 거야?

신입 형사1, 이미 알고 있던 듯 씁쓸한 눈빛 되는데.. 문 쪽에서 들려오는
인기척. 보면 문 열고 들어서고 있는 홍새다.
자신을 바라보는 따가운 시선에 멈칫 보는데.. 선배 형사들, 열받은 얼굴로
보다가.. '야, 가자. 팀장님한테 보고 드려야지'. 하나둘씩 홍새를 차가운
눈빛으로 보면서 사무실을 나가고.. 마지막으로 나가는 신입 형사1, 이갈
듯 낮은 목소리로

신입 형사1 그렇게 살지 마. 새끼야.

형사들이 모두 나가고 혼자 남는 홍새. 가만히 서 있다가 천천히 자기
의자에 와서 앉는다.
텅 빈 사무실. 언제나 옆에 있던 문춘의 자리마저도 비어있다. 깊은
한숨을 내쉬며 고개를 떨구는 홍새.

씬/62 D, 병실/병실 밖

침대에 양쪽 손이 신체억제대에 묶인 채 멍하니 앉아있는 윤정. 생기가
사라진 낯빛. 하지만 눈만은 여전히 빨갛게 충혈된 채로 멍하니 앉아있다.
열려진 병실 문 너머에서 그런 윤정을 바라보고 있는 산영과 해상.

해상 문전상, 거리상이라고 들어봤죠? 우리 조상들은 누군지도 모를
아귀들을 가엾게 여겨 손님상을 차려 위로해줬습니다. 모든 게
부족했던 시절이었지만 남들과 나눌 줄 알았던 거죠. 하지만
사회화가 진행되고 각박해지면서 더욱 굶주리게 된 아귀는
자신들과 똑같이 뭔가를 원하고 갈구하는 사람들을 찾아 씌게
된 거죠.

산영	..(안쓰러운 눈빛으로 윤정을 보다가) 윤정이가 한 행동은 절대 용서받지 못할 행동이에요.. 그런데.. 뭔가를 원하지 않는 사람이 있을까요?
해상	...
산영	사람들은 누구나 조금은 더 편하고 싶고, 조금은 더 행복해지고 싶어해요..

해상, 산영을 바라본다.

산영	교수님께 드리지 못한 얘기가 있어요.. 그날 밤에 교수님 카드로 예쁜 옷도 사고 아무 생각 없이 먹고 마시고 놀았어요..
해상	...
산영	악귀가 그건 다 니가 원한 거라고 했어요. 그땐 아니라고 정말 확실하게 얘기할 수 있었는데..
해상	...
산영	할머니.. 유산을 받았어요.. 지금까지 꿈도 꿔본 적 없는 돈이었어요..
해상	...
산영	그 돈을 받으니까 알겠더라구요. 내가 원한 게 이런 거라는 걸.. 몰랐는데.. 이게 진짜 나였나봐요..

해상, 어두운 눈빛으로 산영을 바라보다가

해상	얘기했잖아요. 악귀는 산영 씨의 가장 약한 면을 이용할 거라고..
산영	...
해상	이제부터 악귀는 나 혼자 찾겠습니다. 산영 씨는 빠지는 게 좋겠어요.

산영을 보다가 뒤돌아서 멀어지는 해상.

씬/63   D, 거리 일각

차를 타고 집으로 돌아가고 있는 해상. 그때 울리는 전화. '장원석 교수님'이다.
눈빛 반짝하면서 전화를 받는 해상.

해상　여보세요?

교수(소리)　염 교수. 그때 얘기했던 그 사람 찾았어. 작은 칼이 박혀진 금줄.

긴장감이 감돌기 시작하는 해상의 눈빛.

씬/64   D, 버스 안

화원재로 향하는 버스 안에서 지친 얼굴로 창밖을 바라보고 있는 산영.
그때, 울리는 문자. 'OO스튜디오입니다. 사진 인화가 끝나서 연락드립니다.'

씬/65   N, 사진관

인화된 필름과 사진들을 산영에게 내미는 사진관 주인.

주인　스캔 파일 보셨을 때 좀 검게 나온 부분이 있었을 거예요. 기계
조작이 잘못 됐더라구요. 그 사진까지 다시 현상하고 인화해
드렸습니다.

산영   감사합니다.

봉투를 들고 돌아서는 산영, 사진을 꺼내서 한 장 두 장 사진을
확인하다가 한 사진을 보고 멈칫한다. 스캔 파일본에서는 검게 나왔던
사진. 아귀도 앞에 서 있는 누군가의 모습이 찍혀져 있다. 고등학교 교복
차림, 어두운 눈빛의 우진이다.

— 인서트
— 6부, 45씬. 테이블로 걸어오던 산영, 유리창을 보고 멈칫. 저 멀리 복도
쪽에서 있는 고등학교 교복 차림의 붉은 눈빛의 우진. 뭐지? 뒤돌아보는데
보이지 않는다. 다시 유리창을 보면 어느새 사라진 우진.

— 다시 사진관으로 돌아오면
사진을 바라보는 산영의 눈빛, 점점 혼란스러워진다.

씬/66   N, 국도 일각

국도를 달리고 있는 해상의 차.
저 앞쪽에 보이기 시작하는 평범한 농가 주택 앞에 차를 세운다.
툇마루에서 감을 말리고 있던 누군가 돌아보는데.. 1부, 16씬. 강모의
장례식장에 있던 백발의 노부인, 경쟁이 장은명이다.

씬/67   N, 은명의 집 거실

소박하고 평범한 거실. 따뜻한 보리차를 앞에 두고 마주 앉아있는 해상과

은명.

은명, 해상이 내민 듯한 작은 칼이 박힌 금줄을 바라보다가

은명	맞아요. 내가 만든 금줄입니다.
해상	누구한테 언제 만들어 준 거죠?
은명	1년 전, 평소에 잘 알고 지내던 구강모 교수님이란 분한테 만들어드렸어요.. 그런데.. 이거 하나만 찾으신 거예요? 모두 다섯 개를 만들어드렸는데..
해상	..다섯 개요?.. 그걸 어떤 일에 쓰시려고 하신 거죠?
은명	그것까진 모릅니다. 다섯 개의 물건을 찾고 악귀의 이름을 알아내야 한다.. 그 말씀만 하셨을 뿐이에요.
해상	...(답답한 눈빛)
은명	액을 막는 금줄이니 악한 기운을 막으려고 하신 게 아닐까요.

해상, 잠시 생각하다가 가라앉은 눈빛으로 은명을 보다가..

해상	혹시 그 금줄.. 다른 분한테도 만들어 주지 않으셨나요?
은명	(의아한 눈빛으로 바라보는)

해상, 가방 안에서 사진 하나를 꺼내서 은명에게 건넨다. 죽기 전 해상모의 사진이다.

은명, 사진을 바라보다가

은명	맞아요. 이분한테도 다섯 개의 금줄을 만들어 줬죠. 구강모 교수님 소개로 절 찾아왔었어요.

충격에 휩싸이는 해상.

씬/68   N, 해상의 집 건물 밖

불 꺼진 해상의 집을 올려다보고 있는 산영. 초인종을 누르지만, 대답이 없다.
핸드폰을 꺼내 해상의 번호로 통화 버튼을 누르려는데 '팅' 소리와 함께
달칵 열리는 대문.

씬/69   N, 해상의 집 거실

어두운 거실 안으로 천천히 들어서는 산영.
주변을 두리번거리면서 앞으로 나아가다가 유리창을 보고 멈칫. 자신의
바로 뒤에 서 있는 우진이다.

산영   너.. 누구야?

산영을 바라보던 우진, 순간 눈빛 굳으며

우진   ..내가 보여..? 날 찾아온 거야?
산영   ..아귀에 대해서 알려준 게 세미 때문인 줄 알았는데 아니었어..
        널 가리킨 거였어.

우진의 눈빛 더욱 흔들리는데..

산영   너 누구야.. 뭘 알고 있는 거야?

우진의 눈빛, 점점 두려움에 휩싸인다.

| 우진 | 난 몰라.. 정말이야.. 이름만 봤을 뿐이야.. |
| 산영 | 이름? 누구 이름? |

우진의 시선, 산영이 아니라 산영의 너머로 길게 드리워진 머리를
풀어헤친 그림자에 멈추다가

| 우진 | 널.. 악귀를 만든 사람.. 그 사람 이름.. |

'헉' 놀라서 우진을 바라보는 산영.
은명의 집에서 어머니의 사진을 충격에 휩싸여서 바라보고 있는 해상의
모습 교차되면서

6부 끝.

김은희

계속 얘기한 건 '그냥 우리 이야기에 집중하자'였어요. 그러니까 우리가 하고 싶어하는 이야기. 이게 무서울 수도 있고, 정말 섬뜩할 수도 있지만, 결국에는 사람 이야기에 집중하려고 노력했던 것 같아요. 귀신이 나오긴 하지만 귀신도 결국에는 사람이었으니까. 그 이야기에 조금 더 집중하려고 노력을 굉장히 많이 했던 것 같습니다. 귀신은 넣었지만 결국에는 사람이다.

김은희

Q. 드라마 〈악귀〉의 시작이 궁금합니다. 〈악귀〉 스토리의 첫 발상,
아이디어 혹은 계기가 있다면 무엇일지요?

오컬트물을 굉장히 좋아하는 편인데 영화나 드라마에서는 주로
서양 귀신이 많이 나왔던 것 같아요. 근데 우리나라에도 굉장히
흥미로운 귀신이 많아요. 흥미롭고 우리와 조금 더 가까운
귀신 이야기를 해보고 싶었어요. 그런데 일반적으로 오컬트물
하면 떠오르는 신부님, 사제님이 나와서 악마를 퇴치하는 그런
이야기가 아니라, 귀신에 들린 그 사람의 인생에 조금 더 가까이
다가가 보는, 그런 얘기가 더 재밌지 않을까 생각했어요. 〈악귀〉는
사실 그냥 제가 보고 싶었던 얘기였던 것 같아요.

Q. 〈악귀〉는 방영 전부터 '한국형 오컬트 미스터리 스릴러'로
주목받았는데요. 작가님이 생각하시기에 〈악귀〉가 그동안의 작품과 다른
점이 있다면 무엇일지요?

아무래도 귀신이 등장한다는 것이 다를 것 같아요. 제가
범죄물이나 그런 것 때문에 형사님들을 많이 취재했는데, 실제로
만나 보면 "귀신이 있는 것 같다"라고 말씀을 하는 분들이 되게
많았어요. 예를 들면 '이춘재 연쇄살인사건(화성 연쇄살인사건)'
담당 형사님은 "귀신이라도 만나고 싶다." 그런 얘기도 하셨고요.
그 당시는 지금처럼 과학수사가 발전하지 않았고, 그래서
'피해자가 숨겨서 발견된 장소에 가서 누워보기도 했다'는
말씀도 해주셨어요. 범죄가 일어난 곳을 보면 정말 싸한 느낌
같은 게 있거든요. 초자연적인 현상이라고 해야 할까요? 특히나
부검하시는 법의관분들은 진짜 그분들(피해자 귀신)을 만나 보고

싶다고도 하셨는데, 만나서라도 피해자의 이야기를 듣고 싶다는 거죠. 이렇게 자연스럽게 귀신에 대한 이야기를 나눴던 것 같아요.

하지만 그 부분(귀신, 오컬트)이 들어간 게, (작가로서는) 사실 약간 힘들었던 것 같기도 해요. 그전까지는 조금 더 이성적이고 과학적으로 풀어가는 이야기를 많이 썼었는데, 이건 제가 그 설정을 모두 정해야 하는 거잖아요. 근데 또 너무 말이 안 되거나, 허무맹랑하면 시청자분들이 외면할 것 같고… 그래서 악귀 캐릭터를 만드는 과정이 굉장히 힘들었던 것 같아요. 처음엔 이 이야기가 과학적이지 않아서 채택했지만, 나중엔 과학적이지 않아서 힘들었던 것 같습니다.

또 하나 힘들었던 점은, 〈악귀〉를 오컬트물로 홍보하긴 했지만, 사람 이야기와 귀신 이야기의 중간 포인트를 잡는 거였어요. 제가 예전에 〈유령〉이라는 드라마를 했었는데, 제목 때문에 안 보는 사람도 많았다고 하더라고요. '유령이니까 당연히 귀신 나오겠지?' 하면서 안 보는 사람도 있었다고…. 그래서 〈악귀〉를 만들 때 김태리 배우와 이정림 감독님, 제작진하고 많은 이야기를 나눴어요. 사실은 이게 굉장히 호불호가 있는 장르잖아요. 그래서 그 중심을 잡는다고 해야 할까요? 너무 무서우면 아예 안 볼 것 같고. 또 그렇다고 아예 안 무서우면 이게 무슨 오컬트야 그런 얘기를 들을 것 같고…. 근데 우리끼리 계속 얘기한 건 '그냥 우리 이야기에 집중하자'였어요. 그러니까 우리가 하고 싶어 하는 이야기. 이게 무서울 수도 있고, 정말 섬뜩할 수도 있지만, 결국에는 사람 이야기에 집중하려고 노력했던 것 같아요. 귀신이 나오긴 하지만 귀신도 결국에는 (살아 있었을 때는) 사람이었으니까. 그 이야기에 조금 더 집중하려고 노력을 굉장히 많이 했던 것 같습니다. 귀신을 넣었지만 결국에는 사람이다. (웃음)

Q. 구산영과 염해상이 함께 '악귀'의 실체를 쫓는 것처럼, 악귀와 관련된 살인 사건을 쫓는 서문춘과 이홍새라는 경찰 콤비가 등장하는데요. 전작인 〈유령〉(사이버 수사대원들의 이야기) 〈시그널〉(미제 사건 전담반의 이야기)에서도 수사 스토리가 그려졌습니다. 드라마 〈악귀〉에서 이 두 캐릭터의 역할과 설정에 대해 조금 더 말씀해 주신다면?

앞에서 이야기했듯 〈악귀〉는 귀신이 나오지만 결국에는 사람 이야기를 하는 드라마예요. 저는 사실 〈악귀〉를 준비하면서 '진짜 자살이 과연 있을까'라는 생각을 많이 했거든요. 실제로 한국의 자살률이 세계 1위라는 것도, 자살률이 높아지는 추세도 속상하고 안타깝고 그랬어요. 그 사람들한테도 다 사연이 있을 거라는 생각이 들었고요. 질문이랑 좀 안 맞기는 하지만, 저는 결국에는 자살이 일종의 타살이 아닐까 그런 생각을 했어요. 그래서 만약 누군가가 타살을 당했다면 누군가가 당연히 수사해야 한다고 생각을 했고, 그런 이야기를 해보고 싶었던 거 같아요. 그냥 '귀신의 짓이야'라고 치부해 버리는 사람도 있겠지만 '귀신이고 나발이고 사람이 죽었으면 관심을 가져줘야지' 하고 생각하는 사람도 있을 거라고 생각해서 형사 콤비를 등장시킨 거고요. 또 '청춘'과 '어른'이라는 기획 의도를 생각하면서, 괜찮은 어른(문춘)과 누군가의 지도가 필요한 MZ 세대의 형사(홍새)를 한번 대비시켜보면 어떨까 하는 생각도 했습니다.

문춘 캐릭터를 보면, 사실 귀신을 믿지 않아요. 믿지는 않지만 그래도 뭔가 해상을, 사람을 이해하려고 했던 거죠. 그러니까 '귀신 이야기'는 믿지 않지만 '얘가 어디 가서 미친놈 소리 들으면 어떡하지' 하는 염려를 계속해 주는 사람이었던 것 같아요. 저는 문춘이 귀신을 보든 안 보든, 그 사람의 내면을 봐주는 그런 어른이면 좋겠다는 생각을 했어요. 보듬어주는 어른이요.

Q. 〈악귀〉의 구산영과 염해상은 다섯 가지 물건과 악귀의 이름을 찾기 위해 노력하는데요. 사건을 풀어나가는 무수한 아이디어 중 어떻게 이 다섯 가지 물건이 주요 단서로 선정되었을지 궁금합니다.

한국인이라면 딱 보면 알 만한 물건이지만 지금은 많이 안 쓰는 물건을 생각했어요. 악귀가 1958년도에 살았던 아이이기도 하니까요. 먼저 '흑고무줄'은 향이 엄마가 자살한 도구이기도 하지만, 예전에 했던 놀이를 좀 가져오고 싶다는 생각에서 선택한 물건이에요. 독자 중에는 고무줄놀이를 안 해본 세대도 있겠지만… 생각해보면 '꼬마야 꼬마야' 같은 귀여운 노래에 맞춰 놀이를 하기도 했지만 '전우의 시체를 넘고 넘어'처럼 말도 안 되게 무서운 군가를 불러가면서 신나게 고무줄놀이를 하기도 했거든요. 그래서 목단이 이야기 시작할 때 고무줄놀이를 넣고 싶었는데, 주로 여자아이들이 하는 놀이라 치우친 느낌이 들어서 술래잡기로 바꿨죠.

'초자병' 같은 경우는 일단 얘가 미술을 했으면 좋겠다고 생각했어요. 그리고 땅에 묻어서 안 썩는 물건을 생각했어요. 그래서 붉은 댕기도 일부러 목각 상자에 넣었던 거고요. 아주 오래전부터 현재까지 이어지는 이야기라, 예전에 사용했을 법한 물건들을 선택했죠. 한국적인 물건, 우리가 향수를 떠올릴 수 있을 만한 그런 물건이었으면 좋겠다는 생각과, '향이' 캐릭터와 연관이 있는 물건의 교차점을 고민하다가 이 다섯 가지 물건이 나온 거죠.

'옥비녀'는 사극에서 많이 보셨을 것 같고, '초자병'은 유리병이에요. 평범한 유리병인데 그걸 옛날에 초자병이라고 했다고 해요. 그리고 '배씨댕기'는 처음에 그냥 댕기를 쓸까도 생각했는데 배씨댕기가 가진 의미, 그러니까 배씨댕기는 부적처럼 행운을 바라면서 어린 여자아이들의 머리에 매주는 물건이거든요. 그래서 참 아이러니하다는 생각을 했어요. 죽일 아이한테 행운을 빌어준다는 게 사실 말도 안 되는 이야기인데… 하지만 마지막이라도 이 아이가 좋은 곳에 갔으면 좋겠다고 생각해서 선택했어요.

이야기가 좀 길어지긴 하지만, 저는 세 딸 중에 막내예요. 그런데 우리 어머니가 그런 이야기를 하시더라고요. 6.25 전쟁도 겪고 그래서 그런지 모르겠지만 '애 셋 중 하나는 없어져도 되겠다' 그런 생각을 하셨대요. 뭔 말인지는 모르겠어요. (웃음) 예전에 제가 〈킹덤〉이라는 드라마를 했었잖아요. 그 배경이 되는 시대 이야기를 찾아보면 애를 잡아먹는 이야기도 있고… 참 처참해요. 그만큼 사람들이 살아가기에 각박했던 시대가 아닐까, 그런 생각이 들더라고요. 한마디로 야만의 시대죠. 그래서 그런 대사를 썼던 것 같아요. 마지막 12부에 향이가 했던 대사 중에 이런 게 있어요. "그래도 우리는 살아남으려고 했어. 그런데 왜 요즘에는 다 죽으려고 하지?" 물론 지금도 결식아동도 있고 마음 아픈 가정들도 많지만… 요즘 시대에는 배가 고파서 죽는 사람은 거의 없잖아요. 그래서 우리 어머니가 젊었던 시절 얘기, 그러니까 전쟁에 피란에 배곯고 살아남기조차 어려웠던 시대 얘기를 들으면, 그때 어떻게 삶에 대한 의지를 잃지 않았을까 하는 생각이 들더라고요. 나라면 그냥 포기할 수도 있었을 텐데, 이런 생각도 들고요. 〈악귀〉 드라마에선 그런 안타까움을 좀 담고 싶었습니다.

Q. 보통 '귀신은 그림자가 없다'는 설정이 많은데 〈악귀〉에선 반대로 그림자에 머리를 풀어헤친 악귀 모습이 나타나 흥미롭습니다. 사람 그대로의 모습에 귀신이 붙는다는 설정에 조금 더 큰 함의가 있는 것 같은데요.

솔직히, 엄청 열심히 생각했습니다. (웃음) 감독님과 콘셉트를 논의할 때도 '확' 놀라게 하는 그런 공포보다는, 저희는 손이 '쓰윽' 올라와 있는 것 같은 은근한 공포를 생각했던 것 같아요. 아마도 10부였던 것 같은데, 해상이가 '무방수날' 이야기할 때 나오는 장면도 그냥 물에 젖은 발자국들, 손자국들로 최대한 은근하게 공포를 보여주려고 했어요. '이런 게 조금 더 스산하지 않을까? 실제로 귀신이 있다면 이렇게 나타나지 않을까?' 하는 생각들을 반영하려고 노력한 것 같아요. 물론 전통적인 출현 방식은 아니죠. 그런데 깜짝 놀래키는 귀신 등장 신은 이미 많이 나왔잖아요… TV에서 기어 나오는 귀신도 있었고. (웃음)

좀 다른 이야기입니다만, 김태리 배우가 연기한 악귀에게 '엘라스틴 귀신'이라는 별명이 붙기도 했습니다.

산영이가 공시생이기도 하고 생활력이 강한 캐릭터여서 김태리 배우가 그런 걸 표현하려고 메이크업도 거의 하지 않고 의상도 최대한 가장 자연스럽게 보이려고 노력을 했거든요. 그런데 중간에 보면서 저도 '근데 이 삼단 같은 머릿결은 뭐야!'라는 생각을 하긴 했어요. (웃음)

생각해보면 CG 같은 극적인 변화 없이 악귀에 씐 모습을 표현하기 위해 김태리 배우도 고민이 많았을 것 같습니다.

사실 저 역시 기획 초반부터 '김태리 배우가 아니면 이걸 할
수 있는, 이게 가능한 사람이 있을까?' 그런 생각을 하면서
대본을 썼던 것 같아요. 김태리 배우에게 가장 잘 어울릴 것
같은 배역이라고 생각을 했죠. 산영이 캐릭터가 나이는 조금
어려야 하고, 그렇다고 완전히 10대는 아니고… 그랬어야
했거든요. 왜냐하면 극적이고 어두운 이야기도 있어서. 그래서
딱 25살 정도로 잡았던 것 같아요. 그리고 김태리 배우는 눈이
슬프잖아요. 초등학교 졸업 사진도 이슈가 있었죠. 초등학생인데
왜 슬퍼 보이지. (웃음)

Q. 산영은 자신이 아버지와 같은 시신경 위축 질환으로 실명할 수 있다는
사실을 알게 되지만, 아버지와는 다른 선택을 합니다. 공무원 시험, 알바,
동전 줍기(?) 등 누구보다 열심히 살아가지만 또 한편으로는 자기 욕망에
솔직한 인물로 보이는 산영의 이와 같은 선택은 어떤 마음에서 기반한
것일지요? 산영 캐릭터에 대해 자유롭게 말씀해 주셔도 좋겠습니다.

저는 그게 당연한 것 같아요. 사람이 죽는다는 건 정말
큰일이잖아요. 우리가 드라마나 다른 간접 경험을 통해 겪더라도
그렇죠. 게다가 내가 아는 사람, 내 주위의 사람들이면 더욱….
　　주변에서는 '당장 눈이 안 보이게 된다는데, (산영의) 엄마는
늙으면 죽는데 악귀를 받아들이면 어때'라는 식의 반응도 있었죠.
하지만 저는 산영이 악귀를 받아들여 시력을 지킨다고 해도 그걸
과연 '자기의 삶'으로 생각할까 싶었어요. 앞에서 말한 주변의
이야기는 우스갯소리로 한 얘기지만, 사실 '시력'은 삶의 질을
좌우하는 아주 중요한 부분이잖아요. 그래서 '헬렌 켈러' 같은 분
이야기를 읽으면 대부분 이런 생각을 하지 않을까요? '이 어둠을

어떻게 뚫고 나갈 수 있지?' 저는 그렇기 때문에 (산영이가) 더
용감한 애라고 생각했어요. 그래서 자신에게 무슨 일이 닥칠지
알면서도, 나다운 선택이 뭔지 고민을 했던 거죠. '산영이라면
진짜 용감하게, 자기답게, 꿋꿋하게 걸어가지 않을까?' 그런
생각을 하면서 캐릭터를 만들었어요.

산영다운 것에 대해 조금 더 말씀해 주신다면?

'산영이답다'는 건, 제가 마지막에 12부 홍새의 대사에서
'꿋꿋해서'라고 표현한 것처럼… 자기 자신한테 떳떳한 것, 잠시
삐끗할 수도 있지만 그래도 다른 사람 눈치 보지 말고 나답게,
내가 하고 싶은 걸 하는 거요. 전 그게 선택을 아예 안 하는
것이어도 상관없다고 생각하거든요. 잠시 쉬어갈 수도 있고
자기가 하고 싶은 대로, 그대로 하는 것이라고 봐요. 결국 어떤
방식으로든 자기 삶에 떳떳한 그런 선택을 했으면 좋겠다, 그런
이야기를 하고 싶었어요.
　　어찌할 수 없이 시간은 흘러가지만, 결국 후회도 자기
몫이고, 후회하면서 살 수도 있는 거죠. 물론 다시 고칠 수도
있고요. 고칠 수 있다는 표현이 웃기지만, 그렇게 조금씩
수정하고 다시 선택하고 그러면서 다시 배우는 거고…. 그러면서
하나의 삶이 완성되어 가는 거잖아요. 윤여정 선생님이 '철이
든다는 게 뭐지?' 그런 말을 하셨어요. 모두 처음 사는 삶이니까요.
저도 52살이지만 처음 맞는 52살이고, 각자 다 처음 사는 삶이기
때문에 방황할 수도, 흔들릴 수도 있고 잘못 선택할 수도 있고,
가끔 이불킥도 하게 되는 거죠. 그래서 저는 '공감'이라는 걸
좋아하는 것 같아요. 인터넷 글이든 어디든 '맞아, 나도 이런 적
있어!' 하고 공감하는 그런 순간들 말이에요. 사람이라면 거의

비슷비슷한 순간들이 있잖아요. 나만 실수하는 것도 아니고…
그런데 실수를 하건 잘못된 선택을 하건, 잘했다 혹은 잘못했다고
누가 어떤 기준으로 이야기할 수 있을까요. 나다운 선택이었다면
후회를 하더라도 다시 할 수 있다, 다른 사람의 의견에 너무
휩쓸리거나 누군가가 등을 떠밀어서 하는 선택만 아니었으면
좋겠다, 그런 생각을 했던 거 같아요.

Q. 〈악귀〉에는 주인공(?) 악귀 외에도 아귀, 객귀, 어둑시니 같은 다양한
귀신이 등장합니다. 이들의 공통점은 우리 역사 속에 등장할 법한 토종
귀신이라는 것인데요. 전작 〈킹덤〉만 봐도 한국적인 것에 꾸준히 관심을
두고 계신 느낌입니다.

제가 한국 사람이니까 한국적인 것에 관심을 두는 건 너무 당연한
것 같아요. (웃음) 〈킹덤〉 때도 답사를 많이 다녔어요. 산성도 보러
다니고 낙동강도 보러 다니고. 그때 우리 산세가 너무 예쁘다고
생각했어요. 특히 궁이라는 곳은 그저 '아름답다'는 말로는 표현할
수 없는 것 같아요. 뭐랄까 예쁘다, 참하다도 아니고… '풍경이
마음에 스며든다.' 그런 느낌이 들어요. 벌레만 빼고 궁은 다 좋아요.
(웃음) 한복도 댕기도 좋고, 그냥 한국 문화가 전 너무 좋아요.
　　앞의 문답에서도 비슷한 이야기를 한 것 같아요. 〈악귀〉의
귀신들은 전 세계를 멸망으로 이끄는 거대한 악, 그런 것보다는
그냥 한을 가진 존재예요. 객귀나 어둑시니 같은 귀신들은 그냥
누군가의 슬프고 억울한 죽음을 겪고 그로 인해 응어리진 마음을
갖게 된 거예요. '한(恨)'은 우리 문화에서 오래 다뤄온 정서여서
그런지 그런 귀신들을 조금 더 많이 그리고 싶었던 것 같아요. 결국
'귀신'은 사람의 삶이 투영된 존재가 아닐까 생각했습니다.

관련 자료 조사에 얼마나 걸리셨을지 궁금합니다.

민속학, 귀신에 대한 자료 조사를 많이 했어요. 〈지리산〉(2021)이
끝나자마자 시작했으니, 거의 2년 조금 넘게 한 것 같아요. 예전에
〈싸인〉, 〈유령〉은 1년 만에 집필하고 그랬는데 그러다 보니까
오히려 퀄리티가 별로 안 좋았던 것 같아요. 사실 확인도 그렇지만
이걸 어떻게 더 효과적으로 극 안에 끌어들이고, 빌드업을 하고,
캐릭터를 어떻게 보여줄지 구상하는 시간 정도로 생각을 하면
그 정도가 제일 맞는 것 같긴 한데 힘들죠. 이제 혼자서 쓰다가는
죽을 것 같아서, 같이 일했던 작가와 공동작업을 해보려는 생각도
하고 있습니다.

Q. 〈악귀〉를 보면, 한국적이고 전통적인 공간이 많이 등장합니다.
화원재, 백차골 마을, 장진리 마을 등 '한국지명총람'에 정말 등장할
것 같은 지명과 장소들입니다. 장소, 공간 설정 관련한 에피소드가
있을지요?

〈악귀〉에 나오는 아름다운 공간은 모두 미술팀의 작품이에요.
특히 화원재를 보고 진짜 깜짝 놀랐어요. '이걸 어떻게 다
모으셨지!' 하고요. 저는 그냥 '화원재 서재'라고 써 놓고 민속학자
방이니까 당연히 그런 느낌이겠지 생각했는데, 화원재 세트도
너무 예쁘게 잘 지어주셨어요. 지금은 촬영이 끝나서 다 헐렸으니
너무 아깝죠. 해상이 본가도 좋았어요. 처음에 미술 감독님이
제게 "아예 한옥(화원재)과 대조되게 일부러 의도하신 거죠?"라고
물어보셨어요. 왜냐하면 제가 해상이 공간에 괄호 열고 '덕수궁
석조전을 생각하고 썼습니다'라고 썼거든요. 일제 강점기 때부터

대대로 이어져 올 만한 진짜 부잣집을 생각했었어요. 근데 너무 구현을 잘해주셔서 감사했죠.

〈악귀〉 속 마을들은 모두 실재하지 않는 곳이지만, 취재했던 마을들의 디테일을 담으려고 했어요. 한번은 국립민속박물관에 계신 과장님을 통해 한 마을의 '당제'를 보러 갔었어요. 감독님부터 시작해서 다 같이 갔었거든요. 딱 바닷가에 면해 있는 마을이었어요. 나이 많으신 분들이 당제 준비부터 진행까지 다 하고 계셨는데, 정말 '백차골 마을' 하고 똑같았어요. 그분들도 이제는 힘들어서 이걸 매년 해야 하나 말아야 하나 고민하신다는 이야기를 들었죠.

좀 다른 이야기지만, 민속박물관 과장님은 제가 어떻게 자료 조사하는지 너무 궁금하다고 하셨어요. 그래서인지, 전문가분들을 만나면 대부분 제게 되게 특이한 것을 알려주려고 하세요. 그런데 저는 그것보다 자연스러운 뒷이야기가 더 궁금하거든요. 이 직종에 어떻게 몸담게 되셨고, 이 일을 위해 평소에 무엇을 하시는지 같은 소소한 이야기요. 그런데 자꾸 결과만 말씀해 주시는 거예요. 사실 저한테는 일상적인 이야기가 더 크게 도움이 됩니다.

제가 이런 말을 했더니 과장님이 그러시더라구요. 마을에 가장 연세가 많은 할아버지를 만나서 '여기에 대해서 들어보셨어요? 당제는 언제부터 지내셨어요? 기억나는 거 있으세요? 이런 물건 본 적 있으세요?' 그런 걸 계속 여쭤보거나, 어떤 경우에는 집에 일주일씩 먹고 자고 하면서 하다못해 '이 숟가락 어디서 나셨어요?' 같은 일상적인 것을 물어보는 직업이 바로 민속학자라고요. 먼 옛날에는 모두가 나이 많은 분들의 말을 믿고 따랐잖아요. 그분들의 말과 경험이 곧 삶의 지혜였으니까. 지금은 책이나 다른 매체를 통해서 지혜를 얻게

작가 인터뷰

됐지만, '민속학'은 옛 어르신들이 가지고 있는 감성과 이야기를 계속 들어주는 학문이라서 좋았어요. 이제는 우리가 궁금해하지 않는, 어르신들의 이야기에 귀 기울여 들어주는 민속학을 소재로 삼다 보니 백차골 마을이나 장진리 같은 이야기가 자연스럽게 들어갔던 것 같아요.

당제에 갔을 때로 다시 돌아오면, 저는 마을회관에서 경을 읊어줄 때가 좋았어요. 경을 읊어주는 경쟁이 분이 오면, 이장님이 옆에서 이런저런 마을 사람 소식을 거들어주세요. 신기한 건 이장님 한 분이 온 마을 사정을 다 알고 계시는 거예요. 이장님이 어느 집 큰 손자가 수능을 본다 하시면 경쟁이 분이 '우리 손주 수능 대박 나시고' 하면서 불도 태워주고 그러는 걸 보면서 '이런 게 진짜 공동체구나' 싶었어요. 정말 숟가락 개수 하나까지 다 알고 있는 사이구나 싶은 그 느낌이 좋았죠. 당제가 끝나면 제에 사용했던 물건들을 가지고 마을 앞 삼거리로 다들 함께 가세요. 그 삼거리가 마을 입구 같은 곳인데, 거기서 객귀들을 물리고 크고 작은 액을 물리치는 액막이 같은 거리제를 하시는데 저는 따라가다가 너무 추워서 차에 잠시 들어갔어요. 바닷가 근처라 바닷바람이 정말 셌거든요. (웃음)

감독님과 다른 분들은 거기까지 다 같이 가셨는데, 물건을 다 불태우고 이장님이 "이제부터 절대 뒤돌아보시면 안 돼요!" 하면서 뒤돌아보면 귀신이 씐다고 하시더래요. 근데 시골이라 정말 눈앞도 잘 안 보일 정도로 어두웠거든요. 그래서 다들 너무 무서워서 앞만 보고 걸어왔던 기억이 있어요. 사실 뒤를 돌아보지 말라는 건 오르페우스부터 시작해서 세계적으로 유명한 금기잖아요. 이런 비슷한 금기나 이야기를 들으면 '정말 사람 사는 게 다 똑같구나' 하는 생각이 들어요. 당제를 통해 마을 전체의 풍요도 빌고 액막이도 하는 거니까, 실제로 객귀가 많이 나오진 않겠죠. (웃음) 저는 그게 공동체가 살아가는 방식이 아니었을까 하는 생각이 들어요. 이런 제를 함께 지내면서 서로 보듬어주기도 하고 아픔이 있으면 같이 나누기도 하고 그런 게 아니었을까.

Q. 민속학 관련 질문으로 이어가 보겠습니다. 〈악귀〉 주요 인물인 염해상의 직업이 '민속학자'라는 것이 신선합니다. 해상은 드라마에서 말끔하고 세련된 스타일로 등장하기 때문에 평소에는 인식하지 못하다가 불현듯 '아, 이분 민속학자였지' 싶은 지점이 있는데요. 차에서 산영과 '진도씻김굿' '드렁갱이 장단'을 듣는 장면입니다. 짧은 대화였지만 웃음 포인트가 있어서 좋았고, 작가님의 디테일이 드러나는 장면이라는 생각이 들었습니다. 이처럼 작가님께서 집필하실 때 특별히 신경 쓴 디테일이 있다면 어떤 것이 있을지요?

특별히 신경 쓴 부분은 사실 대본 안에 다 들어있어서요. 제 모든 걸 올인했기 때문에…. (웃음) 그래도 꼽아본다면, 12부의 '줄불놀이 신'이요. 양반층이 향유하던 놀이이기는 한데 너무나도 예쁜, 자랑하고 싶은 우리만의 전통인 것 같아서 꼭 소개하고 싶었어요. 실제로도 드라마에 예쁘게 담아주셨고요. 제가 신경 쓴 건 그런 부분들이에요. 꼭 민속학이라고 표현할 수는 없겠지만 그냥 민속학자, 민속학 교수에 대한 부분을 최대한 많이 넣어보려고 노력했어요. 사실은 더 풀고 싶은 부분들도 많아서 머리를 싸매봤지만 넣을 공간이 없었어요.

요즘 분들은 모르시겠지만, 예전에는 집들이 때 성냥을 선물했거든요. 왜 성냥일까 하면, 옛날에는 아궁이가 굉장히 중요했잖아요. 불을 꺼뜨리면 음식도 못 하고 난방도 안 되고 해서 이 불씨를 꺼뜨리면 안 되니까 집들이 때 성냥을 선물하지 않았을까 싶어요. 그런 민속학적인 부분들, 조선왕조실록에 나올 법한 이야기가 아니라 평민들의 문화나 일상생활에 대한 재미있는 해석들이 많아서 넣어보고 싶었는데, 결과적으론 못 넣었어요. 여기서 악귀가 나타나고, 이쪽으로 이야기가 흘러가야 하는데, 중간에 성냥 이야기를 하고 있을 수는 없으니까요.

사실 〈킹덤〉의 자료 조사가 너무 힘들었던 게, 평민들의 삶을 기록한 자료가 너무 없는 거예요. 사학자분들이 아무리 많은 기록을 해도 평민들의 삶은 한 줄 정도였어요. 관련 전문가분들께 물어봐도 그쪽에 관심을 가지는 사람이 많지 않다 보니 연구도 많이 진행되지 않는다고 하시더라고요. 그래서 그런 학자분들에 대한 지원이 이루어졌으면 좋겠다는 생각을 하기도 했습니다. 우리가 사는 이야기, 서민이나 평범한 사람들의 삶도 연구가 되면 너무 좋겠다고 생각했어요. 아마도 제가 평민이라서 그런 게 아닐까요. (웃음)

Q. 기억에 남는 〈악귀〉의 명대사, 명장면을 꼽아주신다면 무엇일지요?

사실 제가 그렇게 대사를 잘 쓰는 작가는 아니어서… 지금 생각나는 대사는 "문 안과 밖은 다른 세상이다"예요. 취재하러 한 공사장에 갔을 때였는데, 완공되지 않은 작은 건물이었고 아직 문이 없었어요. 그때 처음으로 '문이 없는 느낌'을 느꼈는데 그게 되게 인상적이었어요. '문으로 인해 공간이 이렇게 분리가 되는구나' 하는 생각을 그때 처음 했죠. 또 '계단이 없다는 게 이렇게 불편한 거구나' 하는 걸 느꼈고, 이 덕분에 원래 자리에 있어야 할 평범한 것들에 대해 생각해보는 계기를 갖게 된 것 같아요. 사실 문 이야기는 미스터리 분야에서 전 세계적인 단골 주제죠. '문을

열어준다', '초대한다', '문을 열지 않으면 나쁜 기운이 들어오지
못한다'. 이런 건 굉장히 여러 나라에서 발견되는 이야기이기도
하고… 그래서 그런 점이 재밌는 거죠. 민속학적인 시각에서 보면
'어느 나라든 사람 사는 게 다 똑같구나' 그런 생각을 하게 돼요.
또 말이 길어졌네요. (웃음) "문 안과 밖은 다른 세상이다" 그걸로
해주세요.

Q. 작가님의 작품을 보면 "누군가는 기억해야 할 이야기"에 대한
주제를 꾸준히 다루고 계시는 것 같습니다. 오정세 배우는 "이번 작품을
하면서 '기리다, 기억하다, 추모하다'와 같은 말들이 예전과는 참 다르게
다가온다. 의미 자체가 짙어지고 깊이가 생긴 느낌"이라고 감회를
밝히기도 했는데요. 작가님께 '기억'은 어떤 의미일지요?

　　　제가 이제 나이를 먹어서 그런지 모르겠지만 '앞으로'에 대한
　　　기대보다는, 추억하고 기억해야 할 시간들이 훨씬 더 많아진
　　　것 같아요. 그리고 요즘 너무 정보가 넘쳐나잖아요. 후배
　　　작가들한테도 계속 이야기하는 한 가지는 '우리 주변에서 무슨
　　　일어나는지에 대해 지속적으로 시선과 관심을 두어야 한다'예요.
　　　저도 매일 신문 통해서 사건 사고들을 보는데, (무섭고 안타까운
　　　사건이 많아서) 너무 정신이 없어요. 우리나라가 특히 더 복잡한
　　　것 같아요. 그런데 이런 때일수록 가끔 숨 한 번 들이쉬고,
　　　우리가 어떤 시대를 살아왔고 어떤 일이 벌어졌었는지를 한 번씩
　　　뒤돌아봐야 한다고 생각해요. 그런 시간을 한 번쯤 가져봤으면
　　　좋겠다, 그런 생각이 듭니다.

Q. 〈악귀〉는 김은희 작가님의 신작이자 한국형 오컬트 미스터리의
탄생으로 주목을 받았습니다. 한 인터뷰에서 하셨던 "누군가 이미 했던
이야기는 하지 않는다. 항상 도전하고 또 도전한다"는 말씀이 인상
깊었는데요. 작가님의 작품 세계관이 어디까지 확장될지 궁금합니다.
현재 작가님의 관심사가 있으시다면 무엇이고, 혹시 다음 계획이
있으시다면 무엇일지요?

언제나 제 관심사는 사람, 사람이죠. 도전해보고 싶은 장르는
SF입니다. 사람 이야기를 담은 SF를 꼭 한번 해보고 싶어요.

Q. 영상 매체가 아닌 '글'로서 〈악귀〉를 접할 '독자'에게 당부하실
말씀이나, 부탁하고 싶은 부분이 있다면 무엇인가요?

대본집은 상상하면서 볼 수밖에 없는 것 같아요. 그렇기 때문에
〈악귀〉 대본집의 독자분들 한 분 한 분이 감독의 입장, 배우의
입장이 되어서 나만의 '악귀'를 만들어 본다 생각해 보면 좋지
않을까 싶습니다. 만약 드라마를 보셨더라도 대본집을 읽어보면
'나였다면 이 신에서는 이렇게 표현하지 않았을까' '나였다면
김태리 말고 다른 배우를 이 배역에 썼을 수도 있어' 하면서
상상하는 재미를 느낄 수 있을 것 같습니다. 〈악귀〉 대본집을 통해
나만의 '악귀'를 만들 기회를 가져보시면 좋겠습니다.

Q. 마지막으로 〈악귀〉 촬영을 위해 애쓴 이정림 감독과 촬영 스태프들,
배우에게 전하고 싶은 말이 있다면?

제목은 '악귀'였지만, 드라마를 만들어가는 과정은 정말 굉장히
많이 따뜻했고, 서로 어떻게든 의견을 나누고 도움을 주려고 많이
노력했던 작품으로 기억될 것 같아요. 시작할 땐 차가운, 진짜
추운 겨울이었고 봄에 끝났거든요. 모든 스태프들 너무 수고
많으셨고, 저는 그 수고가 이 안에 다 담겼다고 생각합니다. 만약
뭐라도 잘못된 부분이 있다면 글이 잘못된 거지, 그분들의 잘못이
아닙니다. (웃음)

촬영이 봄이 되어서 끝난 것처럼, 이 드라마에 힘을 보태주신
모든 분, 모든 스태프들이 어느 작품에 가시건 봄처럼 따뜻하게,
행복하게 지내셨으면 진짜 좋겠습니다. 감사합니다.

감독 인터뷰

이정림

'악귀는 그 사람의 욕망을 먹고 자란다'.
우리 드라마에 나오는 이 표현을 정말 좋아한다. 다 다르겠지만 누구나 청춘을 겪고,
누구나 아주 작은 것일지라도 욕망을 갖고 살고 있지 않나. 나 역시 '나는 흔들리지
않을 수 있을까' '나는 옳은 선택을 할 수 있는 사람일까' 하고 고민한다.
그래서 '구산영'이라는 사람이 좋았다.

이정림

Q. 〈악귀〉 연출을 수락하신 이유 중 하나로 '새로운 도전에 동참하고
싶었다'라고 말씀하신 인터뷰 내용을 보았습니다. 긴 여정 끝에
드디어 시청자에게 〈악귀〉를 선보이게 되어 연출자로서 감회가
남다르실 것 같습니다.

개인적인 이야기지만, 딸아이가 200일이 채 되지 않았을 때인
2021년 11월에 작가님을 처음 만났다. 그런 아이가 이제 두 돌이
지났다. 아무 생각 없다가도 아이가 걷고 말하는 모습을 보면
'작가님과 긴 시간을 보냈구나' 그런 생각이 든다. 작가님과
어마어마한 양의 술을 마셨고, 극 중 염해상 교수처럼 함께
지방 당제도 보러 갔었고, 회의도 수십 번 했다. 수정하고 또
수정하고 대화를 나눴다. 지독하게 추웠고 날씨 운도 많이
따라주지 않아 현장 스태프들도, 배우들도 고생을 많이 했다.
한 명도 빠짐없이, 모두 너무나도 고생했기에 좋은 결과가
나왔으면 좋겠다고 기도하고 또 기도하는 마음으로 드라마를
준비했다.

Q. 감독님께 〈악귀〉는 첫 '오컬트 미스터리 스릴러' 연출작으로 알고
있습니다. 도전으로 느껴지는 지점이 많았을 것 같은데, 어려운 점이
있다면 무엇이었을지요? 그리고 감독님이 생각하시는 〈악귀〉만의
매력, 차별점은 무엇일지 궁금합니다.

무서운 걸 좋아하지만 잘 못 본다. 그래서 처음엔 '오컬트'라는
장르가 스트레스였다. 평소에도 나는, 처음엔 80%는 눈을
가리고 보고, 그다음엔 볼륨 줄이고 겨우 보고, 그다음에서야
제대로 두 눈 뜨고 귀 열고 볼 수 있는 소심한 사람이다. 그런데
김은희 작가님도 그런 분이다. 회의하면서 제일 많이 소리

지르고 무서운 영상을 공유하면 가장 놀라는 이상한 사람이다. 그런데도 이런 내용만 쓰신다.

〈악귀〉를 '한국형 오컬트' 드라마로 많이 홍보했지만, 그냥 나는 이야기 자체가 주는 매력이 크다고 생각했다. 또 고루해 보이지만 흥미로운 이야기가 많은 '민속학'이라는 소재가 우리 드라마 중심에 있다. 그 점이 오히려 나에겐 도움이 많이 되었고 먹, 수묵화, 탱화 등 한국적인 것에서 영감을 얻기도 했다. 전부 다 녹이진 못했지만 기획할 땐 더 많은 귀신이 있었다. 작가님이 들려주고 보여주신 태자귀, 아귀, 창귀 등 우리 조상들이 기록하고 믿어 온 귀신들을 현재를 살아가는 우리에게 투영할 수 있다는 점이 흥미로웠다.

사실 촬영할 때 많이 헤맸다. '이게 무섭나? 이게 맞나? 괜찮나?' 현장 스태프 반응을 몰래 많이 훔쳐봤다. 무서운 것을 잘 못 보는 시청자부터 오컬트 마니아까지 모두를 만족시킬 수는 없다고 생각했다. 다만 〈악귀〉가 지닌 이야기의 힘이 크다고 믿었고, 시청자들이 구산영이라는 캐릭터를 응원하게만 된다면 좋은 드라마가 될 것이라고 생각하면서 촬영했다.

Q. 〈악귀〉는 민속학을 기반으로 하는 작품인 만큼, 수십 차례의 고택 답사 등 공간 구현에 심혈을 기울이셨다고 들었습니다. 특히 민속학자인 구강모 교수가 살았던 화원재, 염해상 교수의 집 구현에 신경을 썼다고 하셨는데요. 드라마 방영분을 보면 산영의 방 역시 디테일이 가득해 보였습니다. 언뜻 보면 잘 보이지 않지만, 신경 쓴 연출 디테일에 대해 좀 더 말씀해 주신다면?

산영 방에 놓인 물건들 중 거의 대부분은 사실상 필요 없는,

당장 버려도 되는 물건들이다. 그렇지만 산영이라면 '언젠가 쓰겠지' 하고 뭘 함부로 버릴 수 없을 것 같았다. 매일 알바를 하러 나가면서 '돈 많이 벌게 해주세요' 하고 작게 읊조리고 나갈 행운의 물건 하나 정도는 산영에게 선물하고 싶었다. 그래서 벽에 돈이 들어오는 행운의 그림 같은 것을 걸어두었다. 조감독 사진을 표지에 박아 〈나는 OO살 때 OO억을 모았다〉 같은 책을 만들어 책상 위에 올려두고 우리끼리 즐거워하기도 했다.

힘들게 모은 돈을 맨날 엄마가 날려 먹고, 시험에는 떨어지고, 그런데 또 돈은 벌어야 하고… 산영은 삶이 너무 고단한 사람이다. 매일 한강 다리에 올라서서 소리 없는 아우성을 치는, 죽음을 코앞에 둔 사람. 그래서 만일 내가 산영이라면 '다시 태어나면…' 같은 꿈도 너무 귀찮을 것 같았다. 오히려 '나는 다시 안 태어날래요, 너무 피곤해요, 그래도 반드시 다시 태어나야 한다면 그냥 돌로 태어나고 싶어요…' 그럴 것 같았다. 그래서 산영의 핸드폰 배경 화면을 조약돌로 설정했다.

해상이라는 캐릭터에서 내가 생각한 키워드는 처음부터 끝까지 '고독'이었다. 계단 끝에 서 있는 뒷모습, 문 너머 서 있는 뒷모습 같은 것들을 생각했다. 좋은 집에 살면서 자기가 좋은 집에 사는지조차 모르고 하나도 행복하지 않은 사람. 그런 것들을 미술감독님께 굉장히 추상적으로 설명했는데 감독님께서 '빌헬름 함메르쇼이'의 그림들을 보여주셨다. 화가의 의도와는 다른 점도 물론 있었겠지만 상상했던 모습과 굉장히 비슷했다. 미술감독님은 이를 토대로 집의 톤이나 구조, 벽지, 바닥, 가구 하나하나를 공들여 선택해 해상과 어울리는 집을 지어주셨다.

해상의 집 서재를 지을 땐 우리끼리 '비밀 서재'라고 부르기도 했다. 한층 아래에 있는 숨겨진 공간으로 도면을

그려보기도 했고, 내부 자료들을 어떻게 붙여놓을지도 고민을
많이 했다. '가장 해상이다운 공간으로 만들자'를 목표로
삼고 방대한 양의 자료를 모았지만, 돌고 돌아 무서울 정도로
가지런하고 깔끔하게 정리된 공간으로 꾸며졌다.

　　화원재는 전국의 한옥, 고택을 다 돌아다니며 찾을 정도로
고민을 많이 한 공간이다. 거대한 입구에서 압도당하되,
내부는 구강모 교수의 삶처럼 미스터리하고 기묘한 느낌을
받았으면 좋겠다고 생각했다. 상상했던 내부와 정확히
일치하는 한옥은 찾지 못했다. 기존의 한옥에 VFX(Visual
FX, 시각적인 특수효과)로 건물을 더 지어 외경으로 쓰고,
내부는 미술감독님과 짓고 싶은 대로 짓기로 했다. 석란(구강모
교수의 어머니)이 머무르는 본채와 구강모 교수의 공간인
별채는 물리적 거리감이 있으면서도 가족들만 아는 아주 긴
뒷 복도로 이어져 있다. 구강모 교수는 악귀에 대한 실마리를
찾을 수만 있다면 무엇이든 했을 것 같은 인물이었다. 그래서
아주 작더라도 단서가 될 만한 문서나 물건을 다 수집했을 것
같았기에 문서, 고서, 온갖 잡동사니들로 별채를 빼곡히 채웠다.

Q. 주연 배우 김태리, 오정세, 홍경 배우는 〈악귀〉를 통해 새로운 연기
변신에 성공했다는 평가를 받고 있습니다. 폭넓은 연기 스펙트럼을
보여준 배우들과의 작업은 어떠셨을지, 실제 촬영 현장 분위기는
어땠을지 궁금합니다.

김태리, 오정세, 홍경은 셋 다 '생각과 질문이 많은 사람들'이다.
촬영 전 배우들과 여러 번 미팅을 했는데 그때마다 대본 가득
필기를 해왔다. 신인 연출자로서 처음 몇 번은 미팅하는 꿈을

꿀 정도로 긴장했다. 그런데 이후, 촬영하면서 그 과정들이 꼭 필요했다는 생각이 들었다. 배우들이 생각할 거리들을 많이 던져주어서 연출하는 데도 도움이 많이 되었다. 배우들이 던진 질문에 답을 생각하다 떠오른 아이디어들도 많았고, 앞으로 나아가야 할 방향에 대한 확신이 생기는 순간도 있었다.

배우들끼리는 원래 친분이 있는 사이도 있었고, 촬영하며 매우 끈끈해진 관계도 있었다. 자신이 나오는 신이 아니더라도 같이 고민해 주는 사이였기에 현장 분위기는 좋을 수밖에 없었다.

Q. 드라마 기획 의도에서 가장 앞에 등장하는 단어는 '청춘'입니다. 김태리 배우는 한 인터뷰에서 '꿈 없는 청춘 이야기가 장르물 안에서 어떻게 풀릴지 궁금하다'며 기대감을 드러내기도 했습니다. 이처럼 오컬트 작품에 '청춘'이라는 키워드는 생소하지만 〈악귀〉를 해석하는 새로운 포인트가 될 것 같습니다. 이 키워드에 대한 감독님의 해석이 궁금합니다.

나는 내가 모르는 감정을 흉내 내서 잘 표현할 수 없는 사람이다. 첫 작품 〈VIP〉도 내가 실제로 사내 부부였기 때문에 글을 보고 상상했을 때 밀려오는 오만가지 감정이 있었고, 그것을 연출에 녹여낼 수 있었다.

김은희 작가님의 작품을 연출할 기회가 왔을 때 감히 망설였던 이유는 장르적 이유가 컸다. 솔직히 말하면 자신이 없었다. 하지만 처음 미팅했을 때 작가님의 입에서 나온 '청춘'이라는 단어가 내 마음을 흔들었다. 작가님은 요즘 젊은이들을 보면 마음이 아프다고 하셨다. 그 말씀에 공감했고, 대단한 위로까지는 아니더라도 먼저 그 시절을 지나온 어른으로서 지금 꼭 해주고 싶은 말이 있는 것 같았다. 이런 작가님의 마음가짐이 멋있었고, 나도 작가님의 이야기가 듣고 싶어졌다. 동시에 그때 장르적 도전을 해보고 싶다는 생각이 들었다.

Q. 〈악귀〉 드라마에서 특별히 기억에 남는 대사가 있으실지요?

"악귀는 그 사람의 욕망을 먹고 자란다." 우리 드라마에 나오는 이 표현을 정말 좋아한다. 다 다르겠지만 누구나 청춘을 겪고, 누구나 아주 작은 것일지라도 욕망을 갖고 살고 있지 않나. 나 역시 '나는 흔들리지 않을 수 있을까', '나는 옳은 선택을 할 수 있는 사람일까' 하고 고민한다. 그래서 '구산영'이라는 사람이 좋았다. 구산영은 이 길로도 걸어보고 저 길로도 걸어보고 마음껏 흔들려보고 결국은 단단한 사람으로 잘 살아남았다. 작가님의 세상 속에서 살아볼 수 있어 정말 영광이었다.

Q. 〈악귀〉는 오컬트 장르 특성상 '귀신'이라는 실체 없는 존재의 등장 신이 많습니다. 연출적인 측면에서 어떤 부분에 주안점을 두셨을지요?

연출자로서 〈악귀〉의 그림들이 너무 낯설지 않았으면 했다. 지나치게 화려한 그림에 작가님이 진짜 하고 싶은 이야기가 가려져서는 안 된다고 생각했다. VFX팀과도 오랜 기간 회의하며 어떤 이미지들을 보여줄 것인가에 대해 많은 이야기를 나눴다. 그중 가장 큰 이슈는 '그림자를 어떻게 표현할

것인가'였다. 그림자에 질감을 넣어보기도 하고 2D가 아닌
3D로 입체감을 주는 게 더 공포감이 들지 않겠냐는 의견도
오갔다. 그러나 결국 익숙하고 평범한 그림자면서 산영의
모습과는 다른 악귀를 보여주는 게 맞겠다는 생각이 들었다.
그러던 중 〈전설의 고향〉 포스터를 보게 되었다. 한이 가득
담긴 눈빛에 머리를 풀어헤친 귀신의 모습을 보고, 악귀가
살아있다면 이런 느낌이겠구나 싶었다. 대본 속 "그림자가
커진다"는 표현은 머리카락이 점점 길어지고 더 무섭게
휘날리게끔 만드는 방식으로 표현하고자 했다.

Q. 김은희 작가님의 대본 그 자체의 흡입력도 상당하지만, 이야기를
더욱 실감 나는 영상으로 구현하는 것이 드라마의 묘미가 아닐까
싶습니다. 감독님이 생각하셨을 때 〈악귀〉에서 이 장면은 '진짜 잘
나왔다' 싶은 명장면이 있을지요?

산영을 잠식한 악귀가 등장하는 '모든 장면'이다. 김태리 배우와
함께 악귀일 때는 어떤 자세로 있을지, 어떻게 행동하고, 어떻게
웃을지 등을 많이 연구했다. 산영이가 악귀일 때 보여주는
모습들은 과거 신에서의 향이의 모습과 똑같은데, 그중 하나가
입을 가리고 웃는 모습이다. 산영에게 깃든 악귀는 '악(惡)' 그
자체지만 그녀에게도 수줍은 소녀의 시절이 있었다. 그래서
'향이는 이렇게 웃지 않았을까' 하고 만든 자세다. 특히 3부
수족관 신에서 처음엔 입을 가리고 있어 웃는 건지 놀란 건지
알 수 없는 모습에서 손을 내리면 섬뜩하게 웃고 있는 표정으로
넘어가는 장면을 베스트로 꼽고 싶다.
　　허밍하며 뒷짐 지고 걷는 모습도 악귀 산영과 향이의

공통된 모습이다. 2부에서 이삿짐 센터 아르바이트 후 산책로
징검다리를 건널 때 산영은 이미 악귀에 잠식된 상태였고
그때의 모습과 11부 향이 바닷가 등장씬을 비교해서 보면 정말
닮아있다. 허밍 곡은 '황성옛터'라는 노래로 태리 씨가 직접
찾아왔다.

3부 엔딩 신도 좋아한다. 수족관이나 한강이나 이미
대본으로 봤을 때부터 소름 돋게 좋은 장면들이지만 배우들이
연기하는 걸 보는 순간 더 신이 났다. 어머니에 대한 기억으로
흔들리는 해상의 모습도 좋았고, 그럼에도 불구하고 어머니
죽음의 진실을 밝히기 위해 용기 내어 악귀 앞으로 다가가는
모습도 좋았다. 일부러 해상이가 악귀의 그림자를 밟게 했다.
장난치듯 어항을 툭 하고 한강에 던지는 산영의 자세도 김태리
배우의 오랜 고민 끝에 나오게 된 모습이고, 둘 사이의 팽팽한
긴장감이 잘 표현된 신이라고 생각한다.

사실 한겨울 한강 다리 위에서 맞는 강바람은 말로
표현할 수가 없다. 그 신을 위해 서강대교 다리 위에서 밤새
찍었다. 악귀에서 산영으로 돌아올 때는 실제로 해가 떠야
했기에 일출을 기다렸다 찍은 뒤 남들이 출근하는 시간에 모두
퇴근했다.

Q. 마지막으로 영상 매체가 아닌 '글'로서 〈악귀〉를 접할 '독자'에게
당부하실 말씀이나, 부탁하고 싶은 부분이 있다면 무엇인가요?

김은희 작가님은 오컬트라는 장르로 잊혀 가는 것에 대한
이야기 그리고 지금 우리가 살아가는 시대와 청춘에 대한
이야기를 하고 싶어 하셨다. 무서운 이야기는 외피일 뿐, 대본집

곳곳에 숨겨진 진짜 이야기에 대한 재미를 찾으며 봐주셨으면 좋겠다. 작가님은 지문을 정말 꼼꼼하고 상세하게 쓰신다. 방송으로 놓쳤던 부분들을 글에서 발견하는 재미가 분명 있을 것이다.

악귀 1

드라마 스틸컷

악귀 1

악귀 1

악귀 1

악귀 1

초판 1쇄 인쇄 2023년 8월 10일
초판 1쇄 발행 2023년 9월 1일

지은이 김은희
펴낸이 최동혁

기획본부장 강훈
영업본부장 최후신
책임편집 이현진
기획편집 장보금 한윤지
디자인팀 유지혜 김진희
마케팅팀 김영훈 김유현 양우희 심우정 백현주
영상제작 김예진 박정호
물류제작 김두홍
재무회계 권은미
인사경영 조현희 양희조
디자인 팟
일러스트 김예진

펴낸곳 ㈜세계사컨텐츠그룹
주소 06071 서울시 강남구 도산대로 542 8,9층(청담동, 542빌딩)
이메일 plan@segyesa.co.kr
홈페이지 www.segyesa.co.kr
출판등록 1988년 12월 7일(제 406-2004-003호)
인쇄·제본 예림

ISBN 978-89-338-7228-4 (1권)
　　　978-89-338-7229-1 (2권)
　　　978-89-338-7227-7 (세트)

세계사
40th Anniversary

앞으로 채워질 당신의 책꽂이가 궁금합니다.

마흔 살의 세계사는 더욱 섬세해진 통찰력으로
당신의 삶을 빛내줄 귀한 책을 소개하겠습니다.